VLEUGELS

Ruth Newman

VLEUGELS

SIJTHOFF

Uitgeverij Sijthoff en Drukkerij HooibergHaasbeek vinden het belangrijk om op
milieuvriendelijke en verantwoorde wijze met natuurlijke bronnen om te gaan.

De eerste en tweede druk zijn verschenen onder de titel *Vleugels van angst*

Eerste druk 2008
Tweede druk 2010
Derde druk 2011
Vierde druk 2011

Copyright © 2008 Ruth Newman
All Rights Reserved
© 2008, 2011 Nederlandse vertaling
Uitgeverij Luitingh ~ Sijthoff B.V., Amsterdam
Alle rechten voorbehouden
Oorspronkelijke titel: *Twisted Wing*
Vertaling: Yolande Ligterink
Omslagontwerp: T.B. Bone
Omslagfotografie: Yolande de Kort /Trevillion Images

ISBN 978 90 218 0536 8
ISBN E-BOOK 978 90 218 0545 0

www.boekenwereld.com
www.uitgeverijsijthoff.nl
www.watleesjij.nu

Voor mijn vader, David Newman: de slimste, grappigste, koppigste en royaalste vader die een meisje zich zou kunnen wensen. Je leerde me mijn eigen weg te gaan en me niets aan te trekken van wat anderen dachten. Je trakteerde me op Woody Allen-films, boeken over seriemoordenaars, eetbare anjers in curryrestaurants, rusteloze benen, broodjes sla, bijtende kamelen, atheïsme, zaterdagen in oude kerken en muffe paasbroodjes. Ik kan je niet zeggen hoeveel ik van je hou.

hoofdstuk **EEN**

Matthew Denison was bang dat hij onpasselijk zou worden. De laatste keer dat hij een lijk had gezien was in het mortuarium, toen hij nog medicijnen studeerde, en die keer had hij zijn uiterste best moeten doen om niet op de vloer van de snijkamer in elkaar te zakken. Hij zweette en was schrikachtig, en hij bevond zich nog niet eens op de plaats delict. Wat moest hij doen als hij het lijk zag en moest overgeven? Hij kreunde bij de gedachte dat hij alle sporen onder zou kunnen spugen.

Inspecteur Stephen Weathers keek hem onder het rijden van opzij aan. 'Alles goed met je, Matt? Je weet dat je niet per se mee hoeft.'

Denison draaide het raampje open om wat frisse lucht te krijgen. 'We moeten profiteren van het feit dat ik toevallig hier ben.'

'Maar we weten niet of dit geval er verband mee houdt,' zei Weathers. Hij zette de radio aan. Denison zei niets; ze wisten allebei dat een moord op Ariel College maar één ding kon betekenen.

De dj van de plaatselijke radiozender had het al over de moord,

7

hoewel Weathers zelf nog maar net gebeld was en het laat in de avond was. Denison besefte opeens dat er waarschijnlijk journalisten op het *college* aanwezig zouden zijn en hij trok zijn das recht en haalde een beverige hand door zijn haar.

De twee vertrouwde spitsen van Ariels kapel verschenen boven de daken van de huizen en winkels toen ze dichterbij kwamen. Ze gingen een hoek om en de kapel stond voor hen in al zijn gotische glorie. Denison knipperde met zijn ogen. Het gebouw baadde in een felroze gloed.

Zelfs van die afstand zagen ze de busjes en auto's, de mannen en vrouwen met microfoons en camera's en klemborden. De blauwe zwaailichten van drie politiewagens stonden aan, maar de sirenes zwegen.

Weathers reed zo ver mogelijk door naar de Porters' Lodge, de portiersloge, en ze baanden zich onder het geblikksem van flitslampen een weg door de horde verslaggevers. Denison hield zijn hoofd gebogen, maar op een gegeven moment duwde hij onhandig zijn bril recht en besefte toen tot zijn gêne dat hij dat deed om duidelijk te maken dat hij geen handboeien omhad, voor het geval de verslaggevers het verkeerde idee kregen over de reden waarom hij daar liep met iemand van Moordzaken. Hij had eens een artikel geschreven over de besmettelijkheid van achtervolgingswaanzin, en hij vroeg zich af of hij misschien te veel tijd doorbracht met zijn patiënten.

Een hoofdagent ging hun voor door een deurtje in de grotere houten poort van de Lodge. Aan de andere kant bleken zich honderden studenten in avondjurk en smoking te bevinden. Ze stonden in groepjes bij elkaar of zaten terneergeslagen op het gras. Veel meisjes droegen het jasje van hun vriend over hun mooie jurk en een paar hadden politiedekens om hun schouders. Ze praatten op gedempte toon met elkaar, maar er klonk geen opwinding door in hun stem. Hun gezichten waren wit weggetrokken onder hun gebruinde huid. Eén meisje keek met ogen als roetvlekken op naar Denison.

'Ze hadden vanavond hun meibal,' zei de hoofdagent. 'Daarom is de kapel zo feestelijk verlicht en staat er een springkasteel op het grasveld.'

'Weten ze van de moord?' vroeg Weathers toen ze de studenten passeerden, die in het donker wel grijze geesten op een slagveld leken.

'Ze weten niet wie er vermoord is, maar wel dat er nog een moord is gepleegd.'

Ze liepen via een boog onder de bibliotheek van het college door en kwamen uit in Carriwell Court. Het grind knarste onder hun voeten. Chinese lantaarns gaven de schaduwen wat kleur. Hier was meer politie, maar er waren slechts twee studenten, een jongen en een meisje, die aan verschillende kanten van de binnenplaats met politiemensen stonden te praten.

Denison zoog zijn longen nog eens vol warme avondlucht voordat hij achter Weathers en de hoofdagent een deur door ging en een stenen trap beklom. Hij hoorde stemmen en boven aan de trap rook hij iets onaangenaams. Een vreemde, koperachtige geur, gecombineerd met ammoniak en de stank van braaksel.

Toen Denison boven was, bleef hij staan en hield zich vast aan de houten leuning. *Een halfuur geleden zaten we nog een biertje te drinken*, dacht hij. *Wat doe ik hier in godsnaam?*

Weathers draaide zich om. 'Je weet dat je dit niet hoeft te doen, Matt,' zei hij.

Denison probeerde zijn schouders op te halen. Zijn mond was droog. 'Ik wil helpen.'

Weathers knikte. Hij zei niets meer, maar draaide zich om en ging Denison voor naar een kamer vol mensen.

Er was een jongeman in smoking, met bloed en god mocht weten wat nog meer op zijn handen en zijn broek. Zijn witte overhemd was ermee besmeurd. 'Ik heb geprobeerd ze terug te stoppen,' zei hij steeds weer tegen een agente. 'Ik wilde ze alleen terugstoppen.'

In een andere hoek zat een meisje, helemaal in elkaar gedoken. Ze was rood van het bloed. Op het eerste gezicht dacht Denison dat ze naakt was, maar toen zag hij dat haar beha en slipje doorweekt waren van het bloed. Een ziekenbroeder probeerde met een zaklamp in haar ogen te schijnen. Denison ging instinctief naar hen toe om te kijken of hij iets kon doen. Het meisje zat heen en weer te wiegen en de pupillen in haar starende ogen waren enorm en zwart, met slechts een dun randje iris. Haar lippen bewogen, maar ze maakte geen enkel geluid.

'Is ze gewond?' vroeg hij aan de ziekenbroeder.

De ziekenbroeder schudde zijn hoofd. 'Voor zover ik kan zien niet. Niet lichamelijk, in ieder geval. Het bloed is blijkbaar niet van haar.'

'Jezus christus,' hoorde Denison Weathers zeggen. Hij kwam overeind en zag tussen de heen en weer lopende ziekenbroeders, agenten en pathologen door een lijk dat met uitgespreide armen en benen in een plas bloed op de vloer lag. Het was opengesneden en de ingewanden lagen over de vloerplanken.

hoofdstuk **TWEE**

'Ze heeft zich helemaal in zichzelf teruggetrokken,' zei Denison in zijn mobiele telefoon.

Inspecteur Weathers klonk gefrustreerd. 'Wat wil dat zeggen? Is ze nog steeds catatonisch?'

'Nou, technisch gezien niet. Ze vertoont ernstige psychomotorische retardatie, maar ik denk dat de leek het inderdaad catatonie zou noemen. Ik heb antidepressiva voorgeschreven, maar het duurt meestal even voordat die werken. Het is mogelijk dat we binnen afzienbare tijd moeten terugvallen op elektroconvulsietherapie, anders kan ze doodgaan aan ondervoeding.'

Denison keek door het raam de kamer van Olivia Corscadden in, waar het meisje tussen strakke witte lakens op een ziekenhuisbed lag. Er zat een infuus in haar arm dat haar van genoeg vocht voorzag om niet uit te drogen, maar de verpleegsters moesten haar voeden als een baby door het voedsel te prakken en in haar mond te schuiven. De helft kwam terecht op het papieren servet op haar borst, en de andere helft leek op de automatische piloot en met starende blik te worden doorgeslikt.

Ze was een knap meisje, dacht Denison, ondanks het blauwe oog en de kapotte lip. Hij vroeg zich niet voor het eerst af waardoor deze extreme reactie was uitgelokt. Was ze getuige geweest van de moord? Had ze zich zelf moeten verweren tegen de moordenaar?

Lag de identiteit van de Slager van Cambridge opgesloten in haar geknakte geest?

'Nou, als je met Doornroosje niets opschiet, kan ik je wel in Cambridge gebruiken,' zei Weathers. 'Heb je de krant van vandaag gezien?'

'Nee, ik ben hier al sinds vier uur vanmorgen,' zei Denison. 'Maar de auto staat nog in de garage, dus ik neem de trein en pak op het station wat leesmateriaal mee.'

'Er wordt geschreven dat het feit dat ik de leiding van het onderzoek heb gekregen betekent dat de politie eindelijk aanvaardt dat we met een seriemoordenaar te maken hebben,' zei Weathers.

'Dat zal ook wel zo zijn,' zei Denison. 'Voel je je nu gerehabiliteerd?'

Er kwam een minachtend gepuf door de telefoon. 'Nee. Ik ben kwaad omdat de pers gelijk had terwijl mijn bazen ongelijk hadden. Bel me als je er bent.'

Alle kranten in de kiosk op King's Cross hadden grote koppen over de moord.

RADELOOS, stond er op *The Sun* te lezen. TWEE MOORDENAARS? vroeg de *Mirror* zich af. COMAPATIËNTE GETUIGE VAN MOORD, kopte de *Daily Star*. Denison kocht ze samen met zijn vaste krant, *The Guardian*, en nam de trein van 10.52 uur naar Cambridge.

Hij kreeg een plaats bij het raam en sloeg *The Guardian* open. Op pagina 3 stond een vrij lang artikel over de betekenis van het feit dat Stephen Weathers de leiding had gekregen over het onderzoek. *The Guardian* had blijkbaar een bron bij de politie, die beweerde dat Weathers uit de gunst was geraakt bij zijn meerderen toen hij weigerde het standpunt op te geven dat een enkele moordenaar verantwoordelijk was voor de dood van twee studentes van hetzelfde college in Cambridge. Een andere man had de leiding gekregen over de tweede moordzaak, zodat Weathers vanaf de zijlijn had moeten toezien terwijl potentiële aanknopingspunten en sporen werden gemist door een man die vastbesloten was te bewijzen dat hun meerderen gelijk hadden en dat de twee moorden geen enkel verband met elkaar hielden.

En nu was er een derde student dood en niemand kon er meer aan twijfelen dat er een seriemoordenaar rondliep in Ariel College.

Denison vouwde de krant weer dicht en schudde de *Daily Star* open. Het verhaal in de sensatiekrant ging over Olivia Corscadden, de studente die op dat moment in de ziekenboeg van Coldhill lag, de psychiatrische kliniek die werd geleid door Denison. De krant meldde ten onrechte dat ze in coma lag, waarschijnlijk doordat ze was aangevallen door de moordenaar, en dat haar toestand kritiek was. Hij schrok een beetje toen hij zijn eigen naam zag – 'Dr. Matthew Denison was niet bereikbaar en kon geen commentaar geven'. Hij nam aan dat zijn assistente, Janey, de telefoon had opgehangen.

Denison bladerde verder tot hij bij een redactioneel artikel over de zaak kwam, dat eindigde met de vragen: 'Dacht de Slager dat hij haar ook had vermoord? En zo ja, wat was dan zijn reactie op het nieuws dat ze nog leeft en hem ongetwijfeld kan identificeren? Loopt Olivia Corscadden misschien nog steeds gevaar?'

Denison voelde dat iemand naar hem zat te kijken. Hij liet de krant zakken en ving de blik van een hooghartig uitziende jongeman met glanzend bruine schoenen en wat Denison beschouwde als het kapsel van iemand van een privéschool (een scheiding in het midden en net lang genoeg om de kraag te raken), die hem van een paar stoelen verderop boos zat aan te staren.

De man keek heel langzaam en opzettelijk naar de voorpagina van de krant voordat hij Denison weer aankeek. De bedoeling was duidelijk: lees die viezigheid niet in een trein vol mensen uit Cambridge.

Hij schaamde zich opeens, maar omdat hij wist dat hij een volslagen vreemde niet kon uitleggen waarom hij zo'n schijnbaar ongezonde belangstelling had voor de moorden, stopte Denison de kranten onder zijn koffertje en verdiepte hij zich in het wereldnieuws dat *The Guardian* te melden had.

Toen hij op het station van Cambridge stond, belde hij Weathers.

'Kom maar naar Ariel,' zei Weathers. 'Ik zet een agent buiten die je erin kan laten.'

Denison verheugde zich er niet op om terug te keren naar de plaats delict, niet nu de geur van bloed en ingewanden hem nog zo vers in het geheugen lag. Ariel was een schitterend college, bestaand uit een prachtig stel gotische gebouwen uit de vijftiende eeuw, maar sinds de moorden was hij ze gaan beschouwen als een val vol rottende slachtoffers, zoals iemand die bang was voor spinnen over een spinnenweb zou kunnen denken. Zou het ooit weer gewoon een college worden, of zou het voor altijd een sinistere plek blijven met dezelfde connotaties als Rillington Place of Cromwell Street? De huizen van Christie en West waren na hun veroordeling afgebroken. Dat kon natuurlijk niet met Ariel College.

Een groep journalisten had buiten het college hun kamp opgeslagen. Toen zijn taxi voor het hek stopte, zag Denison een jonge student de deur uit komen en onmiddellijk worden belaagd door de verslaggevers. De student wurmde zich tussen hen door naar zijn fiets, die op de kinderkopjes voor het hek aan de ketting stond, maakte het slot los en stapte op. De verslaggevers negeerden zijn zwijgen en bleven vragen naar hem roepen.

'Rot op!' riep de student. Zijn voorwiel wiebelde heftig terwijl hij probeerde in balans te blijven zonder vooruit te kunnen komen. Hij fietste over de voet van een fotograaf en ontsnapte over Ariel Lane.

'Jouw beurt,' zei de taxichauffeur tegen Denison terwijl hij hem zijn wisselgeld gaf. Denison trok een lelijk gezicht en stapte uit.

De verslaggevers herkenden hem meteen.

'Hoe is het met Olivia, dokter Denison?' vroeg een van hen.

'Heeft ze al een verklaring afgelegd?' vroeg een ander. 'Kan ze de Slager identificeren?'

'Geen commentaar,' zei Denison, en hij zocht naar de agent die hem door het gewoel moest loodsen. Een jonge agent, die stond te zweten in zijn uniform, ving Denisons blik en besefte eindelijk wie hij was.

'Nou, mensen,' zei hij, en hij stak zijn arm door de menigte en greep Denison bij de elleboog. 'Laat de dokter erdoor.'

Een journaliste rolde met haar ogen en Denison, die het zag, kon een meelevende glimlach niet bedwingen terwijl hij werd weggeleid.

Ze zag haar kans schoon en vroeg: 'Wat doet u hier vandaag, dokter Denison?'

'Ik probeer alleen maar te helpen,' zei hij, en toen waren hij en de agent het hek door en bevonden ze zich in de plotselinge stilte van de binnenplaats. Het was hier heel vredig, met het zachte geklater van de fontein in het midden van het prachtige groene grasveld en een paar mussen die naar elkaar riepen vanaf de lantaarnpalen.

'Deze kant uit, dokter,' zei de agent. 'De inspecteur is in Carriwell Court.' Denison volgde hem over hetzelfde pad dat ze op de avond van de moord hadden genomen. Hij en Weathers hadden de wereld zitten verbeteren in de stamkroeg van de politieman toen de melding was binnengekomen. Hij had aan de blos van zijn vriend gezien dat degene die hij aan de telefoon had hem vertelde dat er nog een moord was gepleegd. Als Weathers' meerderen geloof hadden gehecht aan zijn theorie dat er een seriemoordenaar aan het werk was, was er misschien genoeg politie aanwezig geweest in het college om de moordenaar van deze derde moord te weerhouden.

Nu was het te laat.

'U en de inspecteur kennen elkaar al heel lang, nietwaar, meneer?' vroeg de agent.

'Mmm,' zei Denison. 'Dezelfde universiteit.'

'Wat was hij voor student, meneer?' vroeg de jonge agent met een glimlach om zijn mond. 'Een studiebol? Vroeg naar bed voor een examen en zo?'

Denison verwonderde zich over het beeld dat Weathers' collega's van hem hadden. Voor zover Denison zich herinnerde, was hij degene geweest die Weathers had moeten vragen de muziek zachter te zetten als zijn huisgenoot weer eens zat te pokeren op de avond voor hun eindexamen. Wat hem nog het meest dwarszat, was dat hij en Weathers hetzelfde cijfer hadden gehaald.

'Ja, dat klopt,' loog Denison tegen zijn escorte. 'Hij dronk alleen in het weekend en ging elke morgen acht kilometer hardlopen terwijl wij allemaal uitsliepen.' Het laatste was waar.

Ze doken onder het blauw-witte politielint door dat voor de boog langs was gespannen en kwamen in Carriwell Court, dat voor de helft in de schaduw lag terwijl de andere helft wit gebleekt werd door de felle zon. Het leek overdag een heel andere plek, met een licht gewelfde stenen trap naar de bibliotheekdeuren en grote potten vol paarse en crèmekleurige viooltjes.

'Dus, het tweede scenario van de vijf,' hoorde Denison Weathers zeggen, en zijn vriend dook op uit een van de deuren van de binnenplaats naar de trappenhuizen en de studentenkamers. 'De moordenaar, overdekt met bloed, komt door deze deur en... Nou? Hoe ontsnapt hij zonder gezien te worden?'

Weathers was lang en had brede schouders en dik zwart haar, dat benadrukte hoe jong hij was voor zijn rang. Zijn overhemdsmouwen waren tot aan zijn ellebogen opgerold, alsof hij zwaar werk aan het doen was. Toen hij Denison zag, glimlachte hij. Hij had een sardonisch gezicht, waardoor elke glimlach eruitzag alsof hij je voor de gek hield.

'Matt!' Hij schudde Denison de hand. 'Fijn dat je gekomen bent. Je kent Halloran en Ames.' Denison knikte naar Halloran, de man uit Manchester met het aardappelgezicht en de wijken-de haarlijn, en hij glimlachte tegen Sally Ames. Hij was niet he-lemaal zeker van de etiquette in deze situatie. Hij had met haar gedanst op haar bruiloft, maar kon hij haar in deze omstandig-heden een kus op de wang geven, zoals hij zou doen als ze el-kaar ergens anders waren tegengekomen? Hij speelde op veilig en knikte ook naar haar.

'We nemen door hoe het gegaan kan zijn,' legde Weathers uit. Het was standaardprocedure om te kijken naar alle mogelijke manieren waarop een misdaad kon zijn gepleegd en vervolgens met behulp van de locatie, de getuigenverklaringen en het spo-renmateriaal gaten te schieten in elk scenario tot je het meest waarschijnlijke overhield. 'Scenario nummer één is dat ons slachtoffer is vermoord door een of allebei de mensen die die avond in haar kamer zijn aangetroffen. Scenario nummer twee is dat ze onschuldige getuigen zijn die het lijk kort na de moord hebben gevonden. Het slachtoffer is ongeveer een halfuur voor de ontdekking van haar lichaam nog gezien, dus de moordenaar heeft maar heel weinig tijd gehad.'

Weathers liep naar achteren en liet een spoor achter in het grind. 'Dus,' zei hij, en hij verhief zijn stem naarmate hij verder van hen af kwam, 'we weten dat er op verschillende tijdstippen in dat halfuur minstens vier mensen op de binnenplaats zijn ge-weest. Een van hen stond daar bij dat bosje te kotsen.' Hij wees. 'Twee van hen bevonden zich hier, met hun tong zo ver in el-kaars keel dat ze het waarschijnlijk niet eens gemerkt hadden als de premier langs was gekomen. Dan blijft de heer Godfrey Par-rish over. Volgens Sinead Flynn en Leo Montegino zat Parrish op de onderste tree van de trap naar de kamer van het slacht-offer.'

'Dus hij heeft de moordenaar gezien...' zei Denison.

'... of hij ís de moordenaar,' maakte Ames de zin af.

'Niet noodzakelijk,' protesteerde Halloran, hoewel hij een bij-zondere afkeer had van bevoorrechte mensen uit de hogere klas-sen, zoals Parrish. 'De kamers aan de zuidkant van het gebouw hebben ramen die uitkomen op de straat.'

'De moordenaar kan zich ook in een van de kamers halverwege de trap hebben verborgen,' zei Weathers, 'daar gewacht hebben tot Flynn, Montegino en Parrish naar boven waren gegaan en daarna naar beneden zijn gelopen.'

'En toen?' vroeg Ames. 'Hij moet onder het bloed hebben gezeten.'

'En dat hek?' Denison wees naar de boog aan de zuidkant van het gebouw. 'Komt dat niet uit in Richmond Lane?'

'Ja, maar het zat die avond op slot,' merkte Halloran op. 'Vergeet niet dat ze hun meibal hadden. Alle ingangen waren op slot, behalve die bij de hoofdpoort.'

'We hebben iedereen gecontroleerd die zich op het terrein bevond,' zei Ames. 'We hadden het gezien als iemand bloed op zijn kleren had.'

'Kunnen ze die kleren dan ergens gedumpt hebben?' vroeg Weathers. 'En zo ja, hoe kwamen ze aan andere kleren?'

'Die kunnen ze uit een van de andere kamers op de trap hebben meegenomen,' opperde Denison.

Ames schudde haar hoofd. 'Het washok voor de studenten is in de kelder, een trap lager. Dat moet de meest waarschijnlijke plek zijn.'

Ze gingen een deur verder en daalden af naar een kelder waar het rook naar waspoeder en wasverzachter. Ondanks de schaduw was het hierbeneden nog warmer, door de wasdrogers tegen de achterste muur. Aan de linkerkant van de wasdrogers waren planken die helemaal vol lagen met overgebleven kledingstukken. Een overhemd was van een van de planken gevallen en lag verleidelijk gedrapeerd over een strijkplank.

'Jezus christus,' zei Halloran. 'Waarom brengen ze die kleren niet naar een inzamelingspunt als ze ze niet meer willen hebben, zodat een arme stakker er nog iets aan heeft?'

'Het was waarschijnlijk niet de bedoeling ze hier voorgoed achter te laten,' zei Denison, die dacht aan het jaar dat hij zelf in een studentengebouw had gewoond. 'Ze hebben ze waarschijnlijk in de wasdrogers gedaan en zijn vergeten ze op te halen. De volgende die een droger nodig heeft, haalt de kleren eruit en gooit ze op de plank, zodat de eigenaar ze later op kan halen. Ze komen er waarschijnlijk nog wel om.'

'Nou, als de moordenaar hierheen is gekomen, had hij keus genoeg,' zei Halloran nors.

'Ja, maar er waren vast geen smokings,' zei Weathers. 'Sally, ik wil dat je de foto's van de studenten op die avond nog eens bekijkt. Zoek naar mensen die zich niet netjes genoeg hebben aangekleed.'

'Ja, baas,' zei Ames, en ze maakte een notitie.

'En laat de technische recherche de wasmachines bekijken. Ik weet dat ze geen bebloede kleren op het terrein hebben gevonden, maar misschien heeft die slimmerik ze in de was gegooid.'

Godfrey Parrish had kamers in Audley Court op trap J. De achternaam en de eerste initiaal van elke student stond in wit op een zwarte strook boven zijn deur. Weathers klopte stevig aan, en de deur werd na enige seconden tot Denisons verrassing opengedaan door de jongeman die in de trein uit Londen zo afkeurend naar zijn leesmateriaal had gekeken.

Parrish herkende hem duidelijk ook, want zijn lip krulde. Hij leek zich net zozeer te verbazen over de aanwezigheid van Weathers.

'Wat nu weer?' zei hij.

Vijf minuten later zat Parrish met gekruiste benen in een régenceleunstoel met blauwe en witte strepen earl grey te drinken uit een porseleinen kopje, in het zomerlicht van een raam dat uitzicht bood op de kapel van Ariel. Hij had zijn gasten niets te drinken aangeboden.

'Nee,' zei hij. 'Natuurlijk is er niemand langsgekomen terwijl ik daar zat. Denkt u niet dat ik dat gezegd zou hebben?'

'Misschien niet, als de persoon in kwestie iemand was die je niet meteen zou zien als een mogelijke verdachte,' merkte Weathers op. 'Een professor, bijvoorbeeld. Of een vriend.'

'Nee,' zei Parrish.

'Kan iemand zich ergens op de trap verstopt hebben, in een kamer of een gang, misschien? Iemand die gewacht kan hebben tot je naar boven was gegaan en die naar beneden is gelopen toen de kust veilig was?'

De magere schouders werden opgehaald. 'Dat zou kunnen.'

'Heb je gemerkt of iemand aan het eind van de avond andere kleren had aangetrokken? Iemand die aan het eind van de avond iets anders aanhad dan aan het begin?'

Parrish knipperde niet met zijn ogen toen hij Weathers over de rand van zijn theekop aankeek en nog een slokje nam. 'Nee.'

Denison merkte dat Weathers ongeduldig werd van de korte antwoorden.

'Hoe lang zou je zeggen dat je op die trap hebt gezeten, meneer Parrish?' vroeg Weathers. Zijn Londense accent werd beter hoorbaar. 'In je eentje, zonder dat iemand kan bevestigen waar je was?'

Parrish zette zijn kopje op het schoteltje. 'Ik ben geen moment alleen geweest. Mijn vriendin zat de hele tijd vlak bij me.'

'Dat heb je gezegd, ja. Maar gezien haar aangeschoten toestand op dat moment is ze niet echt in de positie om die verklaring te bevestigen.'

Denison had zelf ook vragen en hij zou niet ver komen met Parrish als Weathers hem zo tegen zich in het harnas bleef jagen.

'Dat is een Marieke, nietwaar?' Hij stond op en wees naar een aquarel die aan de muur hing.

'Ja,' zei Parrish, en hij ging wat meer rechtop zitten. Denison zag dat hij hem had verrast.

'Mooi,' zei hij. 'Die moet je aardig wat gekost hebben.'

'Het is een investering,' zei Parrish, weer met dat schouderophalen. 'Over een paar jaar is haar werk tien keer zo veel waard.'

'Dat meisje dat die avond bij je was,' zei Denison. 'Heb je dat in een galerie ontmoet?'

Hij en Parrish lachten allebei. 'Nee,' zei Parrish. 'Het is de vriendin van een vriendin. Ze kan nog geen Van Gogh van een Vermeer onderscheiden.' Hij glimlachte in zichzelf. 'Ik val eigenlijk nooit op het intellectuele type. Slim, oké, maar geen museumgangers.'

'Mijn vriendin vertelt altijd aan iedereen dat we elkaar hebben ontmoet bij een filmmarathon van Ingmar Bergman,' zei Denison.

'En dat is niet zo?'

Hij schudde zijn hoofd. 'Een vertoning van *The Exorcist* met Halloween.'

Parrish barstte in lachen uit en zette zijn kop-en-schotel op het antieke tafeltje voor hem. 'Ik had niet gedacht dat mensen met jullie beroep dat soort dingen leuk zouden vinden,' zei hij. 'Krijgen jullie op het werk niet genoeg afschuwelijke dingen te zien?'

Denison ging weer zitten, maar dit keer nam hij een stoel naast die van Parrish in plaats van tegenover hem. Hij wilde de volle aandacht van de student hebben, en dat betekende dat hij Weathers uit zijn gezichtslijn moest krijgen.

'Ik kan juist niet kijken naar de films van Ken Loach,' zei hij tegen Parrish. 'Of die van Shane Meadows en sommige films van Mike Leigh. Veel te echt, veel te akelig. Geef mij maar een beetje escapisme.'

Parrish knikte en keek naar de vloer.

'Jij zult je er ook wel op verheugen om te kunnen ontsnappen, nietwaar? Wat ben je van plan nu je bent afgestudeerd?'

De jongeman ging met een hand door zijn slordige bos haar. 'Mijn vader heeft een baantje bij de bank voor me. Eerlijk ouderwets nepotisme.'

'Maar ben je niet net summa cum laude geslaagd, Godfrey?'

'Ja... en?'

'Nou, dan is het niet alleen maar nepotisme. Summa cum laude op Cambridge. Ik denk dat ieder bedrijf je graag zou willen hebben.'

Parrish verschoof onrustig op zijn stoel. Vleierij was duidelijk niet iets waar hij op zat te wachten. Denison gooide het over een andere boeg.

'Je kende alle drie de slachtoffers, nietwaar, Godfrey?'

'Nou, ja. Het college is zo klein dat iedereen die in hetzelfde jaar zit elkaar kent.'

'Maar je was toch bevriend met ze? Met Amanda Montgomery, bijvoorbeeld?'

Op dat moment verdween de zon achter een wolk en werd de kamer plotseling grauw.

'Ja, we waren bevriend,' zei Godfrey zachtjes. 'Voor zover je bevriend kon zijn met Amanda, in ieder geval.'

'Wat bedoel je daarmee?'

'Nou, ze was een beetje een narcist. U kent het type vast wel. Alles moest altijd om haar draaien. Ze was een slimme meid, maar heel berekenend. Ze kon alle jongens om haar pink winden, mij ook. Wel een flirt, om eerlijk te zijn. Hoewel ze volgens mij alleen maar belangstelling had voor haar eigen spetter.'

'Haar eigen spetter?'

Godfrey grinnikte. 'Rob McNorton, de ruwe rugbyklant van Fife. Hoewel hij niet precies bleek te zijn wat zij in gedachten had.'

'Nee, dat zal wel niet,' zei Denison, die het hele verhaal over Rob McNorton kende.

'Zeg, hoe is het met Olivia?' sneed Godfrey een ander onderwerp aan. 'Ik heb begrepen dat ze bij u in het ziekenhuis ligt?'

'Ja,' zei Denison. 'We zorgen goed voor haar. Ben je bevriend met haar?'

Godfrey zweeg even en keek Denison aan. 'Zo'n beetje,' zei hij eindelijk. Denison wachtte tot hij verder zou uitweiden. 'We zijn niet heel hecht met elkaar, maar ze is een interessante meid. Ik heb nog nooit iemand ontmoet zoals zij. Ik denk dat ze in het begin heel geïntimideerd was door het idee dat ik op Eton heb gezeten, vooral omdat June Okeweno altijd aan het blaten was dat ik een sukkel was, maar na een tijdje zag ze me als persoon in plaats van het luxe karikatuur dat ik iedereen graag voorhoud. Lieve meid. Veel te goed voor Nick, uiteraard, maar ja.'

'Je gelooft niet dat ze bij elkaar passen?' vroeg Denison.

'Ze is erg in zichzelf gekeerd,' zei Godfrey. 'Ze zou meer naar buiten moeten treden, maar ik geloof dat Nick het juist leuk vindt om die kant van haar helemaal voor zichzelf te houden. Om ontdekkingsreiziger te spelen, zogezegd.'

'Je klinkt niet alsof je hem erg graag mag.'

Godfrey trok zijn mondhoeken naar beneden. 'Eigenlijk is hij best een goede kerel. Slimmer dan hij laat voorkomen.'

'Vertrouw je hem?'

'Natuurlijk doet hij dat,' zei een stem achter hen. 'Dat doen we allemaal.'

Denison en Weathers draaiden zich om naar de jonge vrouw in de slaapkamerdeur, die duidelijk hun gesprek had afgeluisterd.

'Paula, schat, wil je ook thee?' vroeg Godfrey geamuseerd. Denison had Paula Abercrombie nog nooit ontmoet, maar hij herkende haar meteen. Volgens alle verslagen was ze de beste vriendin van Amanda Montgomery geweest. Ze droeg een donkerblauwe spijkerbroek die haar welvingen goed liet uitkomen en een wit vestje waartegen haar bruine huid afstak. Haar glanzende zwarte haar viel golvend over haar schouders en ze keek Denison aan met ogen die waren omrand met donkere kohl.

'Nick is onschuldig,' zei ze met een hese stem. 'Als u iemand zoekt die iets anders zal zeggen, bent u hier verkeerd.'

'Jullie zijn vrienden?' vroeg Denison, en hij merkte dat Godfrey een grinnik moest bedwingen.

'Nick is een goede jongen. Godfrey hier begrijpt hem gewoon niet. Nick is naar een goede school geweest, maar hij had een beurs en mensen met een beurs hebben soms een beetje een minderwaardigheidscomplex.'

'Toen Nicky foto's zag van het huis van Paula's familie, schrok hij daar nogal van, die arme jongen,' zei Godfrey, en hij trok zijn wenkbrauwen op. Het idee leek hem nogal te amuseren.

'Is dat de reden waarom jullie uit elkaar gingen?' vroeg Denison.

'Nee,' zei Paula, en ze sloeg haar armen over elkaar. 'Die trut van een Olivia heeft hem van me afgepakt. Ze is niet zo lief als Godfrey jullie wil doen geloven.'

'O, kom op, Paula,' zei Parrish. 'Ze wist niet eens dat jullie iets hadden gehad, daarom deed ze zo raar bij het kerstdiner.'

'Ik weet alleen dat alles prima ging tot zij hem "toevallig" steeds tegenkwam in de bar en zo.'

'Ken je Olivia goed?' vroeg Denison.

Paula lachte kort. 'Niet zo goed als zij mij kent.'

'Wat wil je daarmee zeggen?' fronste Godfrey.

'O, kom op, Godders, je moet het gemerkt hebben. Ze kwam steeds naar mijn kamer en dan keek ze wat ik op de boekenplank had staan en welke muziek er in mijn iPod stond en welke posters ik had. Een week later kwam je bij haar en dan had ze dezelfde muziek op staan en lag er een exemplaar van het boek dat je aan het lezen was bij haar bed.'

'Paula, dat beeld je je maar in,' zei Godfrey. 'Alle studenten hebben dezelfde boeken, dezelfde posters, dezelfde muziek. Dat is een ongeschreven wet. Weet je niet meer dat de meisjes in het eerste jaar allemaal dezelfde boeken van Jackie Collins lazen? De "uitleenbibliotheek van pulpromans", zo noemden we jullie.'

'Hoe dan ook,' zei Paula, 'sommigen van ons zijn trendsetters en anderen zijn trendvolgers. Laten we het daar maar bij houden.'

'Zijn jullie bevriend met Leo Montegino?' vroeg Denison.

'Ja, leuke vent.'

'En Sinead Flynn?'

'Ze kan af en toe echt vals zijn, maar over het algemeen is het een prima meid.'

'En June Okeweno?'

'Je hebt van die zwarte mensen die vinden dat ze beter zijn dan blanken vanwege hun huidkleur, weet u.' Ze maakte een afwijzend gebaar. 'Ze zat altijd op Leo te vitten omdat hij dreadlocks had. Alsof dat kapsel het voorrecht is van onze Afro-Caribische bevolkingsgroep. Het was niet alsof hij zwart wilde zijn of zo.'

'En Amanda Montgomery?'

Paula keek hem aan met ogen die de kleur hadden van natte bladeren. 'Amanda was een topmeid. Ze kon zo lachen. We hebben zo'n lol gehad samen.' Ze slikte haar tranen weg. 'En nu is het drie jaar later en jullie hebben nog steeds de klootzak niet gearresteerd die haar vermoord heeft.' Ze wierp een boze blik op Weathers, die achteroverleunde en haar alleen maar aankeek.

'Paula?' zei Denison voorzichtig. 'Paula, wie denk jij dat Amanda vermoord heeft?'

Ze keek weer naar hem en haar dikke zwarte haar zwaaide over haar schouder. 'Kesselich,' zei ze, met haar handen op haar heupen. 'Victor Kesselich.'

hoofdstuk **DRIE**

Een week na haar aankomst in Coldhill kreeg Olivia Corscadden onder verdoving elektroconvulsietherapie. Haar behandelingen waren ingeroosterd op de maandag en op de donderdag, en na twee weken begon de verpleging kleine verbeteringen op te merken; ze kauwde langzaam op eten, reageerde op geluiden en plotselinge bewegingen en veegde een vlieg weg die op haar blote arm kwam zitten. Negenentwintig dagen nadat ze onder het bloed naast een lijk was aangetroffen, vroeg Olivia de verpleegster waar ze was.

'Nee, je mag haar niet verhoren, verdomme,' zei Denison in zijn mobiele telefoon terwijl hij van zijn kantoor naar de ziekenboeg liep. 'Steve, het zal nog wel een tijdje duren voor ze daartoe in staat is. Natuurlijk hou ik je op de hoogte. Ja, ja, dat zei ik al.'

Hij stond voor de dubbele deuren van de afdeling – het personeel noemde het een 'luchtsluis' – en zwaaide naar de beveiligingscamera. De dienstdoende verpleegster liet hem door de eerste set deuren, sloot die achter hem en opende toen de tweede set. Hij knikte naar haar toen hij langsliep.

'Ze praat blijkbaar weer, maar ze is heel erg in de war. Ze hebben haar verteld waar ze zich bevindt, maar het zal even duren voor het helemaal tot haar doordringt.' Hij rolde met zijn ogen en trok een lelijk gezicht om iets wat Weathers zei. 'Nee, inderdaad, je wordt niet elke dag wakker in het gekkenhuis. Ik bel je nog wel.'

Denison stopte zijn telefoon in de binnenzak van zijn jasje, waar de patiënten hem niet konden zien, en wachtte bij de deur van Olivia Corscaddens kamer tot de verpleegster met haar enorme bos sleutels kwam om hem open te maken.

Olivia lag in bed naar het plafond te staren. Haar haar, dat nodig gewassen moest worden, lag in krullen op haar gesteven witte kussen. Het infuus zat nog in haar arm, maar Denison zag ook een beker water bij haar bed staan. De deur ging met een klap achter hem dicht en Olivia draaide heel langzaam haar hoofd totdat haar blik op hem was gericht.

De blik in haar ogen, die een vreemde hazelnoottint hadden die bijna goud leek, was zo onderzoekend dat Denison het idee kreeg dat hij onmogelijk tegen haar zou kunnen liegen zonder dat die ogen het bedrog ontdekten. Hij voelde zich alsof er een uil bij hem in de kamer was in plaats van een jonge vrouw.

'Mijn keel doet pijn,' zei ze met hese stem.

'Dat verbaast me niets. Je hebt de laatste tijd niet veel gepraat of gedronken.' Hij liep naar het bed en wees op de beker water. 'Wil je wat? We zullen het bed waarschijnlijk eerst omhoog moeten doen.'

Ze knikte en hij liet haar zien welke knop ze moest indrukken om het hoofdeinde van het bed omhoog te laten gaan, zodat ze zichzelf niet omhoog hoefde te duwen. Haar vingertop werd wit, zo veel moeite kostte het haar om de knop ingedrukt te houden. Hij stelde zich voor dat haar spieren enigszins verzwakt waren tijdens de maand van inactiviteit.

Olivia nam een slokje water en fronste van pijn toen ze slikte.

'Olivia, weet je waar je bent?'

Ze knikte. 'De zusters hebben het uitgelegd.'

'Weet je ook waarom?'

Ze schudde haar hoofd en staarde hem aan.

'Wat is het laatste wat je je herinnert?' vroeg hij voorzichtig.

En ging een trieste glimlach over haar gezicht. 'Ik was op het meibal met Nick. We dansten en gingen in de kermisattracties.'

'En toen?'

Ze fronste. 'Ik weet het niet meer. Wat is er gebeurd? Wat doe ik hier?' Ze raakte steeds meer van streek. 'Heeft hij geprobeerd me te vermoorden?'

Denison sprak haar sussend en geruststellend toe. Hij had de regel om nooit lichamelijk contact te maken met zijn patiënten, hoe hard ze ook troost nodig hadden. 'Wie zou geprobeerd hebben je te vermoorden, Olivia?' vroeg hij met ontspannen en zachte stem.

'De Slager,' zei ze, en de tranen begonnen van haar wimpers te druppen.

'Ik ben bang dat we het niet weten, Olivia. We hoopten dat jij ons zou kunnen vertellen wat er gebeurd is.'

Ze liet zich in de kussens zakken en haar greep op de beker verslapte, zodat de beker kantelde en er water op de dekens terechtkwam. Denison pakte de beker, zette hem op het nachtkastje en depte de natte plek met wat papieren handdoekjes uit een houder aan de muur. Olivia huilde zachtjes en beet op haar lip om geen geluid te maken.

'Het is goed,' zei hij. 'Je bent hier veilig. Niemand kan zonder toestemming binnenkomen.'

'Ik ben bang,' fluisterde ze, en ze keek naar hem op.

'Dat hoeft niet,' zei hij. 'Wij zorgen voor je. Alles komt goed.'

'Mag ik mijn vriend zien?' vroeg ze.

'Dat is nu misschien niet zo verstandig,' zei Denison. 'Je moet eerst een beetje beter worden.'

Ze draaide zich om en kroop in elkaar onder de dekens. Hij bleef nog even naar haar kijken en bedacht hoe klein en kwetsbaar ze eruitzag. Het slachtofferprofiel van de Slager van Cambridge was duidelijk; hij hield van sterke, onafhankelijke vrouwen. Was dat haar redding geweest?

Weathers reed met de onopvallende politiewagen over een landweg, langs een pub die The Three Pheasants heette en daarna een korte oprit met bomen erlangs in, die uitkwam voor een vrijstaand huis.

'Mooi,' zei Denison toen hij het huis van de Hardcastles zag.

'Ze hebben blijkbaar een maximale hypotheek,' zei Weathers. 'Hoor eens, je zult voorzichtig moeten zijn.'

'Ik weet het, ik weet het.' Denison stapte uit en trok zijn kleren recht. 'Geen vragen over de laatste moord.'

'Niet als je hem in zijn eigen omgeving wilt ondervragen, in ieder geval.' Weathers werd het zwijgen opgelegd toen de Hardcastles aan de voordeur verschenen, die de auto over het grind hadden horen rijden. Nicks vader, Geoff, was een man van omstreeks de vijftig met een bril, een baard en een buikje dat ondeugend onder zijn rode trui vandaan kwam. Zijn vrouw, Valerie, was een paar jaar jonger. Haar blonde haar werd met lak op zijn plaats gehouden en ze droeg een strakke spijkerbroek, waarin haar slanke figuur goed uitkwam. Ze speelde nerveus met een gouden medaillon.

'Bedankt dat u me wilt ontvangen,' zei Denison nadat hij zich had voorgesteld. Weathers bleef op de achtergrond; hij was niet erg populair bij de Hardcastles.

'Ik ga Nick halen,' zei Geoff, en hij ging de trap op terwijl Valerie naar de keuken verdween om koffie te zetten. Denison greep de gelegenheid aan om de woonkamer te bekijken. Die was onberispelijk schoon en netjes; de boeken op de planken stonden op alfabetische volgorde en de ruggen waren op één lijn met de rand van de plank gezet. Zelfs de houtblokken in de open haard waren zorgvuldig opgestapeld en er was geen spoor van roet of as te zien.

Boven de open haard hing een ingelijst studioportret van Valerie met discreet gekruiste enkels op een pluchen stoel en Geoff en Nick aan weerszijden van haar. Geoff had een hand op haar schouder gelegd en de andere op die van Nick. Nick was een jaar of veertien en droeg een mooi schooluniform met een embleem en een Latijnse spreuk in goud op de zak van de blazer, en hij grijnsde naar de camera. Aan een andere muur trof Denison een veel kleinere foto aan, een kiekje van een zesjarige Nick op het strand, met zand in zijn donkere krullen.

Denison en Weathers hoorden stemmen van boven en daarna het gebons van voeten op de trap. Nick verscheen met een uitdagende uitdrukking op zijn gezicht. De jongen op de foto's was nu een jongeman: lang en slank, duidelijk fit en zo knap dat Denison begreep waarom zowel Paula als Olivia voor hem was gevallen.

'Wat willen jullie nu weer?' zei hij tegen Weathers. 'We hebben alles al duizend keer doorgenomen. Elke keer vertel ik u hetzelfde en toch blijft u maar vragen stellen. Ik weet niet waarom u denkt dat ik me het anders zal herinneren als u ernaar blijft vragen.'

'We zijn hier niet om je eerdere verklaringen door te nemen,' verzekerde Denison hem, en hij stak zijn hand uit. 'Ik ben Matthew Denison. Ik ben de forensisch psychiater die bij deze zaak is geconsulteerd.'

Nick schudde hem de hand, maar bleef op zijn hoede. 'U bent degene die Olivia onder behandeling heeft?'

'Dat klopt.'

Valerie Hardcastle kwam de keuken uit met een blad met koffiekopjes en een grote cafetière. Denison zag dat ze zich in de rol van gastvrouw veel meer op haar gemak voelde. Ze bood melk en suiker aan en schonk de koffie in. Ze gingen op de bank en stoelen zitten en dronken zwijgend koffie. Nick schoof onrustig heen en weer en keek telkens op naar Denison, en de psychiater wist dat hij hem iets wilde vragen.

Na een paar minuten dronk Nick zijn kopje leeg en ging hij abrupt staan. 'Oké, laten we dit in mijn kamer afhandelen,' zei hij. 'Neem uw koffie maar mee.'

Valerie en Geoff keken elkaar aan nu ze buitenspel werden gezet, maar Nick negeerde hen en liep de trap op naar zijn kamer.

Het was een standaard studentenkamer, met posters van footballspelers en filmsterren aan de muur, sporttrofeeën op de plank en kleren op de vloer. Nick pakte de T-shirts en boxershorts op en gooide ze in de wasmand.

'Moet hij erbij zijn?' vroeg hij aan Denison met een knikje naar Weathers.

'Onder de omstandigheden wel. Je bent op je rechten gewezen, en dat geldt nog steeds.'

'Wil je dit soms liever op het bureau doen?' vroeg Weathers. Denison wierp hem een waarschuwende blik toe en Weathers hief zijn handen alsof hij wilde zeggen: 'Oké, oké, doe het maar op jouw manier.' Hij trok zich terug bij het bureau in de hoek van de kamer en ging op de rand zitten, sloeg zijn armen over elkaar en deed alsof hij al zijn aandacht richtte op wat er door het raam te zien was.

Nick keek even naar hem, kwam tot het besluit dat hij geneutraliseerd was en draaide zich weer om naar Denison.

'Hoe is het met haar?' vroeg hij. 'Redt ze het een beetje? Waarom mag ik niet bij haar?'

'Ik ben bang dat ik niet in detail op de toestand van een patiënt kan ingaan,' zei Denison behoedzaam. 'Maar ik kan je wel vertellen dat het beter met haar gaat en dat we hopen dat ze geen blijvende gevolgen zal ondervinden van het trauma dat ze heeft ondergaan.'

'Oké,' zei Nick, die hem onderzoekend aankeek. 'Oké, dat is mooi.'

'Nick, vind je het erg als we gaan zitten?'

De jongeman keek om zich heen, besefte dat er maar een beperkt aantal zitplaatsen was en bood Denison de bureaustoel aan – zoals Denison had geweten – terwijl hij zelf op het bed ging zitten. Dit was een voordeel voor Denison; hij had meer gezag op een stoel dan Nick op een matras en bovendien was de betere positie vrijwillig afgestaan. Als Denison zelf de stoel had genomen, had hij het risico gelopen Nick van zich te verwijderen omdat hij zijn gezag had laten gelden. Bovendien had dit Nick aan zijn manieren herinnerd, zodat er hopelijk iets van de vijandigheid verdreven was.

'Hoe lang hebben jij en Olivia al verkering?' vroeg Denison.

'Ongeveer tweeënhalf jaar,' zei Nick.

'Dat is een hele tijd,' zei Denison. 'Zeker op jullie leeftijd. Mag ik vragen hoe jullie elkaar ontmoet hebben?'

Nick glimlachte bij de herinnering. 'Het was op mijn eerste dag op Ariel. Ik botste tegen haar op in de Porters' Lodge. Ze plaagden haar met haar naam.'

'Haar naam?'

'Olivia is haar tweede voornaam. Haar eerste naam is Cleopatra. Ze zei dat haar moeder een fan van Liz Taylor was.'

'Dus het klikte meteen tussen jullie?'

Nicks blauwe ogen werden een beetje wazig. 'Ik was verliefd zodra ik haar zag.' Hij keek neer op zijn handen. 'Ze bloosde, zo verlegen was ze. Ik wilde voor haar zorgen, haar beschermen. In het begin voelde ze zich helemaal niet op haar gemak op Ariel. Ze zei dat ze steeds verwachtte dat iemand haar op de schouder zou tikken en zou zeggen dat er een vergissing in het spel was. Ik zei dat iedereen dat gevoel had, maar ik geloof niet dat ze me geloofde. Ik ken dat gevoel dat je ergens niet thuishoort, ziet u. Ik heb de middelbare school doorlopen met een beurs en het duurde even voor ik het idee had dat ik erbij hoorde. Maar na een paar maanden kon ik me niet voorstellen dat ik op een andere school zou kunnen zitten. Ik probeerde haar te vertellen dat het zo ook zou gaan met haar en Ariel, en ik had gelijk. Ze maakte al snel vrienden. Ariel werd haar thuis.'

'Mag ik je een persoonlijke vraag stellen?' vroeg Denison.

Nick lachte. 'Dus de vorige was niet persoonlijk?'

'Ik waardeer het dat je zo eerlijk bent. Ik weet dat het niet gemakkelijk is om hierover te praten met een vreemde.'

Nick haalde zijn schouders op. 'Vraag wat u wilt.'

'Dank je. Als je meteen verliefd was op Olivia, vraag ik me af waarom je eerst met Paula Abercrombie ging.'

Nick keek betrapt. Hij stond op, liep naar zijn kast en zocht naar een trui, hoewel het helemaal niet koud was. Denison wist dat het maar een excuus was om zijn gezicht even te kunnen verbergen.

De jongeman trok een donkerblauwe trui met capuchon aan die paste bij zijn ogen en dwong zichzelf Denison weer aan te kijken. 'Dat was maar een lolletje,' zei hij zacht. 'Om eerlijk te zijn was ik nogal geschrokken van mijn reactie op Olivia. Het is eng, dat gevoel dat iemand zo veel invloed op je kan hebben. Ik was achttien en het was mijn eerste jaar op de universiteit. Ik wilde geen serieuze relatie, en ik wist dat het meteen serieus zou zijn als ik iets met Olivia begon. Daarom hield ik afstand en Paula is fantastisch en vond mij duidelijk ook leuk, dus we flirtten wat en het was gewoon... gemakkelijk. Maar ze was niet de ware voor mij. Te veel een prima donna, te veeleisend, te bazig. Zo'n meisje dat heel ontspannen lijkt, waarmee je kunt lachen, en dan ga je ermee uit en plotseling doet ze moeilijk als je eens tot laat in de nacht in de kroeg zit of zonder haar naar de bioscoop gaat of zoiets. Na een paar weken dacht ik gewoon: wat doe ik hier nog? Ik weet bij wie ik hoor. Ik heb het uitgemaakt, als je het zo kunt noemen, want het was niet echt officieel tussen ons, en toen was ik vrij om Olivia te leren kennen.'

'En wist Olivia van jou en Paula?'

Nicks gezicht betrok. 'Niet tot Amanda Montgomery het haar vertelde.'

Denison hield zijn hoofd scheef. 'Denk je dat Amanda opzettelijk probeerde te stoken?'

'Ik weet dat je geen kwaad mag spreken van de doden, maar ze was een echte trut. Niet alleen vanwege Paula, maar ook met andere dingen. Ze speelde Godfrey en Rob tegen elkaar uit. Ze had Sinead kunnen helpen met acteren, maar ze gaf haar alleen maar het gevoel dat ze niets waard was. Ze was een manipulatieve snob.'

'Nou, dat klinkt alsof een heleboel mensen reden hadden om een hekel aan haar te hebben,' zei Denison. 'Wie denk jij dat haar heeft vermoord?'

Hij zag iets veranderen in Nicks gezicht, in zijn hele manier van doen. Het viel niet heel erg op, maar het was bijna alsof er een energiestoot door hem heen ging. En toen zag hij dat Nick het probeerde te verbergen en dat zijn gezicht harder werd.

'Zegt u het maar,' zei hij.

Denison zat aan zijn bureau met zijn pen op het gewreven blad te tikken. Olivia's eerste sessie zou zo beginnen en hij wist dat hij heel voorzichtig moest zijn. Ze was nog erg kwetsbaar en hij kon niet het risico nemen dat ze zich weer terugtrok in zwijgen. Hij moest een manier vinden om erachter te komen wat ze wist zonder haar nog verdere psychologische schade toe te brengen.

Zijn intercom zoemde en hij sprong overeind. Een verpleeghulp zat met Olivia in zijn wachtkamer.

'Dank je, Mike,' zei hij. 'Ik laat het weten als ze klaar is om terug te gaan naar de afdeling.' Hij knikte tegen zijn assistente en nam Olivia mee naar zijn spreekkamer.

Hij was een beetje ondersteboven van haar veranderde uiterlijk. Haar donkerbruine haar was geborsteld en netjes gevlochten en iemand had haar wat mascara en blusher gegeven. Ze leek rustig, ontspannen zelfs.

'Dank u, dokter,' zei ze toen hij haar een stoel aanbood. Ze had een jasje over haar arm, dat ze over de armleuning legde. Ze sloeg haar benen over elkaar en vouwde haar handen in haar schoot.

'Nou, hoe is het met je, Olivia?'

Ze knikte ernstig. 'Goed, dank u. En met u?'

'Ook prima, dank je,' zei hij verrast. Het gebeurde niet vaak dat patiënten naar zijn gezondheid informeerden.

Hij wist dat hij haar niets kon vragen over de avond dat ze overdekt met het bloed van haar vriendin was aangetroffen. Ze was nog te kwetsbaar, te onbeschermd. Hij zou verder terug moeten gaan, het verhaal van haar tijd op Ariel College moeten achterhalen, haar moeten laten wennen aan de gedetailleerde omschrijvingen die hij nodig had als hij uiteindelijk wel met haar over de avond van het meibal ging praten. En al doende hoopte hij meer te weten te komen over deze groep vrienden, waarvan de vrouwelijke leden een voor een leken te worden vermoord. Had een buitenstaander het op de groep voorzien? Of kwam de dreiging van binnen de groep? Kon Olivia werkelijk bevriend zijn geweest met iemand die zo sadistisch was zonder dat ze een glimp had opgevangen van het monster dat in hem of haar school?

Hij besloot met iets onschuldigs te beginnen.

'Vertel me eens over Cambridge, Olivia. Wat vind je er leuk aan?'

Ze keek hem argwanend aan, alsof hij haar in de val wilde lokken. Hij keek terug en hield zijn gezicht ontspannen. Ze maakten maar een praatje, over koetjes en kalfjes.

'Het is een mooie plaats,' zei ze na een korte stilte. 'Met een heleboel mooie gebouwen.' Het was het antwoord van een kind en duidelijk niet wat ze er echt van vond. Hij probeerde het nog eens.

'Het moet een hele verandering zijn geweest voor iemand die opgegroeid is in Londen.'

Ze haalde haar schouders op.

'Wat had je voor kamer?'

'Mijn kamer?' herhaalde ze.

'Sommige studentenkamers zijn in de oudste delen van het college, waar het tocht en de leidingen heel oud zijn. Andere zijn in nieuwere delen, met eigen badkamers en alle moderne gemakken.'

'Ik woonde in een van de studentenhuizen,' zei ze. 'Bij Market Square.'

'En wie waren je buren?'

'Ik had er maar een,' zei ze. 'Sinead Flynn.'

'Iers?'

'Hoe raadt u het zo?' vroeg ze, en ze glimlachte snel om het sarcasme te verzachten.

'Kon je goed met haar opschieten?'

'Ja, hoor.'

'Met wie ben je allemaal bevriend geraakt tijdens de eerste weken nadat je in Cambridge was gearriveerd?'

'Met Sinead,' zei ze. 'En June.'

'June Okeweno?'

Ze knikte. 'Ze komt uit hetzelfde deel van Londen, dus we hebben veel gemeen.'

Hij merkte op dat ze in de tegenwoordige tijd sprak. 'Zijn jullie nog steeds bevriend?'

'Waarom zouden we niet?'

'Soms zijn de vrienden die je als eerstejaars maakt niet de mensen met wie je later in je studie een hechte band hebt.'

Ze knikte bijna spijtig. 'U zult wel gelijk hebben. Ik ben niet meer zo goed bevriend met June als toen we eerstejaars waren.'

'Wat is er veranderd?'

Er flikkerde iets in haar ogen, maar haar gezichtsuitdrukking veranderde niet. Ze haalde haar schouders weer op. 'Wij allebei, denk ik.'

'Met wie was je nog meer bevriend?'

'Danny...' zei ze. 'Godfrey...'

'Danny?'

'U hebt hem dus nog niet ontmoet?' vroeg ze met een geamuseerd opgetrokken wenkbrauw. 'Nee, dan zou u zich hem wel herinneren. Meer dan een meter tachtig lang, met ledematen als een vogelverschrikker en haar met de kleur van romige tomatensoep.'

Hij grinnikte aanmoedigend.

'Wie nog meer?' zei hij.

'Amanda,' zei ze, en de kortstondige opgewektheid was weg.

'Vertel me over haar,' zei hij zachtjes.

'De eerste keer dat ik haar zag,' zei Olivia, 'liep ze over het gras op het Great Court van Ariel.' Olivia keek afwezig voor zich uit en bevond zich in het verleden. 'Je mag niet over het gras lopen, maar iedereen leek een oogje dicht te knijpen als Amanda het deed. Het was winderig. Haar jas flapperde om haar benen en haar haar wapperde om haar gezicht als de stralenkrans van zo'n Russische icoon. Ze lachte erom. Toen liep ze het poortgebouw in, waar we allemaal uit de wind op haar stonden te wachten, en haar haar viel op zijn plaats alsof ze net van de kapper kwam.' Haar blik werd weer scherp en ze glimlachte naar hem. 'Toen we later op de dag weer in onze kamers waren, zag ik mezelf in de spiegel en mijn haar zag eruit alsof iemand een paar bollen wol in de blender had gegooid.'

'En Nick?' vroeg hij, en hij zag met belangstelling dat ze meteen een kleur op haar wangen kreeg en een vonk in haar ogen. 'Herinner je je de eerste keer dat je hem zag?'

Ze glimlachte in zichzelf. 'Op de rivier,' zei ze. 'Hij was aan het punteren.'

'In oktober?' zei Denison. 'Was het daar niet een beetje koud voor?'

Ze trok een schouder op. 'Het was toen nog een nieuwigheid en er waren een stuk of twaalf mensen op één punter gestapt om te kijken hoeveel erop konden. Hij lag zo laag in het water dat een eend erin had kunnen zwemmen.'

'En waar was jij?'

'Ik zat op de oever. Daar heb je het beste uitzicht op de kapel. Ik ging er altijd heen als ik mezelf eraan moest herinneren dat ik echt ontsnapt was.'

'Waaraan?' vroeg hij, en hij dacht: *Londen? Thuis? De armoede?*

'Aan de afhankelijkheid van andere mensen,' zei ze. 'Maar toen zag ik Nick natuurlijk, en opeens was er iemand die ik meer nodig had dan ik ooit iemand nodig had gehad. Ironisch, eigenlijk.' Haar gezicht was zo veel zachter geworden dat die ogen, die hij eerst had vergeleken met gebrand goud, meer de kleur leken te hebben van warme honing. 'Hij was aan het bomen en hoewel hij me niet kende, stuurde hij de boot naar me toe toen hij me zag en hij zei: "We kunnen elk moment zinken, maar als je in een dappere bui bent, gaan we voor het record."'

'En jij stapte in?'

'Ik stapte in,' bevestigde ze. 'Ongelukkig genoeg naast Leo, die alleen een t-shirt droeg, hoewel het maar een graad of vijf was, en hij had in die tijd wat last van lichaamsgeur. Dus het was niet de meest romantische achtergrond om je toekomstige partner te ontmoeten! Maar Nick en ik bleven elkaar aankijken en hij pakte mijn hand om me uit de punter te helpen toen we weer bij Ariel waren en... Nou, hebt u wel eens geweten dat iets ging gebeuren?'

Denison knikte en dacht eraan hoe zijn vingers die van Cass geraakt hadden toen ze allebei hetzelfde pakje Maltesers wilden pakken bij de kiosk van de bioscoop.

'Wat gebeurde er toen?' vroeg hij.

Ze fronste en hij vroeg zich af of ze zich erover verwonderde dat er zo veel tijd had gezeten tussen dat eerste moment waarop ze zich duidelijk tot elkaar aangetrokken hadden gevoeld en het moment dat ze er eindelijk iets mee gedaan hadden.

'Niets,' zei ze. 'We waren vriendelijk tegen elkaar, maar niet echt vrienden. Ik zei altijd iets tegen hem als ik hem zag, maar hij leek er altijd goed voor op te passen dat het niet meer werd. Hij raakte bijvoorbeeld nooit dronken als ik erbij was, en hij was ook nooit alleen met me.'

'En wat vond je daarvan?' vroeg Denison, die zich afvroeg of Nick haar ooit had uitgelegd waarom hij zich zo had gedragen.

'Ik dacht dat ik het misschien mis had gehad, dat ik het me verbeeld had. Maar op een avond werd alles anders. Sinead en ik gingen naar een feestje in Hicks Court en Nick was er ook. Hij zocht me op en we hebben uren gepraat. Ik bleef maar wachten tot hij zich zou verontschuldigen en met iemand anders zou gaan praten, zoals hij altijd deed, maar iedere keer dat hij iets te drinken ging halen nam hij ook iets voor mij mee en toen er iemand naar ons toe kwam om met hem te praten, zorgde hij ervoor dat ik er ook bij betrokken bleef.

Iedereen zag het natuurlijk. Rob McNorton knipoogde naar hem en ik zag dat Amanda haar vriendin Paula een por gaf. Ik wilde hem zo graag zoenen, maar niet waar iedereen ons kon zien. Uiteindelijk zei hij dat hij nodig naar bed moest. Toen hij wegging, was ik helemaal kapot. Ik was niet in de stemming om nog langer op het feest te blijven. Eigenlijk wilde ik gewoon terug naar mijn kamer en me bezatten, dus vulde ik twee grote glazen met punch en ging weg.'

Ze glimlachte.

'Dat was niet het eind van het verhaal, neem ik aan?' vroeg Denison, en hij glimlachte terug.

'Dat zou je kunnen zeggen,' lachte ze.

Ze pakte haar glazen en liep naar buiten, en daar stond Nick in de gang te wachten.

'Jezus, ik dacht dat je nooit achter me aan zou komen,' lachte hij, en hij greep haar hand en trok haar mee de trap af.

Ze draafden giechelend naar beneden en Olivia probeerde niet te knoeien, maar toch lieten ze spetters punch achter als het spoor van een gewond dier. Buiten kregen ze het meteen koud. Half rennend en half lopend gingen ze naar een plekje bij de rivier dat vanuit de ramen niet te zien was, Nick met zijn arm om Olivia's schouders. Hij nam de glazen van haar aan en zette ze op een bankje.

'Brr,' zei hij, en ze kropen tegen elkaar aan en keken op naar de nachtelijke hemel.

'In Londen kun je de sterren lang niet zo goed zien,' zei ze tegen hem. 'Het is er veel te licht 's nachts. Ik ken de sterrenbeelden maar half.'

Nick had allebei zijn armen om haar heen geslagen en trok haar naar zich toe. Ze voelde zijn handen onder haar trui glijden, naar de warme huid van haar middel en heupen. Ze haakte haar duimen in de lusjes van zijn spijkerbroek.

Hij wees met zijn kin naar de sterren recht boven hen. 'Dat is Orion. Hij heeft drie sterren in zijn gordel. Dat is de Grote Beer. Hij ziet eruit als een koekenpan. Die vage w is Cassiopeia.'

'En die?' Olivia wees met haar neus, omdat ze haar handen niet vrij had.

'Dat is de Grote Kip,' zei Nick. 'De ster in zijn snavel is heel helder.'

'O, ja. En die daar?'

'Daar? Dat zijn twee aparte sterrenbeelden. De vijftien sterren in het oosten staan bekend als de Dansende Kazen. Die vijf verder naar het westen heten de Denturen.'

'De Denturen? Gebitten dus?'

'Het is Latijn voor wasvrouwen.'

'Aha. Ik dacht al dat het Latijn moest zijn.'

Hij keek op haar neer. Ze glimlachten allebei. Maar hun glimlach vervaagde toen hij met zijn vingertoppen over haar rug streelde en zij hem tegen zich aan trok. Ze voelde zijn haar op haar voorhoofd kriebelen toen hun tongen elkaar zachtjes ontmoetten en verkenden. Zijn handen gleden onder haar trui uit naar beneden tot ze om haar billen lagen en hij haar onderlichaam dichter naar zich toe trok. Ze voelde de harde bult in zijn kruis. Zijn mond verdween van de hare en hij plantte hete kussen in haar hals. Ze voelde zijn adem op haar huid; hij hijgde een beetje. Zijn sleutelbeen kwam boven de hals van zijn trui uit en ze kuste hem daar en ging zachtjes met haar tanden over de warme huid op het bot.

'Mijn kamer is dichterbij,' zei hij.

Zoals Olivia het aan Denison vertelde was het niet meer geweest dan een kuise zoen in het maanlicht. Hij had al naar zo veel verkrachters en zedendelinquenten geluisterd die hun misdaden tot in de kleinste details aan hem hadden beschreven dat bijna elke seksuele handeling tussen twee gewillige volwassenen er romantisch bij leek, maar hij wist hoe gênant zijn patiënten het vaak vonden als ze over seks moesten praten. Hij kon niet verwachten dat ze het achterste van haar tong liet zien, en dus zei hij er niets van, want hij had meer belangstelling voor iets wat ze eerder had gezegd en wat niet helemaal klopte met wat hij van anderen had gehoord.

'Ik heb begrepen dat Olivia je tweede voornaam is,' zei hij.

'En dat je een heel ongebruikelijke eerste naam hebt?'

Haar hoofd ging achteruit, bijna geschrokken. Op het ene moment beleefde ze nog de eerste zoen van de jongen van wie ze hield opnieuw, en het volgende moment was ze weer heel argwanend.

'Nou en?' vroeg ze.

'De portiers plaagden je ermee, nietwaar?'

Ze sloeg haar benen over elkaar. 'Iedereen plaagt me ermee. Daarom vertel ik mensen niet dat ik zo heet.'

'Kun je je herinneren dat je ermee geplaagd werd?'

Ze haalde haar schouders op. 'Geen specifieke voorvallen, nee.'

'Weet je nog dat je Nick in de Porters' Lodge hebt ontmoet?'

De ogen waren harder geworden en leken weer goudkleurig. 'Ik heb daar niemand ontmoet,' zei ze. 'We zagen elkaar altijd in het poorthuis.'

'Wat ik bedoel is, weet je zeker dat je Nick niet voor het eerst in de Porters' Lodge gezien hebt?'

'Nee,' zei ze bijna boos. 'Het was bij de rivier.'

'Weet je het zeker?'

'Het is niet iets wat je vergeet,' hield ze vol.

Denison liet het erbij, met de gedachte dat Nick misschien degene was die het zich verkeerd herinnerde. Hij ging op iets anders over, want hij wilde dat Olivia vertrouwen in hem kreeg en het was dus niet zijn bedoeling haar tegen zich in het harnas te jagen.

Het volgende halfuur hadden ze het uitgebreid over Nick, over hoe Olivia had genoten van haar onafhankelijkheid toen ze voor het eerst weg was van huis, over het maken van nieuwe vrienden en over hoe fijn het was om je intelligentie te gebruiken in een omgeving waar dit actief gestimuleerd werd in plaats van bestraft. Denison begreep dat Olivia het niet gemakkelijk had gehad op de scholengemeenschap in de stad en nam zich voor haar dossier op te vragen om meer te weten te komen.

Uiteindelijk was hun tijd om.

'Dank je, Olivia,' zei hij. 'Ik hoop dat we bij de volgende sessie kunnen praten over wat er vlak voor die kerstvakantie is gebeurd.'

'Het kerstdiner?' Olivia probeerde haar gezicht strak te houden, maar hij hoorde de paniek in haar stem.

'Maak je geen zorgen,' zei hij. 'We doen het rustig aan.'

Ze stond op en trok het jasje aan dat over de armleuning van haar stoel had gehangen. Hij kwam ook overeind, een beetje onhandig alsof zij de leiding had genomen. Ze maakte het erger door haar hand uit te steken.

'Dank u, dokter.' Ze liep naar buiten.

Hij liep naar de stoel achter zijn bureau, ging met een diepe zucht zitten en trok haar dossier naar zich toe. Naast de standaard psychiatrische aantekeningen bevatte het talloze kopieën van delen uit het politiedossier over de moorden en hij nam het allemaal nog eens door, hopend dat ene puzzelstukje te vinden dat hem een wezenlijk inzicht zou geven in de twee grote vragen: wie, en, wat voor hem nog interessanter was, waarom?

Zijn secretaresse klopte op de deur en kwam meteen binnen.

'Dokter Denison, er is een probleem met...'

Ze bleef zo abrupt staan dat ze iets doorschoot en op de bal van haar voeten terechtkwam. Hij keek op en besefte dat ze de bovenste foto had gezien van de stapel opnamen van de plaats delict van Amanda Montgomery. Ondanks haar gebruikelijke al te enthousiaste gebruik van blusher zag hij dat alle kleur uit haar gezicht was geweken.

Ze kon haar blik niet van de foto losmaken. 'Maar... Waar is haar hoofd?'

Hij stopte de foto's weer in de envelop.

'Dat is nooit gevonden,' zei hij.

hoofdstuk **VIER**

Denison stond voor het raam. Over het grasveld dwarrelde een bleekroze bloemblad van de magnolia, maar hij zag het niet; in zijn gedachten was hij weer in die kamer op Ariel en hij voelde de angst en de afschuw in zijn ingewanden toen hij te midden van het bloedbad op zijn hurken was gaan zitten. Hij wist dat het maar een herinnering was, een illusie, maar het leek alsof hij het bloed nog kon ruiken.

Er werd op zijn kantoordeur geklopt. 'Olivia Corscadden is hier, dokter Denison,' zei zijn secretaresse. Ze klonk nerveus.

'Dank je, Janey. Geef me een minuutje.'

Denison pakte Olivia's dossier op, dat hij nog eens had zitten doornemen, en draaide het met de rug naar boven. Patiënten hadden altijd het vreemde verlangen om hun eigen dossier te lezen als ze eenmaal beseften dat dat bestond. Hij ging achter zijn bureau zitten, drukte op de knop van de intercom en vroeg Janey juffrouw Corscadden binnen te laten.

Hij was vastbesloten dit keer de touwtjes in handen te houden. Ze kwam binnen met haar haar in een paardenstaart en in hetzelfde klassiek gesneden grijze jasje, maar hij stond niet op.

'Goedemiddag, Olivia. Wil je gaan zitten?'

Haar handen zaten diep in de zakken van haar jasje. Er waren een paar lokken haar uit haar haarband ontsnapt en ze krulden zachtjes in haar nek. Ze bleef hem strak aankijken terwijl ze haar jasje uittrok en ging zitten.

'Hoe is het met je?'

Ze ging met haar nagels langs haar hals. 'Niet zo goed. Sorry als ik hees klink. Ik heb een zere keel.'

Dat had Denison eerder gehoord, van patiënten die hier eigenlijk niet wilden zijn. Ze gebruikten het als excuus om zo min mogelijk te praten.

'Zal ik mijn secretaresse vragen een glas water voor je te halen?' vroeg hij.

Olivia schudde haar hoofd. 'Nee, dank u. Zo te zien heeft ze het druk.'

'Ook goed. Tijdens onze laatste sessie heb je me verteld over je eerste maanden op Ariel College. We hebben het over je vrienden gehad: je vriend Nicholas Hardcastle en je buurvrouw Sinead Flynn.' Hij keek naar haar op. 'Het Ierse meisje,' zei hij met een glimlach, in de hoop het ijs een beetje te breken, maar zij reageerde amper. 'Over June Okeweno en Danny Armstrong. En over Leo Montegino en Amanda Montgomery.'

'U hebt uw huiswerk gedaan,' zei ze. 'Ik kan me niet herinneren dat ik hun achternamen heb gezegd.'

Hij haalde zijn schouders op. 'Ze zijn er allemaal bij betrokken en zijn allemaal verhoord door de politie. Ik heb hun namen maandagmiddag niet voor het eerst gehoord, Olivia.'

'Hebt u hen zelf verhoord – sorry, gesproken?'

Hij keek weer naar zijn aantekeningen en gaf niet direct antwoord. 'Ik heb Nicholas ontmoet. Volgende week heb ik nog een afspraak met hem.'

Toen hij weer opkeek, schrok hij van de verandering in haar gezicht. Het was opengebloeid en in haar ogen lag een hoopvolle blik.

'Hoe is het met hem?' vroeg ze.

Denison leunde achterover. 'Nou, niet zo goed,' zei hij. 'Maar ik ben bang dat ik je er niet veel over kan vertellen. Het gaat niet zo goed met hem, zo veel wil ik wel kwijt. Dus hoe meer jij me kunt vertellen, hoe beter het is, eerlijk gezegd.'

Ze sloeg haar ogen neer, maar niet voordat hij er plotseling tranen in had gezien. Haar handen lagen in haar schoot en ze draaide aan haar zilveren ring.

'Vertel me over de dag ervoor,' zei hij, 'als dat gemakkelijker voor je is.' Maar het was niet gemakkelijker: dat was de dag waarop Olivia erachter was gekomen dat de schoonheid op het college, Paula Abercrombie, de eerste verovering van Nick was geweest.

'Ik weet dat het onzin was om me zo verraden te voelen,' zei ze. 'Ik bedoel maar, het is niet alsof hij me had bedrogen of zo. Mijn reactie was echt overdreven.'

'Maar volkomen begrijpelijk,' stelde Denison haar gerust. 'Je had bij jullie eerste ontmoeting al gevoeld dat het klikte tussen jullie en dat wekte verwachtingen. Maar die werden verbroken door wat er tussen hem en Paula was gebeurd. Als je er op dat moment van geweten had, was het misschien niet zo pijnlijk geweest, maar het feit dat het voor je verborgen werd gehouden, maakte het belangrijker dan het in werkelijkheid was.'

Ze knikte en leek troost te vinden in zijn woorden. Hij liet haar verdergaan naar de middag voor het kerstdiner, waarop zij en Amanda naar een van de docenten van het college waren geweest voor een mondeling tentamen. Het was een ramp geworden: Olivia was te zeer van streek door de ruzie met Nick om zich te kunnen concentreren en Amanda had alle vragen voor Olivia beantwoord. Aan het eind van het gesprek had de docent met duidelijke minachting naar haar dikke ogen gekeken en had hij haar een papieren zakdoekje gegeven. 'De volgende keer dat je een uur van mijn tijd wilt verspillen, kun je beter een doos van deze kopen bij de plaatselijke drogist en in je kamer blijven.'

Sinead was in haar kamer toen ze terugkwam in het studentenhuis en zij liet Olivia haar gezicht wassen en nam haar daarna mee naar de stad om zich af te reageren in de winkels. Denison nam zelfs dat uitje naar de winkels in detail door, omdat hij haar niet van haar stuk wilde brengen door iets over te slaan en bij andere onderwerpen naar het kleinste detail te vragen.

Hij wilde weten welke shampoo ze die avond had gebruikt, hoe lang het haar gekost had om haar make-up bij te werken en haar haar te föhnen en welk parfum ze op haar sleutelbeenderen en haar polsen had aangebracht voordat ze was vertrokken naar het diner, tot er niets meer was om over te praten dan de avond zelf.

'Moet dat?' zei ze met een klein stemmetje.

'Je weet dat het moet, Olivia,' zei hij vriendelijk. 'Vertel me wat er die avond gebeurd is. Vertel me over de avond dat Amanda Montgomery stierf.'

hoofdstuk **VIJF**

Er streek een koude wind langs Olivia's wangen, die de naalden van de spar op het grasveld deed ritselen. Het bevroren gras knerpte onder haar voeten toen ze door het poorthuis de grote binnenplaats van Ariel op liep.

De kapel was vanbinnen verlicht en de stukken rood glas in de glas-in-loodramen gloeiden op in het donker als kooltjes. De organist was aan het oefenen toen ze de binnenplaats overstak en de melancholieke en spookachtige muziek liet de motten een beetje onrustiger rond hun lantaarnpalen vliegen.

Amanda's kamer was in Hicks Court, een paar verdiepingen boven de eetzaal en de bar. 'Kom binnen,' riep ze toen Olivia klopte. 'De deur is open.' Olivia ging naar binnen en rook een licht bloemenparfum. De kamer was in de kleuren wit en crème gehouden en er waren geen knuffelbeesten of posters. Aan de schilderijrail langs de muur hing een ingelijste afdruk van *La Belle Dame sans Merci* van John William Waterhouse. Op het raamkozijn brandden een paar geurkaarsen, waarvan de vlammen werden weerspiegeld in het donkere glas.

Amanda zat op haar bed een boek door te bladeren. 'O, ben jij het,' zei ze. Ze leek afwezig.

'Je had gevraagd of ik je wilde komen halen als het diner ging beginnen,' merkte Olivia op.

'Ga zitten.' Amanda gooide het boek op haar nachtkastje. 'Ik kleed me even om.'

Ze blies de kaarsen uit, trok de gordijnen dicht en keek toen in haar klerenkast. Olivia ging op het bed zitten en keek weg toen Amanda zich uitkleedde tot op een mooi setje ondergoed in pasteltinten.

'Ik hoop dat ik er gisteren goed aan gedaan heb om jou te vertellen over Nick en Paula,' zei Amanda, die zo veel mogelijk oprechtheid in haar stem legde. Toen Olivia niets terugzei, ging ze verder: 'Het is gewoon... Nou, ik zou het zelf willen weten als mijn vriend niet... helemaal eerlijk was, weet je wel?'

'Het is goed,' verzekerde Olivia haar, nog steeds met afgewende blik. Amanda stapte in een chocoladebruine zijden jurk die bij haar ogen kleurde en trok hem omhoog.

'Wil je de rits even dichtdoen?'

Ze hield haar haar opzij terwijl Olivia overeind kwam en de jurk dichtritste.

'Misschien voel je je er beter onder als je weet dat hij Paula ook heeft belazerd. Je zou denken dat zij elke man kan krijgen die ze wil, maar Nick heeft haar gewoon gebruikt en vervolgens gedumpt.' Amanda besproeide zichzelf uit een grote, vierkante fles van hetzelfde parfum dat Olivia al had geroken toen ze de kamer binnenkwam en verdween toen in de naastgelegen badkamer.

'Heb je Rob beneden gezien?' riep ze naar Olivia.

Olivia stond op en ging naar de deur van de badkamer. Amanda stond donkerbruine eyeliner aan te brengen. 'Nee,' zei Olivia, 'maar ik ben niet door de bar gekomen.'

'Ik probeer hem de hele dag al te bellen, maar dat rotjoch neemt niet op.' Olivia keek toe terwijl Amanda wat lippenstift opdeed. Ze wist dat ze belangstelling moest tonen, dat ze moest vragen waarom die twee ruzie hadden, maar ze had de moed niet. Zij had die dag ook vaak haar telefoon niet opgenomen, omdat ze niet met Nick wilde praten nadat ze erachter was gekomen dat ze niet het eerste meisje was met wie hij sinds zijn aankomst op Ariel naar bed was geweest.

'Ik vond je op het moment dat we elkaar voor het eerst ontmoetten meteen al leuk,' had ze de avond daarvoor tegen hem gezegd toen ze van de kroeg naar huis liepen nadat Amanda 'per ongeluk' haar mond voorbij had gepraat. 'Vanaf die allereerste dag en elke dag daarna heb ik aan je gedacht en naar je verlangd. Maar heb ik wel indruk op je gemaakt? Herinner je je onze ontmoeting nog wel? En ik maar denken dat die het begin was van een grote liefde, terwijl jij rechtstreeks naar Paula ging en... deed wat je met haar gedaan hebt. Je gaf duidelijk geen donder om mij tot ik eindelijk aan de beurt was.'

'Tot je aan de beurt was? Zie je het zo?'

'Hoe moet ik het anders zien? We hadden weken geleden al samen kunnen zijn, maar jij hebt duidelijk besloten dat je eerst wat andere meisjes wilde proberen.'

'Zo is het niet gegaan,' probeerde hij te protesteren, maar zij had zich op haar hakken omgedraaid, was weggelopen en had hem alleen op straat laten staan.

Ze had een nieuwe jurk gekocht voor vanavond, want ze wilde dat hij er spijt van kreeg dat hij eerst voor Paula had gekozen. Amanda had helemaal niets gezegd over haar uiterlijk, hoewel duidelijk was dat ze er veel aandacht aan had besteed.

Amanda deed een stap achteruit en bekeek haar gezicht van alle kanten. 'Oké, klaar om te gaan.' Olivia moest bijna lachen. Het had Amanda niet meer dan vijf minuten gekost om zich klaar te maken en ze zou die avond toch het mooiste meisje aan het diner zijn.

De lichte stenen van de zaal gloeiden in het kaarslicht en de grote kerstboom in de noordwesthoek was overdekt met feestelijke rode en gouden slingers. Om de glas-in-loodramen hingen twinkelende lampjes. De lange houten tafels waren beladen met borden, wijnkaraffen en zilveren bestek, alles met het wapen van het college erop.

Olivia stapte naar binnen, vastberaden om zelfs naast Amanda indruk te maken. Haar jurk was rood en strak en had een lange split tot aan de bovenkant van haar been, en haar lippenstift was bloed-rood. De mensen keken om toen zij en Amanda voorbijkwamen.

Olivia zag Nick meteen vanuit haar ooghoek. Hij had zijn pak aan en een zwarte das om en hij zat naast Rob. Naast de talloze voice-mails was hij die dag drie keer langs haar kamer gekomen en elke keer had ze stilletjes zitten luisteren hoe hij klopte tot hij het opgaf en wegliep.

Amanda trok haar mee naar hun tafel, met haar blik op Rob ge-richt. Hij droeg een kilt met de ruit van de familie McNorton, en Oliv-ia was er vrij zeker van dat hij daarmee de gespierde benen van een rugbyspeler wilde laten zien. Hij had zijn Schotse rugbyshirt zelfs aan onder zijn smokingjasje.

'Hallo, Olivia,' zei hij toen ze langsliepen. Amanda negeerde hij. Olivia glimlachte naar hem, maar weigerde Nick aan te kijken, ook al zag ze vanuit haar ooghoek hoe gekwetst hij keek. Zij en Amanda gingen naast Leo zitten, die zijn knalbonbon al had opengetrokken en zijn papieren muts op zijn dreadlocks had gezet.

'Meisjes, jullie zien er absoluut verblindend uit,' zei hij.

Olivia was vastbesloten te doen alsof ze het leuk had. 'Dank je, Leo,' zei ze. 'Ik zou graag zeggen dat jij er ook leuk uitziet als je je een beetje hebt opgedoft, maar wie weet dat?' Leo weigerde zich aan te passen aan de sociale verwachting dat hij zich voor een gelegenheid zou kleden en was in zijn rafelige spijkerjasje en wijde spijkerbroek gekomen.

Er viel een stilte toen het hoofd van het college opstond en iets zei in het Latijn. Iedereen stond op. Olivia wist niet of hij hun in het Latijn gezegd had dat te doen of dat het gewoon een stilzwijgende regel was dat je op moest staan als een man in een officieel gewaad iets zei in een dode taal. Hij feliciteerde hen met een succesvol tri-mester en wenste ze allemaal een vrolijk kerstfeest en een gelukkig nieuwjaar, en daarna zei hij nog iets in het Latijn waarvan ze aannam dat het een gebed was, omdat sommige mensen daarna amen zei-den.

Toen ze gingen zitten, kwamen de kelners voor de dag, die borden met kunstig neergelegde plakjes zalm serveerden. Al snel klonk in de zaal het geroezemoes van gesprekken en het geluid van het bestek op de borden.

Aan Olivia's tafel werden een heleboel knalbonbons opengetrokken.

'Wat doet een vlieg zonder vleugels?' las Leo van zijn stukje papier.

'Lopen,' antwoordde Amanda meteen. 'Zijn dit knalbonbons uit 1984 of zo?'

'Het bezit van wijsheid gaat koralen te boven,' las Olivia van haar papiertje. 'Job, 28:18. Mooi motto. Je zou bijna denken dat het college mijn grapje hiervoor heeft omgeruild in een vergeefse poging om me harder te laten werken.'

'O ja, hoe ging je mondeling met Russell?' vroeg June. Het licht van de kaarsen liet haar donkere huid glimmen als gewreven hout.

'Laten we het daar maar niet over hebben,' waarschuwde Amanda, en ze glimlachte in zichzelf terwijl ze in een broodje beet.

Godfrey had blijkbaar gehoord dat er uit de Bijbel werd geciteerd; hij boog zich vanaf zijn tafel naar die van hen over en richtte zijn vossengezicht op Olivia.

'In veel wijsheid ligt veel verdriet en als iemand kennis vermeerdert, vermeerdert hij smart. Prediker 1:18,' zei hij met een grijns.

'De voordelen van een goede christelijke opvoeding,' zei June, en ze rolde met haar ogen. Maar Olivia glimlachte naar hem.

'Dank je, Godfrey. Ik geloof dat ik liever Prediker lees dan Job.' Hij knipoogde naar haar en ging toen verder met het bijvullen van zijn wijnglas – een dringende taak.

Olivia voelde dat iemand naar haar keek en toen ze zich omdraaide, zat Nick naar haar te staren. Hij was buiten gehoorsafstand, maar toch deed hij zijn mond open alsof hij iets wilde zeggen. Toen deed hij hem weer dicht en stond op. Ze zag Robs arm omhoogkomen en Nick omlaag trekken. Ze keek de andere kant uit.

Tussen monden vol zalm door hield Leo een heel verhaal over 'Riders on the Storm' van The Doors en hoe fantastisch dat nummer klonk als je wat lsd had genomen. Terwijl hij hun vertelde hoe hij op de maat van de muziek kleuren op het plafond had zien dansen, wierp

Olivia nog een blik op Nicks tafel. Hij zat verscholen achter Rob, wiens luide Schotse lach door de zaal schalde. Olivia zag Amanda naar hem kijken, maar Rob zat met zijn rug naar haar toe en merkte het niet. Ik vraag me af hoeveel mensen naar andere mensen kijken die niet terugkijken, dacht Olivia.

Halverwege het hoofdgerecht stak Rob al een lege fles in de lucht en riep hij om meer chianti. Olivia begon zich wazig te voelen en June liet haar geen wijn meer drinken. Ze schonk een glas water voor haar in en duwde het naar haar toe. Leo had ergens tussen de eerste en de tweede gang besloten vegetariër te worden en de serveerster ging kijken of er nog een groentegerecht in de keuken was. Omdat het wachten hem verveelde, was Leo gaan rondlopen en op dat moment zat hij in kleermakerszit bij de tafel van een paar verklaarde milieu-activisten en had hij een ernstig gesprek met hen over het effect van McDonald's op het regenwoud.

'Hij vertelt ze waarschijnlijk over de tijd die hij heeft doorgebracht met een stam in het Amazonegebied, die hij over Sartre en Descartes heeft verteld in ruil voor wat bessen en gegrilde vogelspinnen,' zei June. 'O kijk, zijn risotto is gearriveerd. Zullen we het hem vertellen? Willen we wel dat hij terugkomt?'

Leo vond zijn risotto heerlijk, in tegenstelling tot Amanda, die maar wat speelde met die van haar en toen zei dat ze een rondje ging doen. Zo kwam haar plaats vrij voor een vriend van Leo, die wat meer stoned was en die een heel ernstig gesprek met hem begon te voeren over de vraag waar ze hun coke en speed moesten kopen nu hun favoriete dealer was geschorst omdat hij tijdens een achtenveertig uur durende roes zijn kamer en het grootste deel van de ramen op zijn trap had vernield. Olivia zag dat Amanda een andere student liet opschuiven, zodat zij naast Paula kon zitten. Paula's cellovormige lichaam was in een strakke zwarte jurk gestoken die dezelfde kleur had als haar haar, dat zoals gewoonlijk los om haar schouders hing, zodat het ten volle aangewend kon worden om prooi te verstrikken. Ze stak het alleen op als ze een kater had en niet in de stemming was voor de jacht.

Ze giechelden en fluisterden in elkaars oor. Hun blikken waren gericht op Nick terwijl ze met elkaar zaten te konkelen.

Vervolgens kwam het dessert en June leek de koffie die daarbij werd geserveerd al te enthousiast te verwelkomen in de ogen van Olivia, die net tot het besef was gekomen dat June probeerde haar te ontnuchteren. Ze weigerde opstandig zich door June te laten inschenken en nam in plaats van koffie nog een glas chianti.

Olivia keek achterom naar Nicks tafel en kon haar gezicht niet strak houden toen ze zag dat Paula naast hem was gaan zitten, zich naar hem had toegewend en haar hand op zijn arm had gelegd. Ze wierp haar hoofd achterover en lachte om iets wat hij zei, terwijl ze met de andere hand haar haar naar achteren streek.

Godfrey zag hoe Olivia keek en was in twee seconden bij haar. Hij sloeg zijn benen over elkaar, voorzichtig om de pijpen van zijn elegante maatpak niet te kreuken. '*What's the story, morning glory?*' vroeg hij.

Ze lachte naar hem. 'Ben je tegenwoordig een fan van Oasis?'

Hij trok een gezicht. 'Stelletje sukkels. De muziekwereld is echt bergafwaarts gegaan sinds Ralph Vaughan Williams is gestorven. Maar vertel eens over jou en Nicky. Wat is er gebeurd met de jonge liefdesdroom?'

Ze bloosde in weerwil van zichzelf. 'Hoepel op, Godfrey.'

'Betekent dat dat je vrij bent?'

'Ook al was dat zo, jij bent het niet. Heb je het vorige week niet aangelegd met Eliza, ondanks je bewering dat je geen vrouw van Ariel moet?'

Pas een paar weken geleden waren ze teruggelopen van een vertoning van *The Shining* op Robinson College toen Godfrey tegen haar had gezegd: 'De vrouwen op Ariel zijn een stel hoeren zonder enige klasse. Amanda is zo'n beetje de enige van jullie met wie ik naar bed zou gaan, en zij moet lesbisch zijn want ze heeft me afgewezen. Ik wacht op de schone maagden van Trinity. Die zijn van een veel betere klasse.' Daarna had Eliza, een fel meisje dat bijna van kostschool was gestuurd omdat ze met de tuinman naar bed was gegaan, hem dronken gevoerd en verleid.

Godfrey nam een grote slok wijn. 'Eliza is kwaad en als ze kwaad is, is ze vervelend. Ze ligt over tien minuten bewusteloos bij de biljarttafel. En ik heb trouwens een nieuw slachtoffer nodig om mee te voeren in het verderf.' Hij legde nonchalant een hand op haar bovenbeen. Olivia stond even nonchalant op.

'Ik moet nog iets te drinken hebben,' zei ze, en ze liep de zaal uit.

Het was vol en lawaaiig in de bar en uit de jukebox in de hoek denderde 'Paint It Black' van de Stones. Tussen zo veel mensen en hun energie voelde Olivia de haartjes in haar nek tintelen. Het was bijna tijd voor de laatste bestelling, dus in plaats van glazen wijn of port werden er hele flessen gekocht. De eters lagen en zaten rokend en drinkend op de banken. Aan de andere kant van de bar speelden een stuk of wat dronkenlappen een spelletje poolbiljart. Aan de dichtstbijzijnde kant werd voor de vijfde keer die avond 'Fairytale of New York' van The Pogues gekozen op de jukebox en de studenten schreeuwden mee over *scumbags* en *maggots*.

Olivia kocht een fles wijn en liep door de glazen deuren naar de binnenplaats, die aan drie kanten werd omringd door de muren van het college en aan de vierde kant door een ijzeren hek. Het was hier rustiger; er zaten een paar studenten op de banken die discreet een jointje rookten en de vissen in de betonnen vijver haastten zich weg toen Olivia naderde, zodat de maan versplinterde op het water.

Te laat zag ze Amanda en Sinead met hun rug naar haar toe op paaltjes bij het zijhek zachtjes zitten praten.

'Wat dacht ze verdomme dat ze aan het doen was?' zei Amanda. 'Het is hier al moeilijk genoeg om een vrouw te zijn. Ik weet zeker dat de helft van die ingeslapen sullen vindt dat ze nooit hadden mogen toestaan dat hier vrouwen studeerden. Het laatste wat we kunnen gebruiken, is dat ze het idee krijgen dat we stuk voor stuk zielige zakken hormonen zijn. Het verbaasde me dat hij haar niet vroeg of ze last had van PMS. Als ze het niet kan bolwerken, kan ze beter gewoon weggaan.'

Olivia voelde een masochistische behoefte om Amanda haar naam te horen zeggen, maar haar instinct voor zelfbehoud liet zich gelden en ze maakte zich stilletjes uit de voeten. In de bar werd gezongen over droomwerelden, gebouwd op andere mensen.

Ze ging onder de erkerramen op de begane grond van de noord-oostelijke toren zitten, waar niemand haar kon zien, en nam een slok uit haar fles wijn. Ze rookte niet, maar op dat moment had ze enorme behoefte aan een sigaret.

Aan de andere kant van de open ramen bevond zich de gang naar de toiletten. In een dronken waas herkende ze de stem van Rob in de gang. Wat hij zei was onduidelijk, maar ze ving een paar woorden op. 'Amanda' was heel goed te verstaan en ze hoorde ook nog 'spelletje' en 'klootzak'. En toen hoorde ze Nick, te rustig en geruststellend om te horen wat hij precies zei. Toen een andere stem, van iemand die erbij kwam. Deze stem was helderder. 'Hallo, jongens...' zei ze, en ze klonk als smeltende chocola. 'Wat voeren jullie in je schild?'

Ze besefte dat de meisjesstem die van Paula was.

Rob zei iets binnensmonds en Olivia hoorde een deur zo hard openslaan dat hij tegen de binnenmuur stootte. Iemand die naar het toilet ging? Rob, Nick of Paula?

Niet Paula. 'Heb je nog zin in een afzakkertje?' vroeg ze. Olivia hoorde de glimlach in haar stem, zag haar mond vol lippenstift bijna tegen het oor van de man. Ze hoopte dat het het oor van Rob was en niet dat van Nick. Misschien kwam het doordat ze dronken was dat het haar amuseerde dat Paula's stem zo ver droeg, bijna alsof ze vond dat ze meer recht had op de geluidsgolven.

'Mijd luidruchtige en agressieve mensen, want ze zijn een kwelling voor de geest,' mompelde Olivia in zichzelf. Een citaat uit de *Desiderata*. Ze grinnikte tegen haar wijnfles.

Ze wilde opstaan om het stelletje aan de andere kant van het raam te verrassen, maar ze wist dat ze een idioot figuur zou slaan als ze plotseling uit het niets opdook en Rob met Paula betrapte. In plaats daarvan nam ze nog een slok wijn en ging weer op weg naar de bar.

Het lawaai sloeg tegen haar aan als een vloedgolf en ze ging erin onder. Het waren nu niet meer The Pogues, maar 'Hey Jude'. De studenten leken een wedstrijdje te doen wie het hardst de afsluitende 'nah's' kon roepen. Zo nonchalant mogelijk, wat nog niet gemakkelijk was met haar roodsatijnen naaldhakken, baande ze zich een weg naar het toilet. Ze wilde zien of Paula nu haar vriend aan het verleiden was of niet.

De volgende morgen werd het lichaam van Amanda Montgomery gevonden.

hoofdstuk **ZES**

Op het parkeerterreintje voor Ariel College stond een agent op inspecteur Stephen Weathers te wachten. Hij wuifde de inspecteur
naar een parkeerplek.

De stem van de dj van het ochtendprogramma zweeg abrupt toen
Weathers het contactsleuteltje omdraaide en in het handschoenen-
kastje naar een das zocht. Hij kwam van de flat van zijn vriendin en
ze kenden elkaar nog niet zo lang dat hij daar een eigen la had.

De agent wachtte geduldig bij de auto terwijl Weathers zijn das
knoopte, een blik in de achteruitkijkspiegel wierp en een hand door
zijn slordige bos haar haalde. Daarna stapte hij voorzichtig uit, nog
steeds een beetje stijf van het spelletje squash van de vorige avond.

'Het is niet best, meneer,' zei de agent.

Weathers had dat al meteen gezien aan het gezicht van de agent.
Hij zweette ondanks de kille wind. 'Alec, nietwaar?' Weathers werkte
nog niet lang genoeg in Cambridge om iedereen bij de naam te kennen.

De agent knikte. 'Agent Alec Liman, meneer.'

'Als je even vijf minuten pauze wilt nemen voor een kop koffie in

57

de Copper Kettle, vind ik het prima.'

'Nee. Nee, dank u, meneer, het gaat wel.'

'Breng me dan maar naar het lijk.'

De bar van Ariel College stond propvol studenten, die allemaal bezorgd waren en er allemaal achter probeerden te komen wat er mis was. Het enige wat ze wisten, was dat er een menigte politiemensen, leden van het college en portiers rond een van de studentenkamers stond en dat de hele gang was afgezet. De bewoners van de andere kamers waren naar een andere plek gebracht.

Ze keken op toen hij langsliep met de geüniformeerde Liman. Ze hadden genoeg detectives gezien op de tv om te weten dat de man met de das en het leren jasje waarschijnlijk de leidinggevende rechercheur was.

Weathers bekeek hen vluchtig, hoewel hij niet verwachtte dat zijn intuïtie hem meteen zou zeggen wie de schuldige was. Ze zagen eruit als een normale groep studenten; sommigen in spijkerbroek, sommigen in een jurk, sommigen in katoenen broeken. Er waren een paar rare vogels met roze haar of ringetjes in hun neus en een jongen in een blauwe parka met imitatiebont om de rand van de capuchon. Hij was helemaal in de parka weggekropen en zag eruit als een schildpad. Een meisje bij de bar kauwde op topsnelheid kauwgom en haalde een bevende hand door haar blonde haar.

Toen was hij de bar weer uit en ging agent Liman hem voor de trap op naar de gang op de eerste verdieping, waar de kamer van het slachtoffer was.

'De schoonmaakster heeft haar gevonden, meneer,' zei Liman.

'Jezus, hebben die kleine krengen nog bedienden?'

'Ik geloof niet dat het helemaal zo werkt, meneer.'

Het rook in de gang naar geroosterd brood en gebakken eieren en Weathers maag knorde. Hij en Liman doken onder het blauw-witte politielint door en liepen op de man af die voor Amanda's deur stond te wachten. Hoofdagent John Halloran had de portiers ervan weten te overtuigen dat ze niets meer konden doen en had een agente opdracht gegeven een kop hete, zoete thee voor hen te zetten in de Porters' Lodge.

Voor de kamer lag een kleine plas braaksel. Weathers keek erop neer en trok toen een wenkbrauw op naar Halloran.

'U hoeft mij niet aan te kijken, meneer,' zei Halloran in zijn grove Manchesterse accent. 'Mijn maag is van staal. Het was een van de portiers. Die magere met die grote snor.'

'Het klinkt alsof het halve college al over de plaats delict is gedenderd,' zei Weathers.

'Dat klopt wel zo'n beetje, meneer. De schoonmaakster, ene juffrouw Tracey Webb, heeft het lichaam om halfnegen gevonden.'

'En waar bevindt Tracey Webb zich nu?'

'Ze zit met agente Ames in een kamer in een van de andere gebouwen. Ames neemt haar verklaring op.'

'En wat is er gebeurd nadat Webb het lijk had gevonden?'

'Ze is meteen naar de Porters' Lodge gerend. Die ouwe sukkels wilde haar niet op haar woord geloven dat er een lijk in de kamer lag, ze moesten per se zelf komen kijken. Vandaar het braaksel. Daarna hebben ze eindelijk het alarmnummer gebeld en om een of andere reden om een ambulance gevraagd. Als u één blik op het lichaam werpt, zult u zien waarom de ziekenbroeders niet blij zullen zijn geweest met de oproep. En ze vroegen ook om de jongens in het blauw. Wij arriveerden hier om...' Hij keek in zijn aantekeningen. '... acht uur zesenvijftig. Tegen die tijd waren er wat belangstellenden op de opschudding afgekomen en waren er ook een paar studenten van de nabijgelegen kamers ter plekke, namelijk Paula Abercrombie en Nicholas Hardcastle.'

'Hebben zij het lichaam gezien?' vroeg Weathers.

'Dat weet ik niet zeker. Ze worden op dit moment verhoord.'

'Oké. Nog iets anders?'

'Nog niet. Wilt u kijken?'

Het zicht op de kamer werd beperkt door de deur naar de badkamer. Het eerste wat Weathers zag toen hij drie stappen de slaapkamer in deed, was bloed. Een ader had bloed in een boog tegen een muur gespoten en op de aangrenzende muur zaten druppels die er met lagere snelheid tegenaan waren gespat. Er lag ook een plas bloed op het tapijt, die zich naar hem uitstrekte. En toen zag hij het lichaam.

Hij stak zijn hoofd weer om de hoek en keek Halloran aan.

'Nee, meneer,' zei Halloran, die zonder enige moeite de vraag van zijn gezicht las. 'We hebben haar hoofd nog niet gevonden.'

9.45 uur. Agente Collins geeft Derek McIntosh, de besnorde portier die heeft overgegeven op de plaats delict, een kop thee.

'Weet je, Roger, ik had nooit gedacht dat ik ooit eens zoiets zou zien,' zegt hij tegen de andere portier.

Roger pakt zijn kop thee aan, schenkt er wat whisky bij uit een flesje dat hij van Les in de bar heeft geleend, en roert krachtig. 'Wie zou dat nou hebben gedacht, dat zoiets hier zou gebeuren. Onbegrijpelijk.' Rogers gezicht staat normaal gesproken bekend om zijn rode tint, maar vandaag heeft het de kleur van sigaaras.

10.34 uur. Victor Kesselich zit in een van de docentenkamers in Audley Court. De politie heeft de kamer in beslag genomen voor verhoren. Hij speelt nerveus met wat losse draadjes van de bankbekleding en trekt ze eruit. Hoofdagent John Halloran moet zich ervan weerhouden Kesselich een tik op zijn hand te geven en hem te zeggen dat hij moet ophouden de meubels te vernielen. Halloran heeft een lui oog en soms weten de mensen die hij verhoort niet precies naar welk oog ze moeten kijken, welk oog op hen gericht is. Halloran weet dat, hij weet dat mensen zich er onbehaaglijk bij voelen en hij maakt er opzettelijk gebruik van door zijn hoofd in vreemde hoeken te draaien om ze in de war te brengen. Hij houdt de verdachten graag op hun tenen.

'Dus je was niet op het feest?' vraagt hij voor de tiende keer.

'Nee!' Kesselich zit te zweten. 'Ik zei toch dat ik een opdracht moest afmaken. Ik hou niet van het eten in het college en ook niet van drank.'

'Een Rus die niet van wodka houdt! Dat is de eerste keer dat ik daar ooit van heb gehoord,' lacht Halloran.

'Ik kom niet uit Rusland, maar uit de Oekraïne,' zegt Kesselich met opeengeklemde tanden.

'En je was de hele tijd in je kamer, maar niemand kan dat bevestigen, en je hebt niets gehoord uit de kamer van Amanda Montgomery?'

'Ja, ja en ja,' zegt Kesselich. 'Dat heb ik toch al gezegd. Ik was om een uur of elf klaar met mijn opdracht en daarna ben ik meteen naar bed gegaan. Ik was doodmoe. De jukebox stond nog aan in de bar, die kun je twee verdiepingen hoger horen, dus heb ik oordopjes ingedaan. Ik werd pas wakker toen uw agent vanmorgen op mijn deur klopte.'

11.52 uur. Agente Ames en inspecteur Weathers lopen elkaar tegen het lijf op een van de kruisingen van de gangen in Hicks Court.

'Eén opmerking,' zegt Ames, en ze strijkt wat van haar blonde krullen achter haar oor. 'Hoe weten we dat het Amanda Montgomery is? We nemen het aan omdat het lichaam in haar kamer ligt, maar gezien de toestand van het lichaam kan het iedereen zijn.'

Weathers kreunt. 'Goed punt. Een DNA-test duurt zeker een paar weken. Ik zal de patholoog laten kijken naar moedervlekken, tatoeages en andere opvallende kenmerken. Maar we zullen het DNA nodig hebben om zekerheid te krijgen.'

'Oké.' Ze slaat haar ogen neer en begint te lachen. 'En, hoe is het vanmorgen met je pijnlijke spieren? Klaar voor het volgende pak slaag op de squashbaan?'

'Ik hou het nog wel te goed.'

Ze kunnen elkaar hier niet kussen, niet op het werk, dus haakt ze haar vinger om de zijne. Ze glimlachen tegen elkaar en gaan dan weer ieder aan hun werk.

12.31 uur. Er is maar één openbare telefoon in de bar van Ariel. Voor de komst van mobiele telefoons waren er drie. Studenten die om een of andere reden geen mobiel hebben of die wel een mobiel hebben, maar met een lege batterij of zonder beltegoed, staan in de rij voor de telefooncel om hun ouders te bellen en hun te vertellen wat er gebeurd is. De jongen die in de cel staat, waar het altijd ruikt naar kleverige sinaasappels, kijkt naar de folders die aan de muren zijn bevestigd terwijl hij wacht tot zijn moeder de telefoon opneemt en vraagt zich af hoe hij haar moet uitleggen dat hij in een aflevering van *Inspector Morse* terecht lijkt te zijn gekomen.

12.42 uur. De twee politiemensen die de taak hebben gekregen de ouders van Amanda Montgomery op de hoogte te stellen van haar vermoedelijke dood zitten in hun patrouillewagen een muntje op te gooien. Degene die gooit, haalt zijn hand van het vijftigpencestuk op de rug van zijn andere hand en doet even zijn ogen dicht voordat hij uitstapt en het pad op loopt tussen de twee gelijke vierkanten van de voortuin. Aan de rechterkant ligt een plastic driewielertje op zijn zijkant. Hij belt aan en ziet iemand naderen door het vervormende glas van de voordeur. De deur wordt opengedaan door een blonde vrouw van in de veertig met een stijlvol beige broekpak aan en een collier zoetwaterparels om. Er ligt een glimlach op haar gezicht, maar die verdwijnt als ze de twee politiemannen op haar stoep ziet staan.

'Mevrouw Julia Montgomery?' wordt haar gevraagd. 'Mogen we binnenkomen?'

14.33 uur. Olivia's verhoor is voorbij. Ze wil nu alleen nog maar Nick opzoeken om hem te vertellen dat ze wil dat hij hun ruzie vergeet, dat die helemaal niet belangrijk is. Ze moet weten of alles goed met hem is. Als ze Ariel Bridge oversteekt, hoort ze iemand huilen en ze kijkt naar de tuin waar zij en Nick elkaar voor het eerst gezoend hebben. Over het pad langs de rivier loopt Paula heen en weer. Haar zwarte haar hangt los en zit in de war. Ze zwaait met haar armen en gilt dat het nergens op slaat, dat het niet eerlijk is. Twee andere studenten proberen op haar in te praten en haar te kalmeren, maar zelfs van een afstand is te zien dat ze er niet in slagen. Olivia blijft even staan kijken en gaat dan terug naar de bar.

15.56 uur. Leo en Sinead lopen het poorthuis van Ariel uit en meteen schiet een groepje journalisten op hen toe.

'Kenden jullie het slachtoffer?' roept een van hen.

'Wat vinden jullie van de moord?' schreeuwt een andere.

Leo en Sinead lopen door.

17.10 uur. Rob McNorton drinkt thee uit zijn favoriete beker, die bruin is van de theïne omdat hij hem zelden afwast. De radio staat aan en elk halfuur is er een ander verslag over Amanda. Het wordt zo erg dat het muziekje dat voorafgaat aan het nieuws zijn handen doet beven. De volgende keer dat hij het hoort, zet hij zijn beker zo haastig neer dat de thee over de rand spat en draait hij de radio uit. Hij pakt zijn jas en gaat op weg naar de dichtstbijzijnde pub. Op weg naar de voordeur van het studentenhuis komt hij langs de kamer van een vriendin: haar deur staat open en in de kamer ziet hij een echtpaar van in de vijftig. De vrouw draagt pantoffels.

'Er is mij verteld dat ik pas weg mag als de politie zegt dat het goed is,' zegt zijn vriendin. Ze kijkt langs haar ouders naar hem en ze wisselen een begrijpende blik. Alle studenten van Ariel zitten in hetzelfde schuitje. 'Jongedame, je pakt nu meteen je spullen en je gaat met ons mee naar huis,' zegt haar vader.

Buiten het studentenhuis, op het parkeerterrein, gooit Godfreys nieuwe vriendin Eliza een koffer in de kofferbak van haar oude BMW, die ze parkeert bij het Gardener Hostel, ook al woont ze in Church Hostel.

'Ga je weg?' vraagt Rob, terwijl hij zijn jas dichtritst tegen de ijskoude wind.

'Nou en of. Er loopt een moordenaar rond die een voorkeur heeft voor leuke meisjes met lang blond haar. Zou jij blijven als je mij was?'

'Dat klinkt als een zin uit een slechte horrorfilm,' zegt Rob, en zijn lip krult.

'Precies. En ik ga niet wachten tot Leatherface of Freddy Krueger of zo'n engerd me te pakken krijgt!' Haar barbiehaar zwaait heen en weer als ze achter het stuur stapt en het parkeerterrein af rijdt, waarbij ze nog maar net een jongen op zijn fiets mist. De fietser en Rob rollen met hun ogen tegen elkaar en Rob zet koers naar de pub.

18.45 uur. Een politiewagen stopt voor Ariel en twee agenten leiden Nick door het hek. Als hij eenmaal veilig binnen is, wordt hij verder met rust gelaten. Een van de portiers geeft hem een klap op zijn rug en vraagt of alles goed met hem is. Nick lijkt hem niet te horen. Hij loopt langzaam en onzeker over het pad naar de deur van zijn trap. Er zijn een paar studenten aanwezig en ze zien hem langslopen, maar ze weten dat ze hem met rust moeten laten. Hij moet zich bijna aan de leuning de trap op trekken, zo slap voelt hij zich. De geur in de gang, die vroeger zo vertrouwd was, zal nu voor altijd geassocieerd blijven met de stank van bloed. Hij struikelt over de tapijttegels de hoek om naar zijn kamer en daar zit Olivia tegen zijn deur geleund. Ze staat op zodra ze hem ziet en hij laat zich in haar armen vallen.

Dokter Matthew Denison – een Matthew Denison die gretiger en minder cynisch was dan degene die Olivia een paar jaar later zou ontmoeten, hoewel die opmerking hem misschien zou verbazen – liep de kamer in en wuifde naar Weathers, die aan de andere kant stond te praten met een vrouw in een mooie grijze broek en een leren jasje. Weathers knikte naar hem, brak abrupt zijn gesprek af en kwam naar hem toe.

'Matt, fijn dat je gekomen bent. Heb je al gegeten?'

'Ik wilde op de snelweg even langs de Little Chef, maar die was gesloten wegens een verbouwing.'

'Laten we dan maar naar de kantine gaan.' Weathers liep zijn kantoor in om een dossier van zijn bureau te pakken en ging hem toen voor door de gang. Denison volgde. Hij maakte zich zorgen om de schijnbare ernst van de situatie. Ze waren al bijna twintig jaar bevriend, en als ze elkaar ontmoetten, waren ze over het algemeen minstens een uur bezig elkaar bij te praten. Het was vreemd voor Denison Weathers aan het werk te zien: ernstig en allesbehalve spraakzaam.

In de kantine was het tussen de lunch en de theepauze lekker rustig. Ze namen wat brood en koffie en gingen zo ver mogelijk bij de kantinedames vandaan zitten.

'Wat is er aan de hand?' vroeg Denison, die zijn bril oppoetste met zijn das. Weathers had hem alleen verteld dat hij aan een moordzaak werkte en dat hij wilde weten wat Denison ervan vond.

'Het gaat om een studente. Een meisje van Ariel College. Haar lichaam is vanmorgen gevonden door een personeelslid. Het is behoorlijk toegetakeld en de plaats delict is een nachtmerrie voor de technische recherche. Je weet hoe het gaat op een universiteit: het halve college is op een bepaald moment in de kamer van dat meisje geweest. Als ze is vermoord door een van de andere studenten, hebben we praktisch niets aan de sporen, omdat de moordenaar waarschijnlijk al eerder in die kamer geweest is en gewoon zal zeggen: "O, dus mijn vingerafdruk zit op het raam, en wat dan nog, ik heb een week geleden theegedronken in haar kamer."' Hij zweeg even om adem te halen en nam toen een grote hap brood en een slok koffie.

'Als ze tenminste is vermoord door iemand die ze kende,' zei hij iets zachter.

'Vermoed je iets anders?'

'Het is alleen dat... Nou, de plaats delict deed me denken aan een foto die ik een keer heb gezien. Het lijk van Mary Kelly.'

Denison zette zijn koffie neer. 'Jezus, zo erg?' Mary Kelly was het laatste en ergst verminkte slachtoffer van Jack the Ripper. 'Denk je dat het om een seriemoordenaar gaat?'

Weathers slikte een hap brood door en zijn adamsappel bewoog in zijn keel. 'Dat kan niet. Nog niet in ieder geval. We zouden het weten als zich nog meer van zulke gevallen hadden voorgedaan. Maar het zou de eerste kunnen zijn. Ik weet het niet, jij bent de deskundige. Daarom heb ik jou gebeld. Ik wil dat je de foto's van de plaats delict bekijkt en me zegt wat jij ervan denkt.'

Hij schoof het dossier naar Denison, die zijn bord met het half opgegeten brood opzijschoof.

Om een of andere reden verwachtte Denison dat de foto's in zwart-wit zouden zijn, misschien vanwege Weathers' verwijzing naar de foto van Mary Kelly uit 1888. Maar ze waren in kleur en hij zag het rood van het bloed, het geel van het blootliggende vet, de ivoorkleur van het bot.

Het lichaam van Amanda Montgomery lag uitgespreid op haar bed en de lakens eronder waren doorweekt van het bloed. Ze was naakt en haar verscheurde kleren lagen op een hoopje op de grond. Haar huid was doorboord door zo veel messteken dat ze eruitzag alsof ze was opgesloten in een ijzeren maagd. Langs haar armen, bovenbenen en kuiten liepen lange groeven. En het ergste was nog dat haar hoofd was afgehakt, zodat rond de nek flarden huid en vlees te zien waren.

'Heb je een sigaret voor me?' vroeg Denison. Zijn gezicht was grauw.

'Ga je overgeven?' wilde Weathers weten.

'Steve, geef me nou verdomme een sigaret.'

Weathers overhandigde hem een Marlboro en een aansteker. Denison deed het dichtstbijzijnde raam open, leunde naar buiten en inhaleerde beurtelings frisse, koude lucht en tabaksrook vol nicotine.

'In de kantine mag niet gerookt worden,' zei een van de kantine-dames, en ze krabde haar hoofd onder de hygiënische nylon muts. Denison deed alsof hij haar niet hoorde, dus wendde ze zich tot Weathers. 'Hij mag hier niet roken,' hield ze vol.

Weathers stond op en deed de foto's weer in het dossier. 'Kom op, Matt.' Hij legde een hand op Denisons schouder. 'We gaan een eindje lopen.'

Ze zeiden geen van beiden iets toen ze om het grote park tegenover het politiebureau liepen. Denison nam nog een sigaret van Weathers en daarna zei hij eindelijk: 'Dit staat vanavond in alle kranten, nietwaar?'

Weathers knikte. 'Met dikke koppen.'

'Een nachtmerrie voor jullie.'

'Dat denk ik wel. Vierhonderd potentiële verdachten. Van wie meer dan driekwart van plan was dit weekend terug te gaan naar huis. Dus alles wat je me kunt vertellen is nuttig.'

'Je weet dat ik niet veel ervaring heb met het opstellen van daderprofielen.' Denison voelde zich verplicht het te zeggen. 'Ik bedoel, ik werk nu drie jaar in Coldhill en ik heb een heleboel forensisch werk gedaan, maar je bent pas de derde die me vraagt te helpen met een *unsub*.'

'Een *unsub*?' herhaalde Weathers met een opgetrokken wenkbrauw.

'Sorry, dat is een afkorting voor een *unknown suspect* oftewel een onbekende verdachte. Het is een term van de FBI.' Denison zou waarschijnlijk gebloosd hebben als het bloed niet nog steeds uit zijn gezicht geweken was. 'Ik denk dat ik maar eens moet ophouden met het herlezen van *Silence of the Lambs*.'

Weathers glimlachte. 'Maak je geen zorgen, ik weet dat de FBI een voortrekkersrol heeft als het gaat om psychologische daderprofielen. Misschien hebben we over vijf jaar politiemensen die dat kunnen en hoeven we niet meer terug te vallen op intellectuelen zoals jij.'

Denison lachte kort door zijn neus. Toen ze weer bij het politiebureau waren, gaf Weathers hem het dossier.

'Bel me als je het helemaal hebt doorgenomen en laat me weten wat je denkt.' De twee mannen keken elkaar aan, hun adem wit in de decemberlucht.

'Succes, Steve,' zei Denison. Ze schudden elkaar de hand en Denison stapte in zijn auto en reed terug naar Londen. Het nieuws was al op de radio.

'Wat is het laatste wat je je herinnert van de avond van het kerstfeest?' vroeg Denison aan Olivia.

Ze was bijna in trance. 'Ik weet nog dat ik de zaal uit ging en naar de bar liep en dat ik daar een fles wijn heb gekocht. Ik denk dat ik toen naar buiten ben gegaan. Het volgende dat ik me herinner, is dat ik wakker werd in mijn kamer en dat mijn buurvrouw Sinead op de deur stond te bonken.'

Denison keek naar zijn aantekeningen en fronste. 'Heb je de wijn gekocht voor- of nadat je Nick en Paula Abercrombie zag?'

Olivia fronste ook en dacht erover na. 'Ik weet niet waar u het over hebt. Ik herinner me niet dat ik Nick en Paula heb gezien. Wat waren ze aan het doen?'

'Ze waren gewoon aan het praten. Maar Nick zei dat je heel boos was en wegliep. Hij zei dat je een halve fles wijn in je hand had.'

'Daar weet ik niets van. Ik moet wel heel erg dronken zijn geweest. Zei hij nog of hij achter me aan was gegaan?'

Denison duwde zijn bril naar boven. 'Dat heeft hij geprobeerd. Je dreigde hem een klap te verkopen met de fles.'

Olivia lachte in weerwil van zichzelf. 'U maakt een grapje. Dat is helemaal niets voor mij.'

'Het is wat Nick vertelde. In ieder geval liep je naar Church Hostel toen hij je voor het laatst zag. Maar niemand heeft je ook echt het studentenhuis in zien gaan.'

Ze haalde haar schouders op. 'Iedereen was op het feest. Ik zal wel de eerste zijn geweest die terugkwam.'

'Om halfelf 's avonds?'

Ze haalde nogmaals haar schouders op. 'Misschien waren er

wel mensen in het studentenhuis, maar die zullen wel in hun kamer hebben gezeten. Ik herinner me niet dat ik iemand heb gezien, maar ik herinner me ook niet hoe ik weer in mijn kamer terecht ben gekomen.'

Hij probeerde het nog een keer. 'Weet je nog waarom je van de binnenplaats naar de gang ging waar je Nick zag?'

Ze schudde haar hoofd. 'Ik zei toch dat ik me niet eens kan herinneren dat ik Nick gezien heb.'

'Goed dan. Dus de volgende morgen maakte Sinead je wakker?'

'Ja. Ze stond op mijn deur te bonken en riep mijn naam. Ik had nogal een kater en om eerlijk te zijn heb ik me alleen uit bed weten te slepen omdat ik haar stil moest krijgen. Ik kon niet meer tegen dat gebons.'

'En wat zei ze toen je haar binnenliet?'

'Ze wilde weten of alles goed met me was. Haar ogen waren rood en ik vroeg wat er aan de hand was. Ze vertelde dat iedereen zei dat er iets met Amanda was gebeurd.'

'Zei ze ook wat?'

'Dat wist niemand op dat moment nog. Alles wat we wisten, was dat er een heleboel politie rondliep en dat niemand Amanda had gezien. Later in de bar, waar iedereen bij elkaar was gekomen en die 's middags ook niet dichtging, zoals anders, zei iemand eindelijk wat we allemaal dachten – dat ze dood was. En iemand anders, Danny geloof ik, begon over hartaanvallen en epilepsie. Maar Leo vroeg waarom de helft van het politiekorps van Cambridge uit zou rukken voor een natuurlijke dood. "Het moet een overdosis drugs zijn, en in dat geval is dit nog steeds overdreven, of anders, je weet wel, verdachte omstandigheden." Niemand zei haar naam. We hadden het allemaal over "haar" en "zij".

Sommige mensen probeerden de agenten over te halen ons te vertellen wat er gebeurd was, maar ze wilden niets zeggen. Later verscheen die rechercheur met professor Whitley, het hoofd van Ariel, en vertelden ze eindelijk dat er een medestudent dood was. Ze lazen een lijst namen voor van mensen met wie ze wilden praten en zeiden dat de rest terug moest gaan naar hun kamers. Niemand mocht Cambridge verlaten zonder toestemming.

We begrepen niet waarom ze ons uit elkaar wilden halen. Maar ik denk dat de politie iedereen altijd apart wil verhoren, voordat ze de kans krijgen hun verhaal te bespreken met andere getuigen. En wij stonden maar te praten over de avond daarvoor en te roddelen over wat er gebeurd kon zijn. We hoorden dingen van elkaar.'

'Stond jouw naam op de lijst?' vroeg Denison.

Olivia knikte. 'Ja. Die van mij en die van Rob en Sinead. Iedereen die de avond tevoren bij haar aan tafel had gezeten. Ze waren al aan het praten met Nick, Paula en Godfrey. En met haar buurman aan de linkerkant, Victor Kesselich, die een beetje een eenling is. We kenden hem niet echt, dus werd hij in de ogen van de groep meteen de voornaamste verdachte.'

'Wie denk jij dat Amanda vermoord heeft?' Hij keek haar scherp aan.

'Ik denk dat ik eerst aannam dat het iemand van het college was, waarschijnlijk iemand die we kenden. Maar toen ik hoorde wat er met haar gebeurd was, wist ik zeker dat niemand die ik kende zoiets zou kunnen doen, zo kwaadaardig zou kunnen zijn. Toen dacht ik dat het een vreemde geweest moest zijn, een of andere psychopaat die zich toegang had verschaft tot het college.'

'Wie heeft jou verhoord?'

'Een vrouw. Ik weet haar naam niet meer. Ze was blond.'

'Weet je nog wat ze je allemaal gevraagd heeft?'

'Ja. Ze wilde weten waar Nick en ik de avond voor het feest ruzie over hadden gehad. Een van de oudere studenten op Ariel had ons gehoord en had er duidelijk iets over gezegd tegen de politie. Ik denk dat hij ons Amanda's naam had horen noemen.'

'Heb je haar de waarheid verteld?'

'Ja.'

'Vond je dat niet vervelend?'

'Ja, maar ik wist dat ze Nick hetzelfde zouden vragen, dus het had geen zin er moeilijk over te doen. Hij zou niet tegen hen liegen.'

'Wat vroegen ze nog meer?'

'Of ze vijanden had, iemand die ze van streek had gemaakt of zo.'

'Heb je verteld over de spanning die je had opgemerkt tussen Amanda en Rob?'

Olivia keek schuldbewust. 'Ja. Ik heb me daar heel schuldig over gevoeld, vooral omdat hij er later zo veel problemen mee heeft gekregen. Maar ik kon me nog net voorstellen dat Rob driftig was geworden en had uitgehaald. Ik wist toen nog niet hoe erg ze was toegetakeld en ik was niet van plan hem te dekken als hij iemand had vermoord.'

Denison werd overvallen door een vreemd gevoel van dissociatie. Wetend wat hij wist over Olivia, over de reden waarom ze tegenover hem zat, leek dit gesprek wel heel bizar. Wist ze helemaal niet meer hoe ze hier was gekomen?

Olivia richtte haar goudkleurige ogen op hem. Ze hield haar hoofd een beetje schuin. Het was bijna alsof ze hem onderzoekend opnam. 'Er is iets wat u me niet vertelt,' zei ze.

Hij kreeg weer dat gevoel, het prikken van adrenaline. 'Eigenlijk dacht ik precies hetzelfde over jou.'

Ze keek bang. Bang en een beetje verbijsterd. 'Ik weet niet wat u wilt dat ik u vertel.' Hij merkte dat ze op een gegeven moment haar schoenen moest hebben uitgetrokken; ze trok haar kousenvoeten op de stoel en sloeg haar armen om haar knieën. Een paar lokken haar die waren losgeraakt uit haar paardenstaart vielen voor haar gezicht. Ze begon op haar duimnagel te bijten.

Hij keek haar verontrust aan toen de zoemer op zijn bureau ging. Hij pakte zijn telefoon op.

'Dokter Denison, u bent al bijna twintig minuten te laat,' zei zijn assistente.

Hij draaide zich met zijn rug naar Olivia toe en zei zachtjes: 'Janey, dit is belangrijk. Je kunt me niet zomaar onderbreken...'

'U hebt over twee minuten een vergadering met het bestuur,' merkte Janey ijzig op.

Hij zuchtte. 'Oké, bedankt.'

Toen hij zich weer omdraaide naar Olivia, zag hij tot zijn verbazing dat ze rechtop op de stoel zat, met haar schoenen aan haar voeten en haar haar netjes in de paardenstaart.

'Dat is het teken dat ik weg moet, neem ik aan,' zei ze vriendelijk, en ze liet zich naar de deur brengen, waar de ziekenbroeder stond te wachten om haar weer naar haar kamer te escorteren.

Aan de ene kant van de telefoonlijn zat Matthew Denison aan zijn bureau in de psychiatrische afdeling van Coldhill met vier bladzijden aantekeningen voor zich. Aan de andere kant zat inspecteur Stephen Weathers in de flat van zijn vriendin zijn meeneemmaaltijd koud te laten worden terwijl hij met Denison praatte.

'Oké,' zei Denison, die zijn aantekeningen bekeek om te bepalen waar hij moest beginnen. 'Ik denk dat je binnen het college naar de moordenaar moet zoeken. Het gaat hier niet om een man die haar die dag gezien heeft en besloot in te breken en het risico te nemen door de andere studenten te worden herkend als een buitenstaander. Deze moord was heel riskant, zelfs voor een student die een goede reden had om zich in die gang te bevinden. Ik zie gewoon niet voor me hoe een vreemde het gedaan kan hebben.

Is de moordenaar daarheen gegaan om haar te vermoorden of had hij iets minder ergs in gedachten? Ik zou zeggen om haar te vermoorden. Ik denk dat hij het mes zelf heeft meegebracht. Hij heeft allereerst haar keel doorgesneden, zodat ze heel snel moet zijn gestorven. Ik weet niet goed of het zijn bedoeling was dat ze zo snel dood zou gaan. Het is mogelijk dat het noodzakelijk was als je nagaat hoe gemakkelijk Amanda's buren het hadden kunnen horen als ze gegild had, en dat hij haar liever in leven had gelaten om haar te martelen als hij de mogelijkheid had gehad. Aan de andere kant lijkt het erop dat de verminking zijn voornaamste doel was, gezien de uitgebreide schaal daarvan. Als hij zijn zinnen echt gezet heeft op snijden, ontleden en kapotmaken, is het logisch dat hij het slachtoffer zo snel mogelijk doodt om dat doel sneller te bereiken zonder het slachtoffer voortdurend stil te hoeven houden.

Ik betwijfel of je sporen van verkrachting zult vinden. Het is waarschijnlijker dat hij in zijn ondergoed geëjaculeerd heeft terwijl hij haar in stukken sneed dan dat hij seksueel verkeer heeft gehad met het lichaam. Hij moet onder het bloed hebben gezeten. Hij zal zich gewassen hebben in haar badkamer.'

'De technische recherche controleert de badkamer, inclusief de afvoeren,' zei Weathers.

'Mooi. Goed, dus de moordenaar is iemand die Amanda elke dag ziet en die een obsessie voor haar heeft. Je zoekt iemand die haar kende, maar die niet intiem met haar was en ook geen goede vriend was. Het is mogelijk dat het geen student is. Gezien de ingewikkeldheid van de moord kan het zelfs heel goed een ouder iemand zijn. Dit is iets waar de moordenaar heel lang over gefantaseerd heeft. Het kan jaren duren om een dergelijk extreme fantasie te ontwikkelen.

Steve, die vent haatte haar echt. En hij kende haar niet eens goed. Hij projecteerde iets op haar, en ik denk dat het niet lang zal duren voor hij weer een meisje tegenkomt dat hem het gevoel geeft dat hij haar moet straffen. De meisjes op dit college moeten heel erg voorzichtig zijn.'

'Wat is onze verdachte voor iemand? Waar kan ik hem aan herkennen?'

'Ik kan geen beschrijving geven van zijn uiterlijk. Dit is giswerk, maar ik zou zeggen dat hij intelligent is...'

'In tegenstelling tot de andere driehonderdnegenennegentig studenten van dit college binnen de beste universiteit van het land,' zei Weathers.

'Hij is intelligent, maar niet volhardend. Hij raakt snel verveeld. Hij zal oppervlakkige vrienden hebben, maar nooit zijn hele persoonlijkheid aan zijn vrienden laten zien. Hij kropt zijn woede en frustratie op en gaat dan plotseling door het lint. Je zou de studenten kunnen vragen of ze iemand boos hebben zien worden terwijl dat totaal

niet bij zijn karakter past. Tussen zijn bezittingen zul je waarschijnlijk boeken over waar gebeurde misdaden tegenkomen en misschien
ook medische leerboeken. Van die boeken met een heleboel akelige
foto's, die zijn afwijkende en verwrongen seksualiteit aanspreken.
Misschien staan er ook zulke dingen op zijn computer.

Hij is ongetwijfeld ergens vroeg in zijn seksuele geschiedenis vernederd door een meisje. Misschien had hij erectieproblemen of kwam
hij te vroeg klaar. Het meisje met wie hij was kan hem hebben uit-
gelachen of erover hebben geroddeld, maar het kan ook zijn dat hij
zich alleen vernederd voelde. In ieder geval heeft het geleid tot een
grote haat jegens vrouwen en de behoefte hen te domineren. Als hij
een vriendin heeft, wat ik zeer onwaarschijnlijk acht, zal het een heel
onderdanig en passief meisje zijn. Niet iemand die zijn ego of zijn intelligentie uitdaagt.'

'Ik verhoor zo'n beetje iedereen die Amanda kende. Kun je me een
verhoormethode aanbevelen die deze vent aan het praten zal krijgen?' vroeg Weathers.

'Hij praat niet. Niet als je hem gewoon laat komen voor een rou-
tinegesprek. Hij praat alleen tegen je als hij denkt dat je hem te pakken hebt, of hij nu bekent of niet. En misschien zelfs dan niet.'

'Fijn.'

'O, en nog iets. Hij zal het hoofd hebben bewaard. Het is een tro-
fee voor hem. Ik zal niet ingaan op de walgelijke dingen die zulke
mensen in andere gevallen met afgehakte hoofden hebben uitgehaald, maar je kunt van mij aannemen dat haar hoofd of haar schedel in zijn bezit zal zijn als je hem vindt.'

'Iets om naar uit te kijken,' zei Weathers grimmig. 'Hoor eens, Matt,
ik stel het zeer op prijs. Als we een goede verdachte hebben, wil je
dan hierheen komen en ons advies geven bij het verhoor?'

'Natuurlijk. Ik zal helpen waar ik kan.'

Ze hingen allebei op. Ames wachtte tot hij terugkwam naar de tafel om de curry op te eten, en toen hij dat niet deed, ging ze naast
hem op de bank zitten om zijn rug te masseren en de zijkant van zijn
gezicht te strelen. Hij pakte haar hand en drukte er met afwezige blik
een kus op.

'Je moet eten,' zei ze tegen hem. 'Je moet op krachten blijven. Je wilt toch niet dat ik je de volgende keer dat we gaan squashen weer inmaak?'

Nick had ermee ingestemd weer met Denison te praten. 'Als ik Olivia ermee kan helpen.' Het was de derde keer dat Denison hem sprak en hij vond dat Nick er iedere keer slechter uitzag. Nicks licht krullende bos haar was nu heel kort geknipt. Er zaten donkere kringen onder zijn ogen en zijn huid had geen enkele kleur meer.

'Hoe is het met je, Nick?' vroeg Denison, en hij probeerde een warme glimlach.

Nicks dode ogen keken hem zonder enige uitdrukking aan.

'Nick, ik heb gisteren weer met Olivia gepraat. Ze heeft me verteld dat ze niet meer weet dat ze jou en Paula Abercrombie bij het kerstfeest heeft gezien en ook niet dat ze je bedreigd heeft met een wijnfles.'

De jongeman schudde zijn hoofd. 'Dat is nou typisch Olivia. Ze zou haar hoofd nog vergeten als het niet vastzat.'

'Is ze vergeetachtig?' vroeg Denison, die dacht aan de verschillen tussen Nicks verhaal en dat van Olivia over de eerste keer dat ze elkaar ontmoet hadden.

Nick wreef in zijn ogen. 'Zo zou je het kunnen zeggen. Het is zo vaak gebeurd dat ik haar iets had verteld en dat ze het de volgende dag was vergeten. Of ik verwees naar een gesprek dat we hadden gehad of naar een avondje uit en dan keek ze me aan alsof ze niet wist waar ik het over had. God mag weten hoe ze erin geslaagd is haar examens te halen, ze heeft een geheugen als een zeef.'

'Wat voor cijfer kreeg ze?'

'Helemaal niet zo slecht. Zoals ik al zei, is ze best slim, maar ze was heel slecht in mondelingen.'

'Ze klinkt... nou, grillig.'

Dat viel bij Nick niet in goede aarde. Hij sloeg zijn armen over elkaar. 'Alleen een beetje vreemd af en toe, meer niet. Maar ik hield van haar. Ik hou van haar.'

'Heb je wel eens het gevoel gehad dat je niet goed wist wat je aan haar had?'

'Dat is wel zo, geloof ik.' Nick ging met zijn vingers door zijn korte haar. 'De ene dag was ze heel aanhankelijk en op andere dagen mocht ik haar niet aanraken. Soms was ze heel lief en soms wist ze precies wat ze moest zeggen om me op de kast te krijgen.'

'Nick, ik weet dat we het hier al honderd keer over gehad hebben, maar ik wil graag dat je nog eens vertelt wat er gebeurd is nadat Olivia die avond was weggelopen.'

Nick zuchtte, maar herhaalde met vlakke stem hoe het was gegaan. 'Ik ging terug naar de bar en nam nog iets te drinken. Paula had haar hand op mijn been gelegd. Amanda zag het en knipoogde tegen me. Ik haalde Paula's hand weg en ging plassen. Toen ik weer terugkwam, hadden Rob en Amanda zo'n gefluisterde ruzie, die je ziet maar niet hoort. Hij hield haar vast bij haar bovenarm. Zij trok zich los en holde naar boven. Rob ging niet achter haar aan. Hij schopte tegen de flipperkast en ging weg door de andere deur. Ik dronk mijn glas leeg en ging naar mijn kamer. Tien minuten later klopte Paula bij me aan. Ze droeg een badjas en daaronder alleen ondergoed. Ze was behoorlijk dronken en probeerde me te zoenen. Ik kreeg haar niet meer weg. Ze ging op mijn bed liggen en viel uiteindelijk in slaap. Ik sliep op de vloer met mijn kleren aan. De volgende morgen werd ik wakker van stemmen in Amanda's kamer en van iemand die overgaf in de gang. De portiers waren daar. Ik duwde ze opzij en zag haar lichaam. Mijn benen wilden me niet meer dragen en ik kwam op mijn gat op de vloer terecht, en zo schoof ik de gang weer in. De portiers hadden Paula tegengehouden, maar ze zag aan mijn gezicht dat het heel erg was. Ik weet nog dat de politie kwam, maar ik weet niet hoe lang dat duurde.'

Denison had de opnamen gehoord van Nicks verhoor, nog geen uur nadat het lichaam was ontdekt. De jongen had geen zinnig woord kunnen uitbrengen. Paula was niets waard gebleken als alibi; ze kon zich niet herinneren hoe laat ze in Nicks kamer was gearriveerd en ook niet wanneer ze in slaap was gevallen. Dus was Nick die eerste paar dagen een van de belangrijkste verdachten geweest.

'Had je nog ideeën over wie Amanda vermoord zou kunnen hebben?'

Nick schudde zijn hoofd. 'Ik dacht eigenlijk helemaal niets.'

'Je dacht niet dat het Rob geweest zou kunnen zijn?'

'Nee. Hij zou dat niet kunnen. Niemand die ik ken zou zoiets kunnen doen.'

hoofdstuk **ZEVEN**

Denison zat alleen in zijn kantoor. Buiten lieten de magnolia's hun bloemen vallen, zodat het gras bedekt werd met een dik wit tapijt. Op het bureau voor hem lagen foto's van Amanda Montgomery. Niet de foto's van de plaats delict of van de sectie, maar foto's van toen ze nog leefde. Hier was ze als kind, in cowboykleren en arm in arm met haar oudere broer. Op een andere foto droeg ze een bruidsmeisjesjurk, maar leek ze het maar niets te vinden om te moeten poseren. Er was een knipsel bij uit de plaatselijke krant – MEISJE WILLIAMSDEN NAAR CAMBRIDGE – waarop Amanda voor de schoolpoort stond met een vakkundige glimlach op haar gezicht. Denisons favoriete foto was er een die was gemaakt in de zomer voordat ze naar Ariel vertrok. Amanda droeg een wit vest en een wijde broek vol verfspatten. Er zat zelfs een veeg blauwe verf in haar haar. Ze had haar ouders geholpen de kamer van haar babybroertje te schilderen. Het broertje, Tommy, lag kraaiend in haar armen.

Dan was er nog de foto met nieuwe studenten van het college. Amanda stond bijna recht in het midden. Haar gezicht was koel en bijna hooghartig. Toen hij van deze foto naar zijn favoriete foto keek, vroeg Denison zich af of Olivia misschien gelijk had gehad toen ze zei dat de Amanda die op Ariel zat niet meer was geweest dan een personage. Hij kon zich niet aan de gedachte onttrekken dat de echte Amanda het meisje was dat lachte naar de camera terwijl haar broertje vrolijk in haar armen kronkelde.

De taxichauffeur die Nick en Olivia oppikte bij het treinstation van Oxford probeerde een praatje te maken toen hij hen naar het huis van Nicks ouders reed.

'Dus jullie zijn studenten? Aan welke universiteit?' vroeg hij.

Er viel een korte stilte voor Nick antwoordde: 'Cambridge.'

'Verdomd, echt waar? Dan zijn jullie zeker wel blij om daar weg te zijn. Ik had op de eerste trein naar huis gezeten. Kenden jullie dat meisje?'

Nick en Olivia schudden eenparig hun hoofd.

'Heeft de politie enig aanknopingspunt, denken jullie? Als ik het goed gelezen heb, doen ze niet veel meer dan uit hun neus vreten.' Nick keek naar het portier naast de chauffeur, waar een exemplaar van de *Mirror* trots uit het vak stak. In de drie dagen na de moord op Amanda hadden de sensatiekranten zich voor altijd de haat van alle studenten van Ariel op de hals gehaald, eerst door foto's van Amanda in bikini te publiceren – blijkbaar was je zelfs als je vermoord was niet verschoond van de obsessie van de sensatiepers met halfnaakte vrouwen – en daarna door een ex-vriendje van haar middelbare school te betalen voor zijn 'ik was Amanda's eerste liefde'-verhaal.

'We hebben het niet zo goed gevolgd,' loog Nick, en hij pakte Olivia's hand en kneep erin. De rest van de rit zwegen ze, tot ze bij het huis van de Hardcastles waren.

Olivia bleef op de achtergrond toen Nicks ouders zich haar hen toe haastten.

'O, Nicky, we zijn zo blij dat je thuis bent,' zei zijn moeder, die hem een stevige omhelzing gaf.

'Je had even moeten bellen vanaf het station, sufferd, dan hadden we jullie opgehaald,' zei zijn vader, die Nicks hoofd vastpakte en een norse zoen op de kruin plantte.

'Ma, pa,' zei Nick. Hij draaide zich met glanzende ogen om naar Olivia. 'Dit is Olivia.'

Hij werd overspoeld door de gloed van de lamp boven de voordeur, een lange gestalte in zijn zwarte overjas. Olivia keek naar hem, snoof de geur van de winterse sparren op en glimlachte.

Nicks moeder draaide zich naar haar om en liep knarsend over het grind.

'Hallo, Olivia. Ik ben Valerie.' Ze kuste Olivia op beide wangen en haar poederige parfum drong door in Olivia's neusgaten. Ze greep Olivia bij de armen terwijl ze haar zoende en Olivia reageerde automatisch door haar hand op Valeries arm te leggen. Ze voelde door de zijdeachtige stof van Valeries beige blouse hoe broos die was.

'Jullie zullen wel honger hebben,' zei Valerie. 'Kom binnen. Dit is Geoff, trouwens, Nicks vader.'

Geoff en Olivia keken naar elkaar en wisten allebei niet goed of ze Valeries overenthousiaste begroeting moesten herhalen. Olivia deed een stap naar voren en stak haar hand uit, en toen boog ze zich naar hem toe voor een van die zoenen waarbij de lippen net geen contact maken met wangen, maar het geluid de ontvanger doet vermoeden dat het wel zo is. Olivia hield er niet van mannen te zoenen wier baard ze tegen haar mond kon voelen prikken.

Geoff greep manhaftig Olivia's koffers en sjouwde ze naar binnen. Valerie en Olivia liepen achter hem en Nick aan het huis in.

Het was warm binnen; in de open haard brandde een houtvuur. Er stonden twee grote banken en twee leunstoelen in de ruime zitkamer. De tv stond in de hoek, alsof hij bijzaak was. Erbovenop lag een aantal oude exemplaren van *The Times* en *The Guardian*, allemaal open op de puzzelpagina.

Valerie bekeek haar terwijl zij haar omgeving in zich opnam. 'Kan ik iets te drinken voor je halen, Olivia? We hebben thee en koffie, maar ik kan ook wat chocolademelk maken als je dat liever hebt.'

'Een kop koffie zou heerlijk zijn, dank u,' zei Olivia, en ze volgde Valerie naar de keuken.

Valerie vulde de ketel uit haar Brita-waterfilter en schepte gemalen koffie in een grote cafetière. Terwijl ze wachtten tot het water kookte, leunde Valerie tegen het aanrecht en tikte met haar zalmroze nagels op het werkblad.

'Hoe was de reis?' vroeg ze.

Olivia wilde dat ze iets anders had aangetrokken dan haar spijkerbroek. Ze voelde zich heel sjofel naast mevrouw Hardcastle.

'De trein was ontzettend vol,' zei ze. 'We hadden geluk dat we een zitplaats konden vinden.'

'Jullie hadden eerder moeten komen,' zei Valerie. 'Het is altijd vreselijk als je te lang wacht en te kort voor Kerstmis gaat reizen.'

Olivia haalde haar schouders op. 'We zijn vertrokken zodra de politie zei dat we konden gaan.'

Valerie kneep haar lippen op elkaar. 'Ik zal nooit begrijpen waarom ze jullie in godsnaam daar hebben gehouden. Om jullie zo'n risico te laten lopen! Alsof een van jullie dat arme meisje vermoord had kunnen hebben.'

'We vonden het niet erg,' zei Olivia rustig. 'We wilden helpen, als we konden.'

Geoff stak zijn hoofd om de deur.

'Waar zal ik Olivia's koffers neerzetten, schat?' vroeg hij.

'Ik heb de logeerkamer in orde gemaakt,' zei Valerie.

Daarop verscheen Nick. 'Mam, we slapen liever in mijn kamer.'

'Nicholas, je hebt maar een eenpersoonsbed. Dat is toch veel te klein. Ik weet zeker dat Olivia liever een bed voor zich alleen heeft.'

Nick rolde met zijn ogen. 'Waar denken jullie dat we de laatste maand geslapen hebben, in een hemelbed of zo?'

Valerie keek hem waarschuwend aan.

'Nou, we zijn volwassen, hoor. Het is niet zoals vroeger, toen de portiers patrouilleerden in het college in de hoop je op heterdaad te betrappen met een meisje en je naar huis te sturen.'

'Niet zo brutaal,' zei Geoff. 'Jullie vermaken je maar in het geheim, achter de rug van je ouders om, net zoals je moeder en ik moesten toen wij jong waren.'

Nick en Olivia brachten de volgende paar dagen door in het huis van de Hardcastles. Ze probeerden zich te ontspannen door geen kranten te lezen en niet naar het nieuws te kijken en belden veel met andere studenten van Ariel. Op een avond doften Valerie en Geoff zich op om naar een kerstfeest op Geoffs werk te gaan en Geoff vroeg Nick hen erheen te rijden, zodat hij iets kon drinken. Nick en Olivia stopten op de terugweg bij een pub om een paar colaatjes te drinken tot ze er plotseling aan dachten dat er niemand thuis was, iets harder dan de toegestane snelheid naar huis reden en energieke seks hadden.

Toen ze daarna samen onder het dekbed lagen, keek Olivia zijn kamer rond en zag ze de medailles aan een haak op zijn klerenkast en de twee zilveren bekers op de plank boven zijn bureau.

'Hockey en veldlopen,' legde hij uit. Olivia knikte en bedacht dat een veldloop op haar school door achterstandswijken en het plantsoentje zou zijn gegaan, waar de plaatselijke drankorgels zich graag ophielden met hun kratten Superbrew. Ze begon zich aan te kleden en Nick zoende haar arm toen ze haar beha dichtdeed.

Aan de muur hing een poster van Oxford United. 'Waarom ben je niet naar Oxford gegaan in plaats van Cambridge?' vroeg ze.

'Waarom heb jij geen universiteit in Londen genomen?' gaf hij terug.

'Hoe weet je dat ik dat niet geprobeerd heb?'

'Dat heb je me een keer verteld. Behalve Cambridge heb je je ingeschreven in York, Edinburgh, Manchester en Cardiff. Geen van alle echt dicht bij Londen.'

'Ik denk dat ik het huis uit wilde,' zei ze. 'Onafhankelijk zijn. Weg van mijn ouders.'

'Ik idem dito,' zei hij.

'Wat is er mis met jouw ouders?' vroeg ze.

'Moet je dat nog vragen?' Hij trok zijn wenkbrauwen op. Ze fronste en hij trok het dekbed hoger, als een schild. 'Hoor eens, ma is een beetje neurotisch en pa is een beetje saai, maar daar gaat het eigenlijk niet om. Er zijn niet veel mensen van onze leeftijd die graag dicht bij hun ouders willen blijven. Je hebt die van jou niet één keer gebeld sinds we hier zijn.'

Olivia draaide hem haar rug toe en knoopte haar blouse dicht. 'Ze komen er wel overheen,' zei ze en toen liep ze de kamer uit.

Toen Olivia op eerste kerstdag opstond, fladderde Valerie al als een krankzinnige mot in de keuken rond.

'Kan ik ergens mee helpen?' vroeg Olivia, die nog in haar pyjama liep.

Valerie keurde haar amper een blik waardig. 'Nu niet, liefje, maar misschien over een paar minuten. Nicks ooms en tantes komen zo, dus je zult je eerst wel willen aankleden.'

Toen de familie arriveerde, bekeek Nicks vrijgezelle oom Olivia van top tot teen en daarna gaf hij Nick een klap op zijn rug. De getrouwde oom met de jonge kinderen had ook hun golden retriever meegenomen, die blaffend door de kamer rende, zodat Valerie zich op haar post bij de oven nog een glas wijn inschonk.

Olivia zag hoe Nicks tante een tragisch gezicht trok en wachtte op de onvermijdelijke vraag. 'En, Olivia,' zei de vrouw, 'kende jij dat meisje dat is vermoord?'

'Nicholas, wil je alsjeblieft de tafel dekken! Waarom moet ik dat drie keer vragen?' riep Valerie vanuit de keuken. Haar stem werd steeds schriller. Nick rolde met zijn ogen, duwde zich van de bank en ging het bestek en het serviesgoed uit de keuken halen. Olivia ging hem helpen, meer om te vermijden dat ze alleen bleef met de familieleden dan om menslievende redenen, en ze zag dat Geoff stiekem Valeries wijnglas meenam naar de eetkamer.

Het eten was heerlijk en naderhand zaten ze met hun buik vol kalkoen, aardappelen en kerstpudding met custard onderuitgezakt op de verschillende stoelen en banken. Zelfs de hond had zich tevreden voor het vuur uitgestrekt.

Toen de ooms, tantes, peuters en de hond die avond waren vertrokken en Nick en Olivia nog even tv-keken, hoorden ze het luide gesnurk uit de ouderslaapkamer en wisten ze dat de kust veilig was. Ze vreeën op de bank, lieten zich voor het vuur op de vloer rollen en probeerden stil te zijn. Olivia moest lachen toen ze naderhand een lange haar van de golden retriever op Nicks linkerbil zag zitten.

Op de achtentwintigste werden ze gebeld door Rob. 'Kan ik naar jullie toe komen?' vroeg hij. Ze spraken af in de plaatselijke pub. Olivia herkende hem amper; hij was bleek en ongeschoren en hij verborg zijn ogen onder de rand van een honkbalpetje. Nick moest haar de juiste richting uit duwen.

Hij keek naar hen vanuit de schaduw van zijn pet, zonder te lachen. Zijn bruine ogen waren dof en zijn blik was afwezig, alsof hij er niet helemaal bij was.

'Hoe is het met je?' vroeg Olivia bezorgd.

Rob trok zijn bier naar zich toe. 'Niet zo goed. En jullie?'

Nick en Olivia keken elkaar aan. 'We slaan ons er zo'n beetje doorheen,' zei Nick. 'Het is vreemd om thuis te zijn.'

Rob knikte. 'Ik weet wat je bedoelt. Je wilt niet terug naar Ariel, maar je wilt ook weer bij alle anderen zijn.'

Olivia nam een grote slok uit haar glas wijn. 'Iedereen hier wil weten wat er gebeurd is, maar je wilt alleen praten met vrienden, met mensen die erbij waren,' zei ze, met haar blik op de bekraste houten tafel gericht. 'Je hebt het gevoel dat niemand anders het recht heeft erover te praten.'

'Vervloekte aasgieren,' zei Rob. 'Zijn jullie al gebeld door de sensatiepers?'

Olivia schudde haar hoofd, maar tot haar verbazing antwoordde Nick bevestigend. 'Ik heb het Olivia niet verteld,' zei hij. 'Maar ik ben inderdaad een paar keer gebeld. Er was een kerel bij die twee keer heeft teruggebeld. De eerste twee keer zei mijn moeder dat ik geen belangstelling had. Toen hij nog eens belde, heb ik gezegd dat hij in de stront kon zakken.'

'Ze bellen voortdurend,' zei Rob. 'Ik denk dat een of andere klootzak op Ariel ze heeft verteld met wie Amanda veel omging. Ze kunnen niet iedereen in ons jaar zo vaak bellen als ze mij hebben gebeld.' Hij zat over zijn glas gebogen. 'Ik heb er genoeg van. Ik wil terug naar Ariel, weg van de telefoon.'

'Ze wachten ons daar op,' zei Olivia. 'Nu we allemaal weg zijn, zitten we in ieder geval te ver van elkaar om ons persoonlijk lastig te vallen.'

Rob haalde zijn schouders op, zonder haar aan te kijken. 'Het college zorgt er wel voor dat de journalisten niet binnenkomen. Ze moeten de beveiliging duizend keer zo streng maken als ze willen dat er ook maar iemand van ons blijft.'

'Denk je dat er mensen weg zullen gaan?' vroeg Nick.

Rob knikte. 'Suzy Marchmont is al weg. Jenny McEvoy praat over een onderbreking. Godfrey zegt dat Eliza erover denkt naar Australië te emigreren om maar weg te zijn.'

Daar moest Olivia toch om lachen. 'Een beetje drastisch.'

'Eliza denkt blijkbaar dat ze meer gevaar loopt dan alle anderen omdat zij en Amanda twee handen op één buik waren. Stomme trut. Het is alsof je goud met koper vergelijkt.'

'Ik hoop dat je dat niet tegen Godfrey gezegd hebt,' zei Nick.

Rob nam een slok bier en gaf geen antwoord. 'Hebben jullie erover nagedacht wie het gedaan kan hebben?' vroeg hij uiteindelijk.

Nick en Olivia keken elkaar nog eens aan. 'We konden niemand bedenken die hiertoe in staat zou zijn,' zei Nick.

'O, nee? Hebben jullie Victor Kesselich ooit ontmoet?'

Nick zette zijn glas neer. 'Je denkt toch niet dat Victor het heeft gedaan?'

'Waarom niet? Hij is er gek genoeg voor. En hij voelde iets voor Amanda.'

'Rob, het halve college voelde iets voor Amanda.'

'De politie heeft hem die ochtend uren ondervraagd.'

'De politie heeft mij ook uren ondervraagd. Denk je soms ook dat ik het gedaan kan hebben? Jezus, ze hebben iedereen op haar verdieping ondervraagd. Victor is een beetje een eenling en hij is nogal op zichzelf, maar dat betekent nog niet dat hij een psychopaat is.'

'Nick, het is een engerd. Ben je ooit in zijn kamer geweest? Er staan zwarte kaarsen en hij heeft een cactus in zo'n stomme plantenpot in de vorm van een schedel. Hij verft zijn haar zwart. Hij houdt van die enge metalbands die schreeuwen dat ze mensen de kop zullen afrukken. Leo zegt dat hij hem een keer de toekomst heeft voorspeld met een pak tarotkaarten.'

Nick haalde snel adem, alsof hij op het punt stond Rob eens goed de waarheid te vertellen. Maar hij leek zich te bedenken. Olivia zag dat de spieren van zijn kaken zich spanden en ontspanden.

'Rob, we moeten niet te snel conclusies trekken. We kunnen beter de politie hun werk laten doen. Ze krijgen hem wel, dat kan niet anders. We moeten ons rustig houden en verder leven.' Hij pakte Olivia's hand onder de tafel. Ze kneep in de zijne.

'Heb je je ouders en je familie helemaal niet gezien in die kerstvakantie?' vroeg Denison verrast.

Olivia zat weer op haar nagels te bijten. 'Nee.' Vandaag had ze kleren aan met lange mouwen, die ze helemaal had dichtgeknoopt, zodat ze haar lichaam kon verbergen. Haar haar was in een strenge paardenstaart getrokken en ze droeg geen make-up. Denison wist dat ze niet veel sliep.

'Waarom niet?'

Ze beet op de huid aan de rand van haar duimnagel. 'Ik wilde bij Nick zijn. Ik wist dat mijn ouders toch niet konden begrijpen wat ik doormaakte. We wilden gewoon samen zijn.'

Denison knikte. 'Dat is een normale reactie na een dergelijke gebeurtenis.' Olivia keek hem over haar gebogen hand aan en haar vingers kromden zich alsof ze op een viool speelde. 'Waarom vertel je me niet iets over je ouders?'

Hij zag hoe ze verstijfde. Haar gezicht was strak. Toen sloeg ze haar ogen neer en verborg haar gezicht. Haar handen gingen naar haar slapen en de vingertoppen ontmoetten elkaar in een v boven haar voorhoofd om haar ogen te overschaduwen.

'Ik wil niet over hen praten,' zei ze. Haar stem klonk hol.

'Waarom wil je niet over hen praten, Olivia?'

Ze keek niet op. Hij zag alleen de onderste helft van haar gezicht. Ze slikte. Er kwam een lange zucht uit haar mond, gelijkmatig en beheerst. Haar vingertoppen gleden naar haar slapen en daarna legde ze haar handen op haar knieën. Toen ze haar hoofd hief, lag er een kalme glimlach op haar gezicht.

'Wat wilt u weten?' vroeg ze.

'Kun je goed met ze opschieten?'

Ze haalde haar schouders op, nog steeds glimlachend. 'We maken vaak ruzie. Vooral ik en mijn vader. Het gaat beter nu ik het huis uit ben, ik was echt een heel moeilijke tiener. Hormonen, weet u wel. Ik vond ze te beschermend en zij vonden dat ik een beetje al te gemakkelijk was.'

'Kwam je vaak in de problemen?'

'U zult vast mijn schooldossier wel hebben.' Dat klopte. Olivia had een lange periode doorgemaakt waarin ze brutaal was tegen de leraren en vocht met andere leerlingen. 'De andere kinderen zaten me vaak op de huid omdat ik goede cijfers haalde. Ik heb een tijdje geprobeerd te verbergen dat ik slim was. En ik was brutaal tegen de leraren om populair te zijn bij de andere meisjes. Maar ik kwam al snel tot de conclusie dat het de moeite niet waard was. Een vriendin van mij, geen heel goede vriendin, maar iemand met wie ik in de pauzes optrok, raakte zwanger en moest van school. De laatste keer dat ik haar zag, werkte ze van vijf tot middernacht in een friettent. Ik wist dat ik niet zo wilde leven. Ik ging mijn huiswerk weer doen, ik werkte hard en ik probeerde die stomme sufferds die vonden dat je een nerd was als je het goed deed op school te negeren.' Ze glimlachte weer, maar haar ogen deden niet echt mee. 'Ik slaagde er niet altijd in onzichtbaar te blijven.' In haar schooldossier was te lezen dat ze vanaf haar veertiende heel goede cijfers had gehaald, maar vaak had gevochten op het schoolplein.

Politiedossiers van kinderen worden normaal verzegeld als het betreffende kind zestien is, maar een vriend van Weathers bij de Londense politie herinnerde zich Olivia nog en een incident dat was voorgevallen toen ze vijftien was. Bij een vechtpartij in de flat Amhurst Park in Clapton had Olivia een blauw oog opgelopen en het andere meisje een gebroken arm en een gezicht dat eruitzag alsof het over het trottoir was gehaald. Een buurman had de meisjes aangetroffen in een van de trappenhuizen van de torenflat en had de politie gebeld. De agenten hadden vastgesteld dat het andere meisje, dat bij Olivia op school zat, haar al maanden aan het treiteren was. Geen van beide meisjes wilde een aanklacht indienen, dus kregen ze een preek en liet de politie de zaak verder vallen.

'Heb je ooit met je ouders gepraat over wat je op school doormaakte?'

Ze trok een gezicht. 'Nee. Om eerlijk te zijn, waren ze zelf niet veel beter. Ze zijn geen van beiden heel slim. Dat klinkt nogal gemeen, hè? Maar het is echt zo. En ze begrepen niet echt wat een goede scholing waard is. Ze maakten zich er zorgen over dat ze me zouden moeten onderhouden tot ik was afgestudeerd. Ze wilden dat ik bleef en in de winkel kwam werken.'

'Heb je ook broers en zusters?'

Haar handen klemden even in elkaar op haar knieën en ontspanden zich toen weer. De rustige glimlach dook weer op. 'Dokter Denison, ik weet zeker dat u dat al weet. Ja, ik heb twee jongere zusjes en een klein broertje.'

'Kun je goed opschieten met je zusjes?'

Weer dat schouderophalen. 'U weet hoe zusjes kunnen zijn. We konden prima met elkaar opschieten, zolang ze van mijn spullen afbleven. De oudste is pas zestien, dus we liggen te ver uit elkaar om echt vriendinnen te zijn.'

'Hebben je ouders een favoriet?'

Haar glimlach werd breder. 'Dat kun je wel zeggen.' Ze weigerde er verder op door te gaan.

'Ze zullen zich vast zorgen om je gemaakt hebben toen ze hoorden wat er met Amanda Montgomery was gebeurd. Hebben ze nog contact met je opgenomen?'

'Ze hebben een paar berichten ingesproken op mijn mobiel. Ik denk dat ze uit waren op een paar sappige details die ze aan de buren konden vertellen.'

Olivia haalde het elastiekje uit haar paardenstaart en ging met haar vingers door haar haar.

'Heb je ze nog gebeld toen je bij de ouders van Nicholas logeerde?'

'Ja. Op eerste kerstdag. Gewoon om ze een vrolijk kerstfeest te wensen. Ze wilden over Amanda praten, maar ik begon steeds ergens anders over.' Opeens stonden er tranen in haar ogen. 'Mijn zusje Jodie zei dat ze de Kerstman gevraagd had om te zorgen dat ik veilig was in Cambridge. Dat was een lief cadeautje.'

hoofdstuk **ACHT**

HERDENKINGSDIENST VOOR VERMOORDE STUDENTE

Gisteren is een herdenkingsdienst gehouden voor de studente Amanda Montgomery, die in de nacht van 9 december vorig jaar vermoord is aangetroffen in het Ariel College. De herdenkingsdienst was bedoeld voor alle leden van de universiteit en voor vrienden en familie van Amanda uit haar woonplaats in Cornwall. Meer dan driehonderd mensen woonden de dienst in de kapel van Ariel bij.

De moord, die nog niet is opgelost, heeft de hele universiteit geschokt en heeft geleid tot verzoeken van studenten om hun studie een tijdlang te mogen opschorten. Ariel heeft al zo veel verzoeken van studenten ontvangen om naar een ander college te mogen overstappen dat het bestuur op de 12ᵉ een brief heeft gestuurd dat dergelijke overplaatsingen niet mogelijk zijn. Een zegsman bij het toelatingsbureau van Ariel beweert dat het college nog niet officieel plaatsen heeft aangeboden voor het volgende academische jaar, maar dat er al afzeggingen zijn ontvangen van de goed presterende scholieren met wie in het eerste trimester gesprekken zijn gevoerd.

Na de herdenkingsdienst heeft de politie van Cambridgeshire volgens een student van Ariel de zaak nog erger gemaakt door de mensen die op de nacht van de moord in het college aanwezig waren te vragen vingerafdrukken en DNA-monsters af te geven. Degenen die weigerden, zullen hiertoe blijkbaar binnenkort een gerechtelijk bevel ontvangen. Op het moment lijkt de politie geen echte verdachten te hebben, hoewel ze volgens de laatste officiële verklaring 'een aantal veelbelovende aanknopingspunten' had.

Er zijn heel weinig details bekendgemaakt over de manier waarop Amanda Montgomery is vermoord. Dit heeft onvermijdelijk geleid tot enorme speculaties in de studentengemeenschap, en in Ariel College in het bijzonder, over hoe, waarom en door wie Amanda is vermoord. Hoewel het college de beveiliging heeft aangescherpt en camera's heeft geïnstalleerd rond het terrein en in de verschillende studentenhuizen, logeren veel studenten tegenwoordig bij elkaar om niet alleen te zijn en geen risico te lopen. Er is slachtofferhulp beschikbaar voor de studenten.

Varsity studentenkrant, 14 januari

Olivia en Nick stonden voor de deur van Amanda's kamer naar de tientallen boeketten en knuffelbeesten te kijken die daar waren neergelegd.

'Het lijkt zo onwezenlijk,' zei Olivia, terwijl ze een kaartje aan een bos lelies las. Even daarvoor had Nick toegekeken terwijl een agent een wattenstaafje door Olivia's mond haalde, en hij had dezelfde misselijkheid gevoeld als in december, toen zijn eigen vingerafdrukken en DNA waren afgenomen. Sommige andere studenten hadden ook zo gekeken toen hun unieke kenmerken werden vastgelegd, met vrees voor vervolging op hun bange gezicht, schuldbesef om niets, verbijstering dat iemand kon denken dat hij of zij een misdadiger zou kunnen zijn.

'Kom op, we gaan wat drinken,' zei hij, en hij pakte haar hand. Ze liepen naar de bar en bestelden koffie bij de sombere barkeeper.

'Daar is Rob,' merkte Nick op. Rob bevond zich aan de andere kant van de bar, bij de quizmachine. Hij en een rugbymaat van hem stonden met hun armen over elkaar naar Victor Kesselich te kijken. Kesselich zat in zijn eentje op een van de bankjes koffie te drinken en een boek van Michel Foucault te lezen.

Olivia zag hoe Rob naar Kesselich keek. 'Oh-o,' zei ze.

'Ik ga hem even gedag zeggen,' zei Nick. 'Als hij heldere ideeën heeft, kan ik hem er misschien van afbrengen.'

Nick ging Rob afleiden. Olivia keek de bar rond en zag meteen haar buurvrouw Sinead zitten, wier opvallende krullen de kleur hadden van gloednieuwe koperen munten. Sinead ving haar blik en wenkte haar naar een van de tafeltjes aan de andere kant van de bar.

Sinead omhelsde Olivia stevig. 'Hoe is het met je? Ben je echt de hele vakantie bij Nick thuis geweest?'

'Ja, inderdaad,' zei Olivia. Paula stond in de buurt en Olivia dacht dat haar oren zich spitsten toen ze Nicks naam hoorde. Ze vond het prachtig dat Paula hoorde dat zij de kerstvakantie met hem had doorgebracht, vooral toen Paula haar haar naar achteren schudde en wegliep.

'Ik ben naar Mexico geweest,' zei Leo. Olivia zag tot haar verbazing dat hij een poncho droeg. 'De muskieten daar zijn echt erg,' zei hij. 'En ik heb bijna de hele eerste kerstdag zitten spugen omdat ik een twijfelachtige burrito had gegeten. En we hadden alleen een hangmat om in te slapen. Maar de mensen zijn zo fantastisch, zo relaxed en ontspannen, ondanks het feit dat iedereen er zo corrupt is als de hel.'

'Zo te horen heb je lol gehad,' zei Olivia spottend.

'Man, het was helemaal te gek. Op nieuwjaarsdag zijn we naar de woestijn gereden en hebben tijdens een trip de zon zien opgaan.'

Danny Armstrong, die zo'n verwoed roeier was dat hij de dag voor een wedstrijd nooit later dan elf uur naar bed ging, leek niet erg onder de indruk. 'Ik heb oudejaarsavond doorgebracht in een maffe nachtclub,' zei hij met zijn accent uit Liverpool. 'Hij heette "Neon Lites".' Olivia snoof in haar koffie. 'Ik weet het,' zei Danny met een grimas. 'Vertel mij wat. Ze speelden de hele avond waardeloze muziek. Ik heb nooit geweten dat Wham! zo veel hits had.'

'Je had met ons mee moeten gaan,' zei Leo.

'Tja, we hebben niet allemaal een paar honderd pond over om naar Zuid-Amerika te vliegen,' zei Olivia scherp. Danny trok zijn wenkbrauwen op en Sinead keek haar geschrokken aan. 'Nou ja, sommigen van ons hebben al moeite geld bij elkaar te krijgen voor de trein naar huis,' zei Olivia om haar uitbarsting te verdedigen.

Leo leek zich er niet al te veel van aan te trekken. 'Daarom is het zo lekker dat je rood kunt staan. Jezus, ze zijn bij de bank niet bepaald dol op me, maar ik sta liever een paar duizend pond rood door al deze fantastische ervaringen dan die te missen en geld op de bank te hebben.'

Olivia dronk haar koffie op.

In de eetzaal was de stemming bedrukt. Er werd niet hard gepraat en niet gelachen. Olivia zat tegenover Godfrey, die een zwarte band om zijn arm droeg. Naast hem zat Eliza, die toch maar niet naar Australië was verhuisd nadat Godfrey, die bang was zijn dagelijkse vrijpartij te moeten missen, haar een diamanten ketting had gegeven en haar had laten weten dat er nog meer in zat.

'Ik heb nachtmerries sinds het gebeurd is,' vertrouwde Eliza Olivia toe. 'Soms word ik wakker met de tranen op mijn wangen. Het is steeds dezelfde droom.' Godfrey rolde met zijn ogen; hij had er duidelijk al eerder over gehoord. 'Ik ren door een heel lange gang en er zit iemand achter me aan. Ik probeer alle deurkrukken, maar alle deuren zijn op slot. Eindelijk vind ik een deur die opengaat en ik ren naar binnen. En Amanda is daar, in een wit nachthemd, en ze zit vol bloed en is heel bleek en ze zegt: "De deur gaat niet dicht. Zo heeft hij me te pakken gekregen." En dan hoor ik een geluid en draai ik me om naar het monster dat achter me aan zit, en dan word ik wakker.' Eliza kreeg kippenvel op haar armen. Olivia kneep in haar hand.

'Dat moet afschuwelijk zijn. Wat een verschrikkelijke droom.'

Godfrey snoof. 'Niet zo erg als mijn droom over John Prescott in een wit nachthemd.'

'Latente homoseksualiteit.' Olivia kuchte achter haar hand.

Hij knipoogde tegen haar. 'Geef mij Michael Portillo maar.'

'Maar wie denken jullie dat het gedaan heeft?' vroeg Eliza.

'Dat weet ik niet!' lachte Olivia. 'Het klinkt alsof je me vraagt naar een boek van Agatha Christie.'

'Je moet toch ideeën hebben. Iedereen heeft zijn vermoedens.'

'Echt? En wie staat er op het moment boven aan de ranglijst?'

Eliza boog zich samenzweerderig naar haar toe. 'Victor Kesselich.' Ze leunde weer achterover. 'Maar andere mensen vinden dat zij en Rob wel heel vaak ruzie hadden. Godfrey denkt dat het Laurence is.'

'Laurence Merner?' vroeg Olivia, en ze keek Godfrey verbaasd aan.

'Ja, Laurence Merner.' Hij leek het echt te menen. Laurence maakte deel uit van een groep intellectuelen die om de beurt discussieerden over Kurosawa, Nietzsche en Sartre en die een voorliefde hadden voor hippe brillen en lange jassen. 'Hij en Amanda hebben aan het eind van het vorige trimester ruzie gehad.'

'Waarover?'

'Het had iets te maken met een gesprek over spelletjesprogramma's. Zij zei dat ze als kind altijd *Mastermind* wilde winnen. En hij antwoordde dat hij haar meer het type vond voor *Wheel of Fortune*.'

Olivia trok een lelijk gezicht. 'Dat is nogal cru. Maar waarom denk je dat hij haar heeft vermoord?'

'Nou, hij had duidelijk een probleem met haar. Hij kende haar niet, maar hij stond toch klaar met zijn oordeel dat ze dom was of ordinair of zo. Waarom zou hij zo'n hekel hebben aan iemand met wie hij amper een woord had gesproken?'

'Ik weet niet, het lijkt mij wat vergezocht,' zei Olivia.

Op dat moment kwam Victor Kesselich de zaal binnen met een blad in zijn handen. Hij liep naar het lege uiteinde van een tafel, ging daar in zijn eentje zitten en begon gestaag te eten.

Olivia had in zijn schoenen gestaan. Uitgebannen en in haar eenzaamheid een bron van vermaak voor anderen. Ze kon bij hem gaan zitten en een gesprek beginnen, maar ze kende hem niet echt. Hoe zou hij erop reageren als een vreemd meisje tegen hem aan begon te kletsen? Ze at haar tortellini op.

'Inspecteur Weathers voor u aan de telefoon,' zei de receptioniste van Coldhill.

'Oké, verbind hem maar door,' zei Denison. Het was hun vijfde wekelijkse telefoontje over de moordzaak.

'We hebben vingerafdrukken en DNA van bijna alle studenten op Ariel,' zei Weathers. 'Sommige sukkels hebben geweigerd ze te geven, maar we halen wel een gerechtelijk bevel.'

'Verdenk je iemand van degenen die geweigerd hebben?' vroeg Denison.

'Nee, niet echt. Het lijken allemaal van die types die staan op hun burgerrechten. Ik kan niet zeggen dat ik het ze echt kwalijk neem. Ik weet niet of ik mijn DNA wel ergens opgeslagen zou willen hebben terwijl ik niets gedaan had.'

'Geen overeenkomsten tot dusver, neem ik aan?'

'O, jawel hoor. Het probleem is dat het allemaal mensen zijn die een goede reden hadden om zich daar te bevinden. Vriendinnen van haar, uiteraard vinden we daar de vingerafdrukken van in de kamer. We hadden ook nog een bebloede vingerafdruk, echt een afdruk in het bloed op de muur, en die bewees natuurlijk dat de persoon van wie die was daar tijdens of na de moord was geweest. Helaas bleek hij van Tracey Webb te zijn.'

'Tracey Webb?'

'De schoonmaakster. Ze moet hem hebben achtergelaten toen ze het lichaam vond.'

Denison slaakte een gefrustreerde zucht. 'Dat is beroerd, Steve.'

'En dan het DNA van het bloed dat we in de leidingen van haar badkamer hebben aangetroffen. Dat bleek zonder enige twijfel van Amanda zelf te zijn. Je hebt gelijk, de moordenaar moet haar bloed na de moord van zich af hebben gespoeld.'

'Dat wijst erop dat hij kalm genoeg was om de tijd te nemen zijn sporen uit te wissen in plaats van in paniek te raken en onder het bloed naar buiten te rennen.'

'Onze patholoog zegt dat het hem waarschijnlijk minstens twintig minuten heeft gekost om alle verminkingen aan te brengen. Ik denk dat hij dacht dat iemand die haar doodsstrijd had gehoord en haar kwam helpen inmiddels wel gearriveerd zou zijn. Toen er niemand was komen opdagen terwijl hij het hoofd afsneed, moet hij gedacht hebben dat hij ook nog wel tijd had om een douche te nemen.'

'Dat ondersteunt ons standpunt dat we te maken hebben met iemand die alles zorgvuldig gepland had,' peinsde Denison. 'Hoewel dit soort verminkingen normaal gesproken eerder past bij een ongeorganiseerd iemand. Met andere woorden, een volslagen gek. Hij moet die verknipte kant van zichzelf verdomd goed kunnen verbergen.'

'We hebben de studenten wel gevraagd of ze volslagen gekken kenden,' zei Weathers. 'De meesten lachten en zeiden: "Wat, behalve ikzelf?"'

'Heel leuk,' zei Denison. 'En Amanda's badkamer? Geen haren of zo gevonden in de afvoeren?'

'Jawel. De meeste zijn waarschijnlijk van haarzelf. Het wordt nog een nachtmerrie om de andere uit te zoeken. Weet je dat er in de vakanties conferenties in het college worden gehouden? Nou, we denken dat er waarschijnlijk haren van de laatste gast in zitten. En blijkbaar krijgen de studenten met eigen badkamers wel eens medelijden met anderen die een badkamer moeten delen en laten ze hen hun badkamer gebruiken. Dus als onze dader een student is, kan hij altijd proberen te roepen dat Amanda hem haar douche wel eens heeft laten gebruiken.'

Denison wist dat het heel moeilijk zou worden de eigenaren van de haren zelfs maar te identificeren. Zonder haarwortel kon een haar nooit met zekerheid thuisgebracht worden. De technische recherche kon alleen zeggen dat twee haren op elkaar leken, niet of ze identiek waren.

'Dus aan het lab hebben we niets,' gaf Weathers toe, hoewel hij er vreemd genoeg blij mee leek. 'Maar het lijkt erop dat onze moordenaar niet de geniale maniak is die we vreesden dat hij zou zijn.'

'Wat bedoel je daarmee?' vroeg Denison.

'De idioot heeft een briefje achtergelaten in Amanda's kamer. Een handgeschreven briefje.'

Nick was voor het weekend naar huis gegaan omdat zijn vader

drieënvijftig werd. Olivia sliep op de grond in Sineads kamer, onder haar eigen dekbed. Sinead had een paar kaarsen aangestoken en ze lagen te luisteren naar 'Don't Fear the Reaper' van Blue Öyster Cult en elkaar enge verhalen te vertellen.

'Ze hebben dus een signaal afgesproken; als een van hen iemand mee naar de kamer neemt, bindt ze een sjaal om de deurknop in de gang, zodat haar kamergenoot weet dat ze niet moet storen,' vertelde Sinead. Haar pupillen waren enorm groot in het kaarslicht. 'Maar op een avond komt een van hen terug van een lange avond studeren in de bibliotheek, ziet de sjaal en wil gewoon naar bed. Ze is niet van plan nog twee uur weg te gaan, ze is kapot. Dus gaat ze de kamer binnen, maar ze doet niet het licht aan, omdat ze haar kamergenoot niet meer wil storen dan noodzakelijk is. In ieder geval, ze gaat naar bed en probeert te slapen, ondanks het gegrom en gekreun in het andere bed. Uiteindelijk zakt ze weg. De volgende morgen wordt ze wakker van het zonlicht dat door de gordijnen schijnt en ze draait zich om om haar kamergenoot goedemorgen te wensen. De kamergenoot ligt daar in een plas bloed, met haar ingewanden over de vloer. En op de spiegel staan in bloed de woorden: "Je had geluk dat je het licht niet aandeed."'

'Sinead!' protesteerde Olivia, en ze trok haar dekbed dichter om zich heen. 'Dat was een beetje te erg.'

Sinead grijnsde. 'Jouw beurt,' zei ze.

Olivia ging overeind zitten. 'Nee, ik ben al veel te bang. We doen geen oog dicht als we zo doorgaan.'

Sinead, die ineengedoken op het bed zat, wreef over haar magere armen om het wat warmer te krijgen. 'Ik weet het. Ik moet al een halfuur naar de wc, maar ik ga niet in mijn eentje!'

'Doe niet zo raar,' lachte Olivia. 'De moordenaar zit heus niet in de toiletten.'

'Hoe weet jij dat? Hij kan overal zitten!'

'Wil je dat ik meega?' vroeg Olivia.

'Nou, graag!'

Giechelend slopen de twee meisjes met de dekbedden om zich heen Sineads kamer uit en de trap af naar de toiletten op de verdieping onder hen. De lampen brandden fel in de gangen, waar niemand te bekennen was.

'Hoe laat is het?' fluisterde Sinead luid.

'Tien over twee,' fluisterde Olivia terug, en ze wees op haar horloge.

Ze gingen een hoek om en gilden toen er een gestalte voor hen opdook. De gestalte gilde even schril. Het was Eliza. Van opluchting barstten ze alle drie uit in hysterisch lachen. Een jongen die scheikunde studeerde stak zijn hoofd om zijn deur en keek hen minachtend aan. Ze lachten nog harder, vooral om zijn onderbroek met Homer Simpson, en hij klakte met zijn tong en ging zijn kamer weer in.

Sinead ging naar het toilet. Olivia bleef op wacht staan en Eliza vroeg wat ze uitspookten.

'We zitten elkaar op te jutten,' zei Olivia. 'Doe je mee?'

'Ja, waarom niet? Maar dan moet ik even Paula halen. Die zit in mijn kamer. Godfrey zegt dat hij het zat is om wakker te worden van mijn gegil als ik weer eens een nachtmerrie heb, dus die is vanavond naar zijn eigen kamer gegaan, egoïst dat hij is.'

Olivia kon niemand bedenken met wie ze minder graag een nacht zat te kletsen dan Paula, maar ze kon nu niet meer terug. Ze kon naar haar eigen kamer gaan, maar de muren waren zo dun dat ze de anderen de hele nacht zou horen gillen.

Terug in de kamer stak Sinead nog meer kaarsen aan en maakte ze voor iedereen warme chocolademelk. Paula arriveerde in een donkerblauwe satijnen pyjama met korte broek en met wippende borsten, ondanks het feit dat ze duidelijk geen beha aanhad. Eliza had een roze pyjama en droeg pantoffels die op wollige witte hondjes leken.

'Nou, kennen jullie nog enge verhalen?' vroeg Olivia. 'Sinead heeft net dat verhaal verteld over het meisje van wie de kamergenote werd vermoord...' Haar stem stierf gegeneerd weg.

Paula leek het niet te merken. 'Kennen jullie die over de oude vrouw en de hond?'

'Nee,' zeiden ze allemaal, en ze gingen er eens goed voor zitten.

Het was een lang verhaal vol clichés, en het eindigde met: 'Op de kast lag haar hond, in kleine stukjes gesneden. En de oude dame dacht: als dat mijn hond is, wat ligt er dan in de hondenmand mijn hand te likken?'

'Gadsie!' zei Eliza.

'Dat is wel een heel ingewikkeld verhaal,' zei Olivia. 'Ik geloof niet dat je dat echt een legende kunt noemen. Het is duidelijk verzonnen.'

'Maar het verhaal over het nest spinnen in iemands hoog opgemaakte haar is toch wel geloofwaardig?' merkte Paula op.

'Dat is echt gebeurd met een vriendin van mijn tante,' zei Eliza.

Paula en Olivia keken elkaar aan en barstten in lachen uit.

'Hé, weten jullie wat we moeten doen?' zei Sinead. 'We moeten een seance houden!'

'Hebben we daar geen ouijabord voor nodig?' vroeg Olivia.

'We kunnen er een maken,' zei Paula. 'Heb je een groot stuk papier, minstens A4?'

Sinead wipte uit bed en haalde een blanco aantekenblok en een zwarte viltstift. Paula schreef het alfabet erop en daarna de getallen nul tot tien.

'Ik weet niet of dit wel een goed idee is, meiden,' zei Eliza. 'Echt. Ik heb laatst *The Exorcist* gezien en dat meisje raakte op deze manier bezeten.'

'Doe niet zo flauw,' zei Paula, die de woorden 'ja' en 'nee' onder aan het vel papier schreef. 'Sinead, heb je een glas?' Sineads glazen waren allemaal grote plastic gevallen in neonkleuren. Olivia ging even naar haar kamer, waar ze een klein glas had dat ze uit de kantine van Ariel had 'geleend'. 'Perfect,' zei Paula.

'Meiden, alsjeblieft, dit is geen goed idee,' zei Eliza.

'Liza, ga dan verdomme naar je eigen kamer als je hier niet wilt zijn. Als je wilt blijven, moet je je kop houden.' Paula legde het papier tussen hen in op de grond en ze knielden er in een kring omheen, zelfs de onwillige Eliza.

'Goed, zet allemaal je wijsvinger op het glas,' instrueerde Sinead. 'Maar niet duwen. Leg je vinger er gewoon heel licht op.' Ze deden wat ze zei. 'We willen spreken met de geest van Amanda Montgomery,' zei Sinead plechtig. Olivia bedwong een giechel. 'Amanda, ben je daar?'

Stilte. 'Er gebeurt niets,' zei Eliza. 'In de film had het meisje een driehoekig aanwijsding met wieltjes, geen glas.'

'En waar denk je dat we zoiets vandaan kunnen halen?' vroeg Paula. 'De speelgoedwinkel?'

'We moeten iets van Amanda hebben,' zei Sinead. Ze keek naar haar vriendinnen, en haar pupillen waren groot en vochtig in het kaarslicht.

Paula leunde iets achteruit en haalde haar vinger van het glas. Ze dacht even na en toen haalde ze een ketting van haar nek. Er hing een zilveren ring aan met een maansteen.

'Dit was een ring van Amanda,' zei ze. 'Ze heeft hem de dag voor ze stierf bij mij in de badkamer laten liggen. Ik heb niet meer de kans gekregen hem terug te geven.'

Ze legde de ring op het stuk papier en deed haar ketting weer om. Iedereen legde zijn vinger weer op het glas.

'Amanda,' probeerde Sinead nog eens. 'Ben je daar?'

Ze hapten allemaal naar adem toen het glas met kleine schokjes naar het woord 'ja' schoof. Eliza trok haar vinger weg.

'Jullie proberen me gewoon bang te maken!' piepte ze.

'Eliza, zet verdomme je vinger weer op dat glas,' siste Paula.

'Misschien gaat het zonder haar ook wel,' zei Sinead. 'Amanda, is alles goed met je?'

'Natuurlijk is alles niet goed met haar, ze is dood!' zei Paula.

'Ik wil alleen weten of ze daar gelukkig is!'

Het glas schoot naar het woord 'nee'. Sinead keek geschrokken.

'Amanda, wie heeft je vermoord?' vroeg Paula. Het glas bewoog niet. 'Was het Rob?' vroeg ze. Het glas bleef op het woord 'nee' staan. 'Was het Laurence Merner?' Weer bewoog het glas niet. 'Was het Victor Kesselich?'

Dit keer schoot het glas naar het woord 'ja'.

'Jezus,' zei Sinead. 'Wat moeten we nu vragen?'

'Een van jullie beweegt het glas, hè?' vroeg Olivia. 'Ik geloof niet in geesten en jullie ook niet. Een van jullie houdt ons voor de gek.'

'Echt, Liv. Ik doe niets,' zei Sinead.

'Ik ook niet,' zei Eliza, die zat te trillen.

'Laten we dan iets vragen waar alleen Amanda het antwoord op weet.'

'Amanda, waarom heeft hij je vermoord?' vroeg Sinead.

Maar er gebeurde niets meer. Ze probeerden het nog tien minuten, maar het glas verschoof niet.

De volgende morgen deed het verhaal van hun seance de ronde door het college en Olivia raakte het al snel zat dat iedereen ernaar vroeg.

'Het was een grapje,' zei ze tegen June. 'Een van ons zat te knoeien met het glas.'

'Wie denk je dat het was?' vroeg June.

'Ik weet het niet. Niet Sinead. Misschien Paula. Die ring was waarschijnlijk niet eens van Amanda.'

'Welke ring?'

'Paula had een ring aan een ketting om haar nek. Ze zei dat hij van Amanda was.'

'Hoe zag hij eruit?'

'Zilver, met een maansteen.'

'Ja, die was van Amanda. Ik heb gezien dat ze hem droeg.' June nam een grote slok van haar koffie. 'Olivia,' zei ze bedachtzaam, 'als ik doodging, zou je voor mij dan ook een seance houden?'

Olivia fronste. 'Zou je dat willen?'

'Nee,' zei June. 'Nee, dat zou ik niet willen.'

Matthew Denison keek nog eens naar zijn aantekeningen van het gesprek met inspecteur Stephen Weathers van de vorige dag. Hij had het briefje dat de politie in Amanda Montgomery's kamer in een boek met gedichten van Sylvia Plath had gevonden in zijn geheel overgeschreven.

'Ik dacht dat je mijn vriendin was. Mooie vriendin. Ik zou je mijn ergste vijand nog niet toewensen. Je doet heel meelevend en begrijpend, maar je bent een kille heks die geen donder om iemand anders geeft. Ik wil je niet meer kennen.'

Het briefje was niet ondertekend. Denison had het idee dat dat niet was omdat de schrijver anoniem wilde blijven, maar omdat hij aannam dat Amanda meteen zou weten van wie het kwam. Weathers' team keek op dat moment of er vingerafdrukken op stonden, en als ze die vonden, zouden ze vergeleken worden met de vingerafdrukken die de studenten en het personeel van Ariel waren afgenomen.

Nick en Olivia waren later die avond in Olivia's kamer toen er hard op de deur werd geklopt. Het was Rob. Hij keek boos en naast hem stond Paula met een vastberaden uitdrukking op haar gezicht.

'Olivia, is het waar van die seance?' vroeg hij.

'Is wat waar?' zei ze.

'Is de naam van Kesselich gevallen?'

'In godsnaam, Rob, dat neem je toch niet serieus? Het was een grap!'

'Vertel me gewoon of het bord zei dat het Kesselich was.'

'Vertel het hem nou maar, Olivia,' drong Paula aan.

'Nee! Rob, ben je niet goed wijs, het was verdomme een ouijabord! Denk je nou echt dat Amanda's geest naar ons toe is gekomen om ons te vertellen wie haar heeft vermoord? Doe niet zo belachelijk!'

'Je ontkent niet dat het bord zei dat Kesselich de dader was,' zei Rob.

'Nee, omdat het niets betekent. Had je het ook geloofd als het bord ons had verteld dat ze was vermoord door de paus?'

'Oké,' zei hij, en onder zijn ogen zaten twee rode vlekken. Zijn handen waren gebald tot vuisten en hij rende de trap af.

'In godsnaam, Paula!' viel Olivia tegen haar uit. Ze duwde haar opzij en rende achter Rob aan, met Nick op haar hielen.

Ze haalde hem in bij het poorthuis en probeerde zijn arm te pakken, maar hij schudde haar af.

'Rob, rustig nou,' probeerde Nick, maar Rob duwde hem opzij en liep door.

Victor Kesselich zat in de bar, in zijn eentje, zoals al het hele trimester. Rob liep naar hem toe en gaf hem zonder enige waarschuwing een stomp in zijn gezicht.

De bar was bijna vol en iedereen draaide zich geschokt naar hen om. Iedereen viel stil en Olivia hoorde alleen het stokken van adem, het oude Motownnummer op de jukebox en het ongerijmde geluid van Robs vuisten op Victors lichaam.

Nick sprong ertussen en kreeg een klap tegen zijn gezicht voor de moeite. Olivia zag Godfrey naar hem toe rennen en verwachtte dat hij zou helpen, maar hij pakte Nick vast en duwde hem tegen de bar. Victor was versuft op de grond gegleden. Rob schopte hem met een verwrongen gezicht in zijn buik.

Olivia ging naar voren om Rob van Victor weg te trekken en was verbaasd toen er drie agenten langs haar liepen, die Rob vastpakten. Twee van hen dwongen hem op zijn buik op de grond en hielden hem vast tot hij ophield met tegenstribbelen; de andere hielp Victor op een stoel.

Olivia draaide zich om toen er een man in een zwartleren jasje langskwam. Ze herkende in hem de rechercheur die ze ook langs had zien lopen in de bar op de ochtend dat Amanda was gevonden. Weathers ging op de tafel bij Robs hoofd zitten.

'Meneer McNorton,' zei hij. 'Ben je al een beetje gekalmeerd?'

Rob knikte zwijgend.

'Help hem overeind,' zei Weathers tegen de agent die Robs arm op zijn rug hield. Toen Rob stond, zorgde de agent ervoor dat hij nergens heen kon. 'McNorton, we willen graag even met je praten op het bureau. Wil je met ons meegaan?'

'Rob, dat hoef je niet te doen,' zei Godfrey. 'Je hoeft alleen mee te gaan als ze je arresteren.'

Weathers wierp Godfrey een kille blik toe. 'Meneer Parrish, nietwaar? Ik stel voor dat jij je erbuiten houdt. We hebben gezien hoe je reageerde toen Nicholas Hardcastle tussenbeide probeerde te komen.' Nick leunde tegen de bar en veegde het bloed van zijn mond. 'Nou, McNorton, ga je mee voor een praatje?'

Rob schudde zijn hoofd. 'Ik heb Godfrey niet nodig om me op mijn rechten te wijzen. Als u wilt praten, moet u me maar arresteren.'

'Ook goed.' Weathers stond op. 'Robert McNorton, ik arresteer je wegens de moord op Amanda Montgomery.'

hoofdstuk NEGEN

Rob werd steeds bleker toen Weathers hem op zijn rechten wees. 'Oké, neem hem maar mee naar het bureau,' zei de inspecteur.

De politieman die Rob vasthield, duwde hem naar de deur en elke student in de bar keek hem na. Weathers draaide zich om naar Victor Kesselich. De agent die hem op een stoel had geholpen, belde om een ambulance.

'Gaat het, Victor?' vroeg Weathers. Kesselich keek hem alleen maar aan. Een van zijn ogen werd al dik. 'Agent Liman gaat met je mee naar Addenbrooke en daarna zullen we je verklaring opnemen. Het is aan jou of je een aanklacht wilt indienen.' Weathers wendde zich tot Nick. 'Hetzelfde geldt voor jou, Hardcastle.' Nick schudde met een bleek gezicht zijn hoofd.

Weathers stond op, wierp nog een blik op Olivia en liep toen achter Rob aan. Ze keek hem door een van de ramen na toen hij over het pad naar het poorthuis wandelde en daarna ging ze naar Nick. Ze raakte zachtjes zijn gezicht aan met haar hand.

'Dat was dapper van je,' zei ze zachtjes.

'Maar daar hebben we niet veel aan, hè?' zei Nick met dikke stem.

Ze zaten in Nicks kamer te praten over Rob.

'Jullie denken toch niet dat Rob Amanda heeft vermoord?' vroeg Danny aan Nick en Olivia. Ze gaven geen antwoord, maar keken elkaar onwillekeurig aan.

'Wat?' zei Sinead, die hun blik opving.

'Hij was die avond echt kwaad op haar,' zei Nick moeizaam.

'Waarom dan?'

Nick haalde zijn schouders op.

'Nee echt, Nick, waarom?' vroeg Danny, die zijn zware bril omhoogschoof.

'Dat heeft Rob hem niet verteld,' zei Olivia, die het hier al met Nick over gehad had.

'Hij zei alleen dat hij haar in vertrouwen had genomen en dat zij dat had doorverteld. Het moet om iets heel persoonlijks zijn gegaan, want hij was echt gekwetst en bovendien wilde hij me niet zeggen wat hij haar dan had verteld.'

'Het zou me niet verbazen als er al iemand was geweest die het tegen hem had gebruikt,' zei Leo.

Er werd op de deur geklopt. Nick ging met een koud blikje 7UP tegen zijn zere wang kijken wie er was.

'Nick, ik kom je mijn verontschuldigingen aanbieden,' zei Godfrey met zijn handen in zijn zakken. 'Ik wilde dat Kesselich kreeg wat hij verdiende en ik moet bekennen dat ik daarbij te ver ben gegaan.'

'Ik dacht dat Laurence Merner jouw voornaamste verdachte was,' zei Olivia, die met een diepe frons op haar gezicht achter Nick kwam staan. 'Weet je zeker dat je niet gewoon bloed wilde zien?'

'Olivia, hou je erbuiten,' zei Godfrey. 'Ik kom met Nick praten, niet met jou.'

Nick deed de deur voor zijn neus dicht.

'Ik wil graag dat je dit voor me uitlegt.' Weathers schoof een doorzichtig plastic zakje over de tafel in de verhoorkamer. In het zakje zat het briefje dat ze in Amanda's kamer hadden gevonden.

Rob keek ernaar en zijn adamsappel wipte op en neer. Hij pakte het briefje op en Weathers zag tranen op zijn wimpers.

'Jij hebt dit geschreven, nietwaar, Rob?' zei hij zachtjes.

Rob knikte en veegde met de rug van zijn hand langs zijn ogen. 'Ik wou dat ik het niet had gedaan. Ik wou dat ik het terug kon nemen.'

'Wil je me vertellen waarom je dit briefje hebt geschreven?'

Rob schudde heftig zijn hoofd. Zijn kaakspieren stonden strak en hij vocht tegen de tranen. Hij sloeg zijn armen over elkaar en keek naar het plafond, zodat de tranen niet zouden vallen.

'Rob, ik weet niet wat Amanda heeft gedaan om je zo van streek te maken, maar ik moet aannemen dat het erg genoeg was om jou een reden te geven om haar te vermoorden. Als ik het mis heb, is dit je kans om uit te leggen hoe het dan wel zit.'

Rob weigerde hem aan te kijken. 'Kan ik u dat in vertrouwen vertellen?'

'Ik ben bang van niet, Rob. We kunnen proberen het stil te houden als het niet relevant is, maar ik vrees dat ik dat niet kan beloven tot ik heb gehoord wat er aan de hand is.'

Rob schudde zijn hoofd. 'Dan heb ik geen commentaar.'

'Rob, je loopt het gevaar beschuldigd te worden van moord. Ik moet er sterk op aandringen dat je je mond opendoet en me vertelt waar Amanda dat briefje aan verdiend heeft.'

Rob sloeg zijn armen andersom over elkaar. 'Ik wil een advocaat spreken,' zei hij.

De brigadier keek op toen er een nerveuze jongeman in een lange zwarte jas binnenkwam. De brigadier zag meteen dat hij een student was. De man liep naar de balie, duwde zijn Christian Dior-bril recht en schraapte zijn keel.

'Ik wil graag degene spreken die de leiding heeft over de zaak-Montgomery,' zei hij. 'Ik ben Laurence Merner.'

Er werd op de deur van de verhoorkamer geklopt.

'Binnen,' zei Weathers, geërgerd door de onderbreking.

Het was hoofdagent Halloran. 'Ik denk dat we even moeten praten, meneer.'

Voor de verhoorkamer knikte Halloran naar de andere kant van de gang, waar Laurence Merner stond, buiten gehoorsafstand.

'Nog een student van Ariel. Hij zegt dat hij in de nacht van de moord bij Rob McNorton was. In ieder geval gedurende de vier uur die de dokter heeft aangewezen.'

'Van twaalf tot vier? Wat waren ze aan het doen?'

Halloran keek hem met zijn goede oog aan. 'Wat denk je?'

Weathers trok zijn wenkbrauwen op. 'Meen je dat?'

'Deze jongen zegt het. Hij heet Laurence Merner. Blijkbaar hebben hij en McNorton al een paar weken een relatie. Daar ging al dat gedoe met Amanda om. Het was McNortons laatste poging om de brave heteroseksueel uit te hangen. Maar volgens deze Merner kon hij hem niet omhoogkrijgen en toen hij aan Amanda bekende dat hij dacht dat hij homoseksueel zou kunnen zijn, maakte ze hem volslagen belachelijk.'

Weathers keek bedachtzaam. 'Dat geeft hem een goed motief. Vooral als hij dacht dat zij het aan de grote klok zou hangen, waar hij duidelijk doodsbang voor is.'

'Ja, hij heeft een motief, maar hij heeft ook een alibi.'

'Denk je dat Merner de waarheid spreekt?'

'Ik wel. Je ziet dat hij het niet graag erkent. Ook al is hij op Ariel uit de kast gekomen, het klinkt alsof zijn vrienden zijn relatie met McNorton niet zouden goedkeuren, omdat McNorton zich voordoet als een klassieke homohater. Dus het feit dat hij hiermee naar buiten wil komen, doet mij denken dat hij eerlijk is.'

'Misschien is hij verliefd op McNorton en is hij bereid te liegen om hem te beschermen,' wierp Weathers tegen.

Hallorans luie oog dwaalde naar de automaat. Weathers vroeg zich af hoeveel controle Halloran erover had en of het niet vooral een onbewuste uiting was van een verlangen naar chocola.

'Zou kunnen,' zei Halloran. 'Het is niet mijn indruk, zoals ik al zei, maar misschien moet je zelf even met hem praten. Ik zou kunnen uitzoeken of hij buren heeft die zijn verhaal kunnen bevestigen.'

Weathers knikte. 'Oké, maar doe het voorzichtig. McNorton heeft er duidelijk grote moeite mee dat mensen erachter komen dat hij homoseksueel is, en dat moeten we respecteren.'

'Goed, baas,' stemde Halloran in, en hij trok een Snickers uit de automaat voordat hij naar buiten liep.

Olivia zat gedwee op haar stoel, met haar handen in haar schoot. Ze had zich weer niet opgemaakt en haar haar zat strak naar achteren. Ze leek het moeilijk te vinden om hem aan te kijken.

'Dokter Denison?' vroeg ze. 'Ik vroeg me af... Hebt u Nicholas de laatste tijd nog gezien?'

'Olivia, we moeten nu over andere dingen praten. Dingen uit het verleden. De laatste keer dat we elkaar spraken, vertelde je me over de kerstvakantie die je bij de Hardcastles had doorgebracht.'

Ze glimlachte. 'Ja. Mevrouw Hardcastle gaf me parfum. Het was niet echt een geur voor mij, een beetje te kruidig, maar het was wel lief van haar.'

'En jij en Nick keerden in januari terug naar Ariel?'

Haar gezicht versomberde. 'Ja. We waren allemaal in de rouw. Sommige mensen vertrokken. Anderen wilden naar een ander college, maar daar kregen ze geen toestemming voor. We logeerden bij elkaar. We waren allemaal bang. Overal liepen verslaggevers rond. Ze interviewden studenten die Amanda amper gekend hadden. Ze namen foto's van Rob toen hij werd gearresteerd. Zijn ouders moeten zich kapot geschaamd hebben.'

Toen klaarde ze weer op. 'Maar uiteindelijk kwam alles goed. Laurence vertelde de politie over hem en Rob en toen lieten ze hem gaan.'

Denison had gelijk gehad: de schrijver van het briefje en de moordenaar van Amanda Montgomery waren niet een en dezelfde persoon. Hoewel Rob in sommige opzichten in het profiel van Denison paste – ondanks het feit dat hij homoseksueel was, had hij geprobeerd met meisjes naar bed te gaan in de ijdele hoop dat hij het fijn zou gaan vinden, en het was nooit een goede ervaring voor hem – was hij in andere opzichten precies tegenovergesteld aan de dader die Denison had beschreven. Samen met het alibi door Laurence Merner was dat genoeg om de politie zover te krijgen dat ze hem afschreef als verdachte.

'Was je verbaasd toen je hoorde dat Rob homoseksueel was?' vroeg Denison aan Olivia.

Ze leek in het verleden te kijken. 'Het was logisch. Ik begreep waarom hij zo boos was geweest op Amanda. Het veranderde niets aan mijn mening over Rob.'

'Hoe bedoel je dat?'

'Ik ben een tijdje boos op hem geweest omdat hij Victor Kesselich had aangevallen. Maar toen ik besefte dat Robs woede voortkwam uit schuldgevoelens over zijn gedrag tegenover Amanda en het feit dat ze overleed voordat ze het bij konden leggen, wilde ik toch weer bevriend met hem zijn. Het feit dat Rob homoseksueel was, betekende niets voor me. Het kon me niet schelen.'

Denison merkte dat Olivia's spraakpatroon anders was geworden, formeler. Hij maakte er een aantekening van en besefte toen dat ze op de volgende vraag wachtte.

'En toen?' spoorde hij haar aan.

'Toen wat?' vroeg ze.

'Rob is eind januari vrijgelaten. En de volgende moord vond pas maanden later plaats. Hoe was het leven voor jullie in die tussentijd?'

Olivia haalde behoedzaam haar schouders op. 'Ik concentreerde me hoofdzakelijk op mijn werk. Het college zorgde voor lessen zelfverdediging en daar ben ik heen geweest. Maar ik heb geen gebruik gemaakt van slachtofferhulp.' Ze glimlachte tegen hem. 'Dat is niet persoonlijk bedoeld.'

'Dat begrijp ik. Hoe ging het met je studie?'

'De eindejaarsexamens gingen goed. Nick slaagde summa cum laude.'

'En jullie liefdesleven, ging dat ook goed?'

'Ja.' Ze glimlachte in zichzelf. 'We hadden een heel leuke Valentijnsdag. Hij liet een rode roos achter in mijn postvakje. 's Avonds gingen we *Interview with the Vampire* kijken in Peterhouse en daarna zijn we gaan eten bij Venezia. We wilden in ons tweede jaar kamers naast elkaar zien te krijgen.'

'Dus toen je in juli van Ariel vertrok, was je positief gestemd. Je had goede cijfers gehaald en je relatie met Nick werd steeds sterker. Hoe was het om die zomer thuis te zijn?'

Haar gezicht betrok weer. 'Ach, u weet wel. Niet zo leuk. Ik vond het akelig om Nick niet te zien, maar ik geloof dat zijn ouders me niet weer te logeren wilden hebben.'

'Vind je het thuis niet fijn?'

'Ik miste mijn vrienden. Als je eraan gewend bent al je vrienden om je heen te hebben, is het moeilijk als ze plotseling over het hele land verspreid zitten.'

'En je vrienden van vroeger dan?'

Haar ogen stonden triest. 'Ik had op de middelbare school geen vrienden gemaakt.'

'Was dat een van de redenen waarom je naar een andere school wilde?'

'Ja, en ik wilde ook een goede opleiding. Mijn school was niet zo goed.'

'Volgens je schooldossier kreeg je niet de benodigde beurs om van school te veranderen. Was dat vanwege de vechtpartijen?'

Ze klemde haar handen in elkaar. 'Dat weet ik niet.'

Denison had moeite het meisje dat voor hem zat in verband te brengen met de ruziezoekende, brutale persoon die in haar schooldossier werd beschreven.

'Dus je was blij toen je in oktober terug kon naar Ariel? Je was nergens nerveus of bang voor?'

'Nee, waar zou ik bang voor moeten zijn? Ik kon niet wachten tot ik terug kon.'

'Ondanks het feit dat de moordenaar nog niet gepakt was?' Denison kon zich er niet van weerhouden het te vragen.

Olivia fronste. 'Ja. Ja, ik denk dat ik me daar wel zorgen over maakte... Ik probeerde er niet aan te denken. Het was tenslotte tien maanden geleden. Ik denk dat we dachten dat het een eenmalige gebeurtenis was.'

'Maar dat was niet zo.'

'Nee. Dat was niet zo.'

Denison liep neuriënd van het station van Cambridge naar het marktplein. De hemel was zachtblauw en er ritselden verse groene bladeren aan de bomen langs de weg. Zijn goede stemming werd zelfs niet bedorven toen hij bijna in botsing kwam met een fietser die de veilige stoep prefereerde boven het drukke verkeer op de weg.

Hij had met Sinead Flynn afgesproken bij Starbucks. Toen hij naar binnen liep, zat zij al in een van de zachte leunstoelen, met een grote beker voor zich. Haar roestbruine haar was slordig opgestoken in een knot en ze glimlachte tegen hem toen hij op haar afkwam.

'Hallo,' zei ze. 'Ik herken u door dat ITV-programma waar u vorig jaar in zat.' Denison had meegewerkt aan een documentaire over Coldhill.

'Zal ik nog een koffie voor je halen?' vroeg hij toen hij zag dat haar beker bijna leeg was.

'Ja, graag. Cafeïnevrij met magere melk, alstublieft.' Hij ging achter de lange rij toeristen en studenten staan en kwam na een tijdje terug met twee grote bekers.

'Proost,' zei Sinead, en ze tikte met haar beker tegen die van hem.

'Proost. Maar ik begrijp niet hoe je cafeïnevrij kunt drinken. Ik vind het spul afschuwelijk.'

'Ik ben verslaafd geraakt aan koffie toen ik zat te blokken voor mijn eindexamen,' zei ze met haar zachte Ierse accent. 'Ik heb moeten afkicken. Ik ging er helemaal van trillen.' Ze knipoogde tegen hem.

'Ik zou zelf waarschijnlijk ook moeten minderen,' zei Denison, en hij nam een slokje van zijn dubbele espresso. 'Afijn, bedankt dat je hebt willen komen. Ik kan je hulp wel gebruiken.'

'Moet u iets weten over Liv?' vroeg ze.

'Ja, inderdaad. Maar ik wil ook graag horen wat voor indruk je hebt van je andere medestudenten op Ariel. Hoe verder we komen met dit onderzoek, hoe meer het erop lijkt dat de dader iemand van jullie college is. Hoe meer ik te weten kom over de slachtoffers en hun vrienden, hoe beter het beeld dat ik krijg van de spanningen en de motieven die een rol kunnen hebben gespeeld bij de moorden.'

Sinead viel stil. 'Weet u dat zeker?' vroeg ze eindelijk.

'Wat, dat de dader van Ariel komt? Ja, ik ben bang van wel.'

'Bij mijn colleges psychologie hebben ze gezegd dat een seriemoordenaar geen onderliggend motief heeft,' zei ze. 'Dat de moorden in wezen geen reden hebben, behalve het bevredigen van de moordenaar.'

'Ja, dat is in het algemeen waar,' zei Denison, die bedacht dat hij zijn aantekeningen zorgvuldiger had moeten doornemen. Psychologiestudenten waren geneigd iedereen tegen te spreken. 'Maar het is ook waar dat de meeste seriemoordenaars doden om hun slachtoffers te overheersen. Ze genieten ervan om macht te hebben over een ander mens. Bepaalde types vrouwen kunnen deze moordenaars onbedoeld provoceren door ze het gevoel te geven dat ze tekortkomen, zodat de moordenaar een moord moet plegen om dit gevoel kwijt te raken.'

Sinead knikte alsof ze dat wel kon begrijpen. 'Daar was Amanda goed in,' gaf ze toe. 'Je het gevoel geven dat je tekortschoot, bedoel ik.'

'Gaf ze jou dat gevoel?'

Sinead rolde met haar ogen. 'Nou, ja. Toen ik pas op Cambridge was, wilde ik dolgraag acteren, en toen ik erachter kwam dat zij daar ook aan deed, dacht ik dat we iets gemeen hadden. Ik stelde voor samen auditie te doen en... Nou, ze bleek al een prima rol in het vooruitzicht te hebben in een toneelstuk van een schoolvriendin van haar. Mijn rolletje in *The Crucible* kon daar niet tegenop. Ik ging naar haar première, compleet met juichkreten toen ze boog voor het publiek, en ze beloonde me door bij mijn première in de pauze weg te gaan.' Sinead lachte hoofdschuddend. 'Dat was typisch Amanda.'

Hij vroeg haar naar haar andere vrienden op Ariel: de eveneens roodharige Danny ('die is echt geschift, maar hij zal het ver schoppen'), muziekstudent Godfrey ('we zullen er op een dag achter komen dat hij hier undercover is voor de Socialist Worker's Party), feestbeest Eliza ('heeft eens tegen een professor gezegd dat hij als maagd zou sterven als hij niet iets aan zijn uiterlijk deed') en Nick Hardcastle ('ik vond hem een beetje te bekrompen voor Olivia, maar zij was vanaf het allereerste moment dolverliefd op hem').

'Bekrompen?'

'U weet wel: vanille. Geen rare dingen.' Ze trok een gezicht. 'Zo ziet u maar weer wat ik ervan weet.'

'Je had verwacht dat Olivia eerder zou vallen op mannen die iets meer... nou, iets meer Chocolate Midnight Cookies waren?'

Sinead grinnikte en leek zich te ontspannen. Denison had zich tot op dat punt helemaal niet gerealiseerd dat ze gespannen was. 'Aha, een man die de smaken van Häagen-Dazs kent. Ja, ik dacht dat Olivia eerder zou gaan voor iemand met een iets duisterder kant dan Nick. En blijkbaar had ik gelijk.'

'Wat gaf je het idee dat Olivia niet gelukkig zou zijn met vanille?'

Sinead leunde achterover en zette de beker op haar buik. 'Omdat ze zelf niet vanille was, denk ik.'

'Nick heeft me verteld dat ze behoorlijk temperamentvol kon zijn en dat haar stemming heel snel kon omslaan.'

'Waarschijnlijk een symptoom van verliefd zijn. Ik kreeg meer de indruk dat wat je zag niet noodzakelijk was wat er aanwezig was.'

'Denk je dat ze iets verborg?'

'Ja, gedeeltelijk. Maar ook dat ze het idee had dat ze iemand moest zijn die ze niet was. En soms had je opeens het gevoel dat je haar echte ik zag, niet de ik die zo bescheiden was of zo consciëntieus over het werk of zo lollig.'

Ze praatten nog even en Sinead schetste een beeld van een meisje dat onzekerder was dan ze eruitzag, dat eerst leek te willen weten wat de anderen ergens van vonden voordat ze voor haar eigen mening uitkwam.

Denison had zijn beker koffie allang leeg. Hij begon zijn aantekenboek en pen weg te stoppen.

'Vertelt ze veel over haar ouders?' vroeg Sinead.

Hij keek op van zijn koffertje. 'Waarom vraag je dat?'

'Ik dacht aan de keer dat ik haar ging opzoeken in Londen. Ze wist niet dat ik kwam. Ik had de winkel van haar ouders opgezocht in de Gouden Gids, want ik wist dat ze daarboven woonden. Ik dacht dat het leuk zou zijn om haar te verrassen.'

Sinead was tot de conclusie gekomen dat Londen haar niet erg beviel. Covent Garden was leuk en ze had beide keren dat ze naar het theater was gegaan enorm gelachen, maar in het centrum voelde ze zich niet op haar gemak. Om te beginnen was het er smerig – ze had een enorme hekel aan troep – en ze had uit het raampje van de bus een torenflat gezien met een matras op de kinderspeelplaats en een lage muur met 'JONNY IS EEN LUL' erop. Ze was in de bus bijna op een groot stuk kauwgom gaan zitten dat iemand heel attent op de bank had laten liggen. En de chauffeur had alleen maar gegromd toen ze hem had gevraagd het haar te zeggen als ze in Dalston High Street waren.

Op een bordje tegenover haar bankje stond dat het personeel van London Transport het recht had hun werk te doen zonder bang te hoeven zijn voor mishandeling en dat in dergelijke gevallen de politie werd ingeschakeld. Op een ander bordje stond: GRAFFITI IS VANDALISME, VANDALISME IS EEN MISDAAD. Iemand had er met groene viltstift JM 4 MK onder geschreven.

'Dalston,' zei de buschauffeur luid. Ze keek hem aan via de spiegel die hem zicht gaf op de passagiers. Ze zei: 'Dank u wel,' en liep naar de deur, waarbij ze blijkbaar de mensen ergerde omdat ze zich langs hen moest wringen.

Dalston was druk en lawaaiig. Ze bekeek de etalages en zag heren- en dameskappers, kledingwinkels en fastfoodrestaurants, maar geen 'Corscadden Detailhandel'. Ze zocht het nummer op in haar adresboekje en liep bijna tegen een vrouw op die met een kinderwagen van de andere kant kwam. 'Sorry,' zei ze, maar de vrouw zoog op haar tanden en liep door.

Er liep een mediterraan uitziende man langs met een zwarte snor en een glimmend grijs pak die kusgeluiden maakte. Ze bloosde en liep verder. Toen ze langs de Ridley Road Market kwam, werden haar door verschillende marktkooplui appels, kanten ondergoed en Nike sportschoenen aangeboden, die ze allemaal afsloeg.

'Weet u waar Corscadden Detailhandel is?' vroeg ze aan de man met de fruitkraam.

'De winkel van Barry, bedoel je? Je bent er bijna, liefje. Het is nog ietsje verder.'

De winkelpui was blauw en verweerd en de naam stond erop in verbleekte zwarte letters. Door het raam zag Sinead elektronische apparaten die bijna tot aan het plafond waren opgestapeld. Er piepte een sensor toen ze naar binnen ging.

Er keken een paar mensen rond, die de prijskaartjes inspecteerden en aan knoppen draaiden. Sinead zag een bak met koopjes; allerlei simpel ogende tweedehands camera's, en besefte dat ze in een winkel voor tweedehands goederen was. Hier kwamen mensen die meer behoefte hadden aan geld dan aan hun televisie.

Er stond een magere vrouw achter de toonbank, met gebleekt haar dat met een haarbandje naar achteren was getrokken en twee centimeter donkere uitgroei bij haar hoofdhuid. Ze droeg een limoenkleurig vestje en op een van haar blote armen zag Sinead een tatoeage met zo te zien de naam Barry.

'Ja, liefje,' zei de vrouw met een sigaret in haar mond.

'Ik vroeg me af of Olivia er soms was,' zei Sinead beleefd.

De vrouw kneep haar ogen een beetje dicht en lachte, wat haar aan het hoesten maakte. Er kwam een rookwolk uit haar mond terwijl ze kuchte.

'Sorry, liefje,' zei ze hees, en ze sloeg tegen haar borst alsof ze de teer in haar longen wilde loskrijgen. 'Het was niet mijn bedoeling je uit te lachen.'

Ze deed een stap naar een open deur achter haar en riep onder aan de trap: 'Cleo! Cleo, kom naar beneden!'

Sinead schudde met haar hoofd omdat ze dacht dat er een vergissing in het spel was, maar de vrouw was bezig haar sigaret uit te drukken. Ze hoorde luide stemmen op de trap, allebei met een sterk Londens accent.

'Bemoei je er niet mee, brutaal kreng!' hoorde ze een meisje zeggen.

'Rot op, Cleo. Alsof ik die pokkentroep van jou zou willen hebben!' hoorde ze het andere meisje antwoorden terwijl het geluid van voeten op de trap steeds luider werd.

Olivia verscheen onder aan de trap.

'Mam, zeg nou toch tegen Jodie...' Opeens zag ze Sinead en bleef ze als aan de grond genageld staan.

Sinead probeerde een glimlach. 'Hallo, Olivia!'

'Jij moet een vriendin van de universiteit zijn,' zei Olivia's moeder terwijl ze nog een Benson & Hedges opstak. 'Hier noemt niemand haar Olivia. We gebruiken sinds haar geboorte al haar eerste naam, nietwaar, Cleo?' Ze kneep Olivia in de wang, zodat er witte plekken achterbleven.

Olivia leek sprakeloos. Sinead voelde zich helemaal niet op haar gemak en wist ook niet wat ze moest zeggen.

'Ga je ons niet aan elkaar voorstellen?' drong Olivia's moeder aan.

Olivia streek met haar hand over haar haar. Haar krullen waren met gel gladgemaakt en met een zwarte scrunchie naar achteren getrokken, en ze droeg geen make-up. Ze had een wijd t-shirt aan, een zwart met witte nylon trainingsbroek met een streep aan de zijkant en sportschoenen van Reebok. Sinead besefte dat ze Olivia nog nooit iets dergelijks had zien dragen, zelfs niet bij de lessen zelfverdediging, als ze hun sportkleren aanhadden.

'Mam, dit is Sindy. Sindy, dit is mijn moeder. Ze heet Shelley.' Olivia's accent was opeens heel anders. Het was niet langer het Cockney dat Sinead net had gehoord, maar ook niet de prettige BBC-stem waar Sinead aan gewend was.

'Aangenaam,' zei Shelley, die haar sigaret overnam in haar linkerhand en met de rechter Sinead de hand schudde. Sinead zag de gele nicotinevlekken op Shelleys vingers.

Tot Sineads opluchting, en waarschijnlijk ook tot die van Olivia, kwam er op dat moment een klant klagen over een tv die hij de week daarvoor had gekocht en waarvan de afstandsbediening niet werkte.

'Heb je al geprobeerd er nieuwe batterijen in te doen, jongen?' vroeg Shelley, en Olivia gaf een rukje met haar hoofd in de richting van de deur.

'Zullen we iets gaan drinken?' vroeg ze, en haar stem was bijna weer normaal.

'Leuk,' zei Sinead. Olivia ging naar de trap en kwam terug met een kleine rugzak. Ze sprong op de toonbank, schoof eroverheen en trok Sinead bij haar elleboog mee naar de deur.

Er kwam een beer van een vent de winkel binnen. Zijn grijzende haar was heel kort geschoren en een Paul Smith-т-shirt zat strak om zijn bierbuik. Zijn onderarmen waren harig en bruin en Sinead zag haar tweede onduidelijke tatoeage van die dag. Deze luidde 'Shelley'.

'Cleo!' zei hij met een warme, ruwe stem. 'Waar ga jij heen, mop?'

'Weg,' zei Olivia zonder hem aan te kijken.

'Dat snap ik, liefje. Ik vroeg waarheen?'

'We gaan even wat drinken.'

Toen zag hij Sinead en hij bekeek haar van top tot teen.

'Wie is dit dan?' Hij lachte en zijn gezicht stond vriendelijk, maar Sinead had het niet op de blik in zijn ogen, die goudgroen waren zoals die van Olivia.

'Sindy. Kijk, pa, ma heeft problemen met een of andere kerel bij de toonbank.' Het Cockneyaccent was weer helemaal terug.

Olivia's vader keek naar de toonbank, waar Shelley nog steeds stond te redeneren met de ontevreden klant.

'Verdomme, niet weer. Goed dan, ga maar wat drinken, maar denk eraan dat je op de terugweg sigaretten meeneemt voor je moeder.'

Olivia stapte om hem heen, waarbij ze er zorgvuldig op lette hem niet aan te raken, en Sinead ging samen met haar weg. Olivia beende door de straat en Sinead moest moeite doen haar bij te houden.

'Wat kom je hier doen?' vroeg Olivia, die recht voor zich uit keek.

'Het spijt me, ik wist niet... Wil je dat ik wegga?'

'Daar is het nu een beetje laat voor.'

Olivia nam haar mee naar een pub vol voetbalsupporters die het

Engelse team aanmoedigden in de kwartfinale van de wereldbeker. Ze vonden een tafeltje achterin, een heel eind van het reusachtige televisiescherm.

Olivia haalde iets te drinken. Sinead nam zoals altijd witte wijn, maar ze zag tot haar verbazing dat Olivia een halve pint lager had genomen.

'Is dit jullie vaste pub?' vroeg Sinead na vijf minuten van ongemakkelijke stilte.

Olivia sloeg de helft van haar lager achterover. 'Ja,' zei ze eindelijk, en ze veegde haar mond af. Ze weigerde Sinead aan te kijken. 'Wil je liever een wijnbar opzoeken?' vroeg ze op kille toon. 'Of zo'n mooie pub met grote banken en een laminaatvloer?'

'Nee, hier is het prima,' zei Sinead. 'Hoor eens, Liv, het spijt me echt. Ik dacht dat het leuk zou zijn om je te verrassen.'

Olivia keek Sinead plotseling fel en doordringend aan. 'Je vertelt niemand hierover, toch?'

'Als je dat niet wilt, doe ik het niet. Maar Liv, niemand zou minder over je denken, hoor. Verdomd, dat stel in Ariel zou je waarschijnlijk nog gaver vinden!'

Sinead zag dat Olivia's mondhoek iets omhoogging en besloot te stoppen met haar pogingen haar gerust te stellen.

'Hoor eens, ik zeg niets, dat beloof ik.'

Dat leek genoeg te zijn voor Olivia en ze bleven een tijdje zwijgend zitten drinken. Uiteindelijk wilde Sinead weten of ze één ding kon vragen: 'Waarom zei je dat ik Sindy heette in plaats van Sinead? Niemand noemt me ooit Sindy.'

'Hoe minder ze weten, hoe beter, neem dat maar van mij aan,' zei Olivia.

'Raar, vindt u ook niet?' vroeg Sinead.

'Heel raar.' Denison leunde achterover en probeerde de informatie die Sinead hem net verschaft had te verwerken. Hij voelde een golf van opwinding: dit leek zo goed te passen bij wat hij was gaan vermoeden. Hij sprong overeind en stak Sinead zijn hand toe.

'Sinead, heel erg bedankt voor je hulp.' Ze leek verrast door zijn plotselinge afscheid en het duurde een paar seconden voor ze hem een hand gaf.

Denison maakte een heleboel aantekeningen in de trein op de terugweg naar Londen. De volgende dag had hij een afspraak met Nick.

'Heb je ooit Olivia's ouders ontmoet?' was de eerste vraag die hij hem stelde toen de plichtplegingen eenmaal achter de rug waren.

'Nee.' Nick fronste. 'Dat wilde ze niet. Ik kreeg de indruk dat ze zich voor hen schaamde.' Weathers had Denison verteld dat Olivia's vader meerdere malen veroordeeld was voor inbraak en het toebrengen van zwaar lichamelijk letsel. Denison kon wel begrijpen dat Olivia hem niet graag aan Nick had voorgesteld.

'Heeft Sinead Flynn je ooit verteld van die keer dat ze Olivia in Londen is gaan opzoeken?'

'Nee, ik wist niet dat ze dat gedaan had. Olivia heeft het er nooit over gehad. Wanneer is dat gebeurd?'

'In de zomer na jullie eerste jaar.'

Nick beet op een vingernagel. 'Olivia wilde weer bij mij en mijn ouders logeren. Maar mijn moeder weigerde. Ze vond dat het te snel serieus werd tussen ons. Ik was zo dom geweest haar te vertellen dat we kamers naast elkaar hadden gekregen in Carriwell Court. "Wat gebeurt er als jullie uit elkaar gaan?" zei hij met de stem van zijn moeder. "Dan zit je de rest van het jaar aan dat meisje vast!" Ik wilde met Olivia meegaan en bij haar logeren als zij niet bij ons kon zijn, maar zoals ik al zei wilde ze niet dat ik bij hen in de buurt kwam.'

'Hoe was jullie relatie in de maanden na de moord op Amanda Montgomery?' vroeg Denison.

'Ik geloof dat het ons nog dichter tot elkaar heeft gebracht. Een heleboel stelletjes op Ariel zijn daarna uit elkaar gegaan, maar ik weet niet of dat kwam omdat de meisjes hun vriendjes niet meer vertrouwden of dat de vriendjes te beschermend werden. Er waren een heleboel jongens die dat jaar de Rag Blind

Date wilden doen, dat weet ik wel.'

'Wat is dat, een soort actie voor het goede doel?'

'Ja, alle colleges doen eraan mee. Je vult een formulier in met je gegevens, beantwoordt een paar domme vragen, betaalt wat en dan koppelen ze je aan iemand van een ander college om op Valentijnsdag mee uit te gaan. Maar het zat er dat jaar niet in. Niet voor Ariel, in ieder geval.' Nick leek vermoeid. 'Geen van de meisjes van andere colleges wilde het risico nemen uit te gaan met een jongen van Ariel. Ze wilden niets met ons te maken hebben.'

'Maar jij ging uit met Olivia.'

Hij glimlachte. 'Ja, we hadden wat gespaard en hebben alles uitgegeven aan champagne bij Brown's.'

Denison fronste. 'Brown's? Weet je dat zeker?'

'Ja. Hoezo?'

Denison bladerde door de aantekeningen van zijn gesprekken met Olivia. 'Ze heeft mij verteld dat jullie naar een film zijn geweest, *Interview with the Vampire*.'

'Dat was het jaar daarop,' zei Nick.

'Weet je dat zeker?'

'Natuurlijk weet ik dat zeker. Het is altijd hetzelfde met Liv.'

'Wat is altijd hetzelfde?'

'Ze haalt dingen door elkaar. Ze denkt bijvoorbeeld dat iets op een ander moment is gebeurd. Of ze vergeet dingen. Op een keer hadden we afgesproken in de stad en toen kwam ze niet opdagen. Ik maakte me zorgen, met die zogenaamde Slager van Cambridge in de buurt, dus ik racete terug naar onze kamers en daar zat ze met een kop thee tv te kijken. Ik werd kwaad en begon te schreeuwen, en zoals gewoonlijk keek ze me alleen maar wezenloos aan.'

'Wezenloos?'

'Ja, dan lijkt ze heel even een zombie en verdwijnt elke uitdrukking uit haar ogen. Daarna verontschuldigt ze zich en is ze heel lief en luchtig, of ze spuwt als een cobra en valt je aan.'

Olivia zat naar de vaas met felgekleurde anemonen op de salontafel te kijken.

'Mooi, hè?' zei Denison in een poging het gesprek op gang te brengen.

'Ja,' zei ze kleintjes.

'Olivia, hoe voel je je vandaag?'

Ze haalde heel licht haar schouders op. 'Goed, hoor.'

'Weet je, ik heb Nick gisteren gesproken. Ik moest je de groeten doen.'

Ze glimlachte. Het was maar een kort glimlachje, maar het was er.

'Maar één ding was wel vreemd. Hij scheen te denken dat jullie de Valentijnsdag waarover je me verteld had niet naar de bioscoop waren gegaan. Hij dacht dat jullie naar Brown's Restaurant waren geweest, je weet wel, dat grote ding op Trumpington Street.'

Ze schudde haar hoofd. 'Nee, dat geloof ik niet.'

'Hij heeft anders wel gelijk, Olivia. Ik heb het gecontroleerd en het filmhuis van Peterhouse had dat jaar *Casablanca* als Valentijnsfilm. Jullie moeten het jaar daarop zijn gegaan. Weet je nog dat jullie bij Brown's gegeten hebben?'

Ze schudde haar hoofd weer.

'Hij zei dat de kelner je een rode roos bracht. En er zat een hartvormige ballon aan je stoel gebonden. Weet je dat niet meer?'

Weer schudde ze haar hoofd. Er liep een traan over haar wang.

'Olivia, ik heb drie dagen geleden Sinead Flynn gesproken in Cambridge. Ze vertelde me iets heel interessants.' Hij zag Olivia bijna in elkaar krimpen. 'Kun jij bedenken wat ze me verteld heeft?'

'Nee,' fluisterde Olivia.

'Weet je nog dat Sinead je in Londen is komen opzoeken?'

'Dat heeft ze niet gedaan!' zei Olivia scherp.

'In juni, de zomer na jullie eerste jaar. Ze kwam naar de winkel van je ouders. Je nam haar mee naar een pub vol voetbalsupporters die naar een wereldbekerwedstrijd zaten te kijken.'

Olivia schudde heftig haar hoofd, en er liepen nog meer tranen over haar rode wangen. 'Je hebt haar gezegd dat ze haar mond moest houden over je ouders tegen de anderen in Cambridge. Waarom was dat? Waarom heb je iedereen verteld dat je Olivia heette in plaats van Cleo?'

Olivia trilde over haar hele lichaam. Toen zag Denison de wezenloosheid waar Nick het over had gehad. Olivia verstijfde en leunde toen achterover. Ze staarde voor zich uit zonder iets te zien en haar ogen waren net die van een pop. Hij keek gefascineerd toe en hield zijn adem in.

Het duurde maar een paar seconden, en toen ging er een rilling door haar heen en knipperde ze met haar ogen. Haar blik werd weer scherp en ze keek op naar Denison.

'Het spijt me, dokter Denison,' zei ze kalm. Ze pakte een zakdoekje uit de doos op de salontafel en veegde de tranen weg alsof ze haar make-up verwijderde voordat ze naar bed ging. 'Wat vroeg u ook alweer?'

'Ik vroeg hoe je heette,' loog hij, en zijn tenen trokken onwillekeurig krom in zijn schoenen.

'Nou, nou,' zei ze met een glimlach. 'Ik vroeg me al af wanneer u het door zou krijgen. Mijn naam is Helen, dokter Denison. Leuk u te ontmoeten. Officieel, tenminste.'

hoofdstuk **TIEN**

De plaats delict was niet ver van de flat van inspecteur Weathers. Zijn auto had amper tijd om warm te worden voordat hij hem parkeerde in Victoria Avenue, de weg die over Midsummer Common en Jesus Green liep.

Het was de ochtend na het vuurwerk. Op 5 november was er altijd vuurwerk en kermis op het veld, waar duizenden inwoners van Cambridgeshire op afkwamen. Er stonden nog een paar caravans en vrachtwagens van de kermis en het gras was helemaal kapotgereden. Bij de bomen langs Jesus Green zag Weathers het blauw-witte politielint. Aan de andere kant van het beekje dat door het park liep was al een witte tent opgezet, het soort tent dat ze gebruikten om lijken te beschutten tegen de elementen en spiedende ogen.

Hij ging de kant van de tent uit, liep voorzichtig over de houten plank die over het smalle beekje lag en ging naar een man in een overall en met witte hoezen om zijn schoenen.

'Hé, dokter, jij bent er snel.'

De patholoog haalde zijn schouders op. 'Ik heb de nacht in mijn alma mater doorgebracht.' Dokter Trevor gaf ook les aan de studenten geneeskunde en zat in de faculteit van Magdalene College.

'Wat kun je me vertellen?'

Bracknell ging hem voor naar de tent, die achter een braambosje stond tussen een groepje groenblijvende bomen. Weathers voelde de naalden langs zijn hoofd schrapen toen hij tussen de bomen door manoeuvreerde. Bracknell trok de flap van de tent opzij en liet hen binnen.

Het meisje zat tegen een boom, met haar handen in haar schoot en haar benen tegen elkaar en voor zich uit. Haar gezicht zat onder het bloed, haar neus was gebroken en er zaten groene vegen op. Er zat een diepe wond in haar lip die haar hele rechterhoektand bloot-legde, zodat ze een vreemd snerende uitdrukking kreeg. Haar panty was kapot en hing aan één been in flarden om haar enkels. Er waren nergens schoenen te zien.

Weathers liet zich op zijn hurken zakken om haar beter te bekij-ken. 'Nou, er mist in ieder geval niets aan. Enig idee hoe lang ze al dood is?'

'Het tijdstip van overlijden ligt ergens tussen zeven uur gister-avond en twee uur vanmorgen,' zei Bracknell. Weathers keek naar hem, maar Bracknell haalde zijn schouders op. 'Dat is minder vaag dan ik zou moeten zijn. Je weet dat ik geen accuraat tijdstip kan ge-ven tot we haar op de tafel hebben gehad.'

'Ja, ja. Die wonden aan het hoofd zijn zeker de doodsoorzaak?'

'Waarschijnlijk wel. Maar wie weet wat we nog aantreffen als we haar in het lab uitkleden. Misschien een prik van een naald. Of een doorboord trommelvlies door een ijspriem.' De patholoog stond be-kend om zijn subtiele sarcasme.

Weathers was niet van plan daarin mee te gaan. 'Je hebt weer naar *Midsomer Murders* gekeken.'

Bracknell snoof.

'Hé, baas.' Het was hoofdagent Halloran in een blauw ski-jack.

'John, heb je wat gevonden?'

'Een ramp van een plaats delict, dat heb ik gevonden. Overal lig-gen bierblikjes, sigarettenpeuken en condooms. Alleen al uit die troep kunnen we DNA krijgen van vijftig verschillende mensen.'

'Het ziet ernaar uit dat ze verkracht is,' merkte Weathers op met een knikje naar de kapotte panty. 'Als dat zo is, krijgen we hopelijk het DNA van de moordenaar. Weten we al wie ze is?'

Bracknell schudde zijn hoofd. 'Ze had alleen wat make-up en een zakdoek in haar zakken.'

'Geen teken van een handtas? Of schoenen?'

'Nee.' Halloran haalde zijn schouders op. 'Een uit de hand gelopen beroving? Of een verkrachter die de tas en de dure schoenen beschouwde als mooie trofeeën?'

'Als het hem om geld te doen was, heeft hij de tas intussen wel weggegooid. Hij zou hier ergens moeten liggen. Geef even door dat ze het ons moeten laten weten als er tassen worden gevonden of afgegeven. En zoek uit of er de laatste twaalf uur iemand als vermist is opgegeven.'

Het meisje dat voor hem zat trok het bandje uit haar haar en bevrijdde haar krullen. Ze maakte ze los met haar hand, leunde achterover op de bank en trok haar voeten op.

'Je mag hier niet roken, hè?' vroeg ze met een ontspannen glimlach.

Denison keek haar alleen maar aan. Toen schrok hij op en zijn hand ging automatisch naar het pakje sigaretten in zijn binnenzak.

'Het is niet de bedoeling,' zei hij. 'Maar als jij je mond houdt, doe ik het ook.' Hij haalde het pakje voor de dag, bood haar een sigaret aan en stak er zelf ook een op. Toen dacht hij eraan de asbak uit een van zijn afsluitbare laden te halen. En de bus luchtverfrisser met appelgeur.

Het meisje zoog haar longen vol rook en blies die met een zucht van genot weer uit. 'Ik heb in geen tijden een sigaret gehad. Geen van de anderen rookt. In ieder geval niet degenen die naar het oppervlak komen.'

Denison stikte bijna in de rook. Hij probeerde nonchalant te blijven. 'De anderen?' vroeg hij terloops.

'Ja, de anderen.' Het meisje keek hem aan door de rook die

opsteeg van haar sigaret. 'Als u vragen wilt stellen, zult u directer moeten zijn. U krijgt me toch niet zover dat ik meer vertel dan ik van plan ben, dus u kunt net zo goed eerlijk tegen me zijn.'

Denison leunde naar voren en drukte zijn amper aangestoken sigaret uit.

'Goed dan,' zei hij. 'Over wie heb je het als je "anderen" zegt? Olivia?'

Het meisje knikte. 'Zij is er een van. De voornaamste, neem ik aan. En ik kom waarschijnlijk op de tweede plaats. Hoewel het voelt alsof ik degene ben die het grootste deel van de tijd de touwtjes in handen heeft, als u begrijpt wat ik bedoel.'

'Wie is er verder nog, behalve Olivia?'

'Even zien... Mary is de slimme meid. Degene die ons op Cambridge heeft gekregen. Doet vaak niet de moeite op te komen dagen voor mondelinge tentamens, dus dat is wel een paar keer paniek geweest voor Olivia. En dan hebben we Kelly. Ik denk dat u haar wel ontmoet heeft. Ze is een muis en zou nog geen vlieg kunnen doodslaan en zo. En Vanna, dat is degene die je nodig zou hebben als je op het punt stond overvallen te worden. Christie is de jongste, dat is eigenlijk nog maar een kleuter. En dan is Jude er nog. En ik, Helen. Ik ben niet de slimste, niet de hardste en ook niet de jongste. Ik geloof dat ik degene ben die alles bij elkaar houdt en probeert het niet te moeilijk te maken voor Olivia. Die sukkel weet namelijk niets van ons af, ziet u. Ik probeer de overgangen soepel te laten verlopen, maar ik kan de anderen niet altijd in bedwang houden.'

Helen tikte haar sigaret tegen de rand van de asbak, zodat er een centimeter as af viel.

Denison maakte in hoog tempo aantekeningen. In het midden stond de naam Jude met een cirkel eromheen.

'Hoe lang bestaan jullie allemaal al?' vroeg hij.

Helen keek naar het plafond alsof ze probeerde het zich te herinneren. 'Ik ben er niet honderd procent zeker van, want ik ben er niet vanaf het begin bij geweest. Ik denk dat Kelly de eerste was, en daarna kwam Mary en toen Vanna. Christie is er als laatste bij gekomen. Ik denk dat Olivia een jaar of drie was toen het begon. Drie of vier.'

Drie of vier jaar oud. Denison wist in welke richting hij het gesprek moest sturen. Bijna alle lectuur over het onderwerp – tenminste, alle lectuur die dit als een echte ziekte beschouwde – was het erover eens dat de oorzaak was gelegen in ernstig en langdurig kindermisbruik. Hij haalde diep adem.

'Helen, kun je me vertellen wat Olivia zover heeft gebracht om...'

'... zich op te splitsen? Nou, ik zou denken omdat ze verkracht werd door die schoft die zich haar vader noemt.'

Het misbruik begon niet met verkrachting, vertelde Helen hem. Olivia's vader vond dat ze eerst 'opgevoed' moest worden. Er was geen leeftijd waarop ze zich niet kon herinneren op de een of andere manier misbruikt te zijn. Ze was ermee geboren.

Haar vader verkrachtte haar voor de eerste keer toen ze vijf was. Ze deed haar ogen dicht en deed alsof ze Kelly was. Haar arme denkbeeldige vriendinnetje Kelly was meestal de pineut. Kelly stond op de foto's die Olivia's vader nam en Kelly werd uiteindelijk doorgegeven aan andere mannen met dezelfde weerzinwekkende verlangens.

Toen Olivia acht was, begonnen de andere mannen persoonlijke bezoekjes af te leggen. Haar vader werd goed betaald, in contanten of in natura. Als de mannen haar kwaad deden, haar sloegen of andere sporen achterlieten, moesten ze extra betalen. Vanna was degene die erover fantaseerde om een keukenmes te pakken en de klootzakken te castreren. Als Olivia zich op school niet kon concentreren, bijvoorbeeld als ze wist dat er die avond een 'oom' op bezoek kwam of op de morgens wanneer haar vader bij het ontbijt naar haar geknipoogd had, het signaal dat ze in de middagpauze naar huis moest komen, kwam Mary voor de dag om het schoolwerk te doen. Christie maakte haar opwachting toen Olivia dertien was en zij kon alleen maar in elkaar kruipen en huilen. Als ze Christie was, kon ze doen alsof ze te jong was om te weten dat wat er met haar gebeurde verkeerd was.

Olivia kwam op haar veertiende in de puberteit en op haar vijftiende, toen ze meer een vrouw dan een meisje leek, stopten de bezoekjes van de andere mannen. Ze had twee jongere zusjes, Samantha en Jodie, en ze verwachtte dat de mannen bij hen op bezoek zouden gaan. Maar dat gebeurde nooit. Haar zusjes bleven ongedeerd.

Haar vader strafte haar voor elke man die zijn belangstelling voor haar verloor. Hij strafte haar door haar achter de deur van haar slaapkamer op te wachten en haar een stomp in haar nieren te geven als ze de kamer binnenkwam. Hij strafte haar door haar te laten opeten wat hun kat Tintin in de kattenbak had gedeponeerd. Hij strafte haar een keer door al haar haar af te scheren – dat hadden ze de volgende maandag op school prachtig gevonden – en een keer door haar met haar ogen dicht op de vloer te laten liggen en daarna op haar borstkas te knielen tot ze een rib hoorde breken.

'Ribben breken verrassend gemakkelijk,' had de dokter op de afdeling Spoedeisende Hulp tegen haar ouders gezegd terwijl hij een geeuw onderdrukte. 'Ik stel voor dat...' Hij keek op zijn klembord. '... Cleo voorlopig geen balspelletjes doet. Of dat ze anders met minder fanatieke kinderen speelt.'

De puberteit bood geen ontsnapping aan de seksuele bezoekjes van haar vader, hoewel hij er niet zo opgewonden van werd om haar te verkrachten als in het verleden. Het leek eerder alsof hij het zijn plicht vond, de enige manier om haar onder de duim te houden. Het werd minder stelselmatig en werd soms zo nonchalant afgehandeld dat het was alsof hij zich had willen aftrekken en had besloten dat hij zijn zaad sneller en gemakkelijker in zijn dochter kon lozen dan in een tissue.

Op een keer kwam Vanna naar boven en veranderde het meisje dat anders altijd roerloos onder hem lag in een snauwend roofdier. Ze zette haar nagels in hem en de huid hoopte zich eronder op. Hij sloeg haar hoofd zo hard tegen het hoofdeinde van het bed dat ze bijna bewusteloos raakte en terwijl ze versuft op het roze laken lag, haalde hij een metalen hanger uit haar klerenkast en strafte haar ermee. Geen van Olivia's persoonlijkheden had ooit de moed gevonden om uit te zoeken of ze nog kinderen kon krijgen.

Denison slikte de brok in zijn keel weg toen hij Helen het verhaal van Olivia hoorde vertellen. Hij moest moeite doen objectief te blijven.

'En je moeder?' vroeg hij.

Helens sigaret was allang opgebrand. Hij bood haar er nog een aan, die ze accepteerde. 'Ze wist het. Dat wijf wist het. Hij vertelde bijvoorbeeld: "Cleo heeft vannacht weer vijftig pond voor ons verdiend." En dan zei zij: "Laat haar harder werken. Volgende week is Jodie jarig."'

'Ben jij ooit... Heb je ooit...'

'U bent wel erg preuts voor een forensisch psychiater,' zei Helen. 'Ik dacht dat jullie altijd moesten doen alsof niets jullie kon schokken.'

'Om eerlijk te zijn ben ik nog nooit zoiets als dit tegengekomen,' bekende Denison. Hij schraapte zijn keel. 'Helen, ben jij ooit verkracht?'

Ze knikte en keek naar het uiteinde van haar sigaret. 'Ik heb mijn deel gekregen van Olivia's bezoekers. Maar niet de gewelddadige. Ik kwam meestal voor de dag bij degenen die verleid wilden worden. De mannen die dachten dat kinderen het eigenlijk wel fijn vonden om door oudere mannen geneukt te worden.'

Denison keek naar de talloze vragen die hij op zijn aantekenblok had geschreven. 'Mag ik vragen of je enig idee hebt waarom je jongere zusjes niet hetzelfde misbruik hebben ondergaan?'

Helen haalde haar schouders op. 'Geen idee. Olivia's ouders deden altijd alsof ze toevallig in hetzelfde huis woonde, puur voor het gemak en de inkomsten. Ze behandelden haar zusjes alsof zij de echte kinderen waren.'

'Kan Olivia een beetje met haar zusjes opschieten?'

'Er is onvermijdelijk sprake van bitterheid en jaloezie. Maar ik kan me niet voorstellen dat ze echt gelukkiger zou zijn als Samantha en Jodie hetzelfde lot hadden ondergaan.'

Denison leunde achterover en trok zijn jasje recht. 'Het is heel ongebruikelijk dat mensen die zo zwaar misbruikt zijn een normale, gezonde seksuele relatie kunnen opbouwen,' begon hij. 'Maar Olivia en Nick lijken te bewijzen dat het toch kan. Kun jij dat verklaren?'

Helen bracht de sigaret naar haar lippen, aarzelde en nam toen een trekje. 'Soms is hij met mij,' bekende ze. 'Maar u hebt gelijk, meestal is het Olivia. Ik weet niet of ik dat helemaal kan verklaren. Ik denk dat ze zich negenennegentig procent van het misbruik helemaal niet herinnert. Daar waren wij voor. Olivia haat haar ouders en de gedachte aan hen maakt haar ziek, maar ik weet niet zeker of ze wel weet waarom, niet bewust in elk geval.

En het komt ook door Nick zelf. Die jongen is gewoon een fatsoenlijk mens. We hebben ons vanaf het eerste moment veilig gevoeld bij hem. We vertrouwden hem. We wisten dat hij ons nooit kwaad zou doen. Hij gaf ons het gevoel alsof we normaal waren.'

Helens wimpers waren nat. Ze hoestte en drukte de sigaret uit. 'Ik ben me ervan bewust dat ik veel meer van uw tijd in beslag neem dan gewoonlijk, dokter.' Ze ging overeind zitten en deed haar schoenen aan. 'Hebt u nog vragen?'

Hij had al meer dan een uur niet op zijn horloge gekeken, en dat betekende dat zijn volgende patiënt waarschijnlijk heel erg ongeduldig werd.

'Nog maar één voor deze keer. Wie is Jude?'

Helens gezicht werd ernstig. 'Hij zou er niet blij mee zijn als ik u over hem vertelde,' zei ze bijna fluisterend. 'Het spijt me. Hij komt naar voren wanneer hij dat wil, ziet u.' Ze bleef even bij de deur staan. 'En ik wil niet dat hij u kwaad doet.'

Het meisje lag gewassen en naakt op de metalen snijtafel. Het blad daarvan stond schuin, zodat alle vloeistoffen die uit het lijk kwamen door gaten in containers onder de tafel liepen.

Het slachtoffer was slank en had gemanicuurde handen en kortgeknipt schaamhaar. Er liep een Y-vormige incisie over het lichaam, die de organen blootlegde.

Halloran hield zijn hoofd scheef. 'Mooie tieten,' merkte hij op, wat hem een smerige blik van dokter Bracknell opleverde.

Hoewel het gezicht van het meisje gewassen was, was er te veel schade om te kunnen zeggen of ze knap was geweest. Haar neus was platgeslagen en haar ogen zaten dicht. Door de kapotte bovenlip staken gebroken tanden. De huid op haar buik zat vol ovale roze plekken.

'Wat kun je ons vertellen?'

'Ernstig trauma aan het gezicht, zoals je weet. Gebroken jukbeen en neus. Een kneuzing op het voorhoofd en een onderliggende fractuur in de schedel. Veel bloedverlies. Maar daar is ze niet meteen aan doodgegaan.

Toen ze bewusteloos of half bewusteloos op de grond lag, heeft hij haar herhaaldelijk in de buik en de borst geschopt. Die ronde plekken zijn van de punt van een schoen of een laars. Ze had vier gebroken ribben en een gescheurde milt. Maar de uiteindelijke doodsoorzaak zijn de verwondingen aan het hoofd.'

'En klopt onze theorie over het moordwapen?'

'De wonden kunnen inderdaad zijn veroorzaakt doordat haar hoofd herhaaldelijk tegen een boomstam is geslagen. Ik heb monsters genomen van de groene vlekken op haar gezicht, dus die kun je vergelijken met het mos op de boom.' Ze hadden bloed en haar gevonden op de boom die naast de spar stond waar Weathers naalden van in zijn haar had gekregen.

'Tijdstip van overlijden?'

'Er zat tortellini en een soort chocoladedessert in haar maag. Die waren nog maar gedeeltelijk verteerd. Als je erachter kunt komen hoe laat ze gegeten heeft, voeg je er een of twee uur aan toe en heb je het juiste tijdstip.'

'En is ze aangerand?'

'Blijkbaar niet,' zei Bracknell, en hij klonk net zo verrast als zij waren. 'Ik weet dat haar panty kapot was, maar ze had haar slipje nog aan en dat was niet beschadigd. Er was geen spoor van vaginale of anale verwondingen, er was geen vocht aanwezig en de uitstrijkjes waren negatief.'

'Oh-o,' kreunde Halloran. 'Dit klinkt afschuwelijk bekend.'

'Leeftijd?' vroeg Weathers, hoewel hij het antwoord dat zou komen eigenlijk niet wilde horen.

'Rond de twintig.'

Hij wisselde een blik met Halloran. 'Ik zal Matthew Denison maar bellen,' zei hij met tegenzin. Hij voelde een opkomende hoofdpijn.

'Matt, we hebben er nog een.' Denison stond bij een juwelier een cadeautje voor de verjaardag van zijn vriendin uit te zoeken. Hij wist niet of hij voor goud, platina of zilver moest gaan en ook niet of Cass het verschil kon zien tussen een diamant en een zirkoon, en het duurde even voor de stem van Weathers tot hem doordrong. Maar toen hij dat deed, liet hij bijna zijn mobiel vallen. 'Matt?' herhaalde Weathers.

'Ik ben er nog.'

Weathers klonk dringend. 'Kun je hierheen komen?'

'Natuurlijk. Ik kom zo snel mogelijk.'

Hij reed te snel over de M11 en zijn handen trilden op het stuur. Weathers wachtte hem op in de receptie van het politiebureau. Hij had donkere kringen onder zijn ogen en Denison wilde wedden dat hij die ochtend geen scheermes gezien had. Hij schudde Denison de hand.

'Bedankt dat je gekomen bent, Matt. Kom op, dan gaan we naar de recherchekamer.'

Ze liepen door de gang, en Denisons rubberen zolen piepten op het linoleum. 'Was het erg?'

Weathers moest bijna lachen. 'Ja, het was erg. Niet zo erg als Amanda, maar het is niet gemakkelijk om zo'n moord te overtreffen.'

Er bevonden zich ongeveer tien rechercheurs in de kamer, en de meesten zaten aan de telefoon of achter de computer. Agent Ames was bezig foto's van de plaats delict op het whiteboard achter in de kamer te bevestigen. Ze knikte naar Denison.

Hij bekeek de foto's zorgvuldig en slikte. 'Enig idee waar ze aan is overleden?'

'We denken aan een psychopaat,' zei Ames. Ze zag Denisons gezicht. 'Sorry, Matt. Slechte grap.'

'Het ziet ernaar uit dat ze met haar gezicht tegen een van die bomen is geslagen,' vertelde Weathers hem. 'Daar komt die groene kleur vandaan, van de bast. Er waren ook een heleboel blauwe plekken op haar borst en haar buik. Blijkbaar heeft de moordenaar eens goed op haar in geschopt toen ze op de grond lag.'

'Als ze blauwe plekken heeft, kan ze niet meteen dood zijn geweest,' zei Denison.

'Nee. Ze moet een tijdje hebben liggen doodgaan, op een paar meter van honderden mensen. Ik vraag me af of hij haar voor dood heeft achtergelaten of heeft gewacht tot ze haar laatste adem uitblies.'

Denison wreef over zijn gezicht. 'Ik denk dat hij zich ervan verzekerd heeft dat ze dood was voordat hij wegging, als hij zich tenminste veilig genoeg heeft gevoeld om te blijven. In het donker moeten die bomen beschutting hebben gegeven. Of was er misschien een kans dat er kleffe stelletjes langs zouden komen, op zoek naar privacy?'

'We roepen getuigen op zich te melden, maar te oordelen naar het aantal lege flesjes in de afvalemmers in het park liggen een heleboel van hen nog in bed. Komen er al ideeën bij je op, Matt?'

Denison keek nog eens naar de foto van het dode meisje tegen de boomstam. 'Alleen dat dezelfde mate van geweld lijkt te zijn gebruikt. Moet je haar gezicht zien. Hij wilde haar wegvagen. Maar... het is anders dan de moord op Montgomery. Het lijkt niet seksueel.'

'Zelfs niet met die gescheurde panty?' zei Weathers, die de advocaat van de duivel speelde.

'Dat kan bij de worsteling zijn gebeurd. Was haar ondergoed weg?'

Weathers schudde zijn hoofd.

'Ik wed dat je dit keer ook niets zult vinden bij de uitstrijkjes. En de moord is in een opwelling gepleegd. Hij had geen wapen bij zich, dus moest hij haar met zijn blote handen doden, op een openbare

plek. Ik wil er wat om verwedden dat ze hem een tijdje heeft dwars-
gezeten en dat iets wat ze gisteravond heeft gezegd of gedaan de
laatste druppel was. Dit was niet gepland.'

'Denk je dat het dezelfde moordenaar is?'

Denison keek hem aan. 'Is er verband tussen haar en Amanda?'

'Jij eerst.'

'Je wilt me op de proef stellen? Prima. Ja, het is dezelfde moordenaar. Hetzelfde minderwaardigheidscomplex, dezelfde woede, dezelfde haat jegens vrouwen. God verhoede dat er twee van die psychopaten rondlopen in dezelfde stad. Het moet dezelfde dader zijn.'

Weathers knikte met een zucht.

'Nou? Er is verband, nietwaar?'

'We hebben haar pas een uur geleden geïdentificeerd, maar dit
meisje blijkt ook van Ariel te komen. Uit hetzelfde jaar als Amanda.
Haar naam is Eliza Fitzstanley.'

'Eliza, je bevriest nog,' zei Sinead, die twee truien droeg en thermisch
ondergoed. 'Moet je nou eens kijken. Straks krijg je bevriezingen omdat je er zo nodig mooi uit wilt zien.'

Eliza droeg een zijden blouse, een kort rokje, een panty, Jimmy
Choo-laarzen en haar favoriete Armani-regenjas.

'Maak je over mij maar geen zorgen,' zei ze. 'Ik heb een maatje om
me warm te houden.' Ze haalde half een kleine zilveren whiskyfles
uit haar jaszak en knipoogde.

Sinead rolde met haar ogen. 'Nou, als je mij maar niet de schuld
geeft als je tenen er over een week af vallen.'

Olivia lachte en sloeg een sjaal om haar nek. 'Gaan we nog?' zei
ze. 'Ik wil de kermis op voordat het vuurwerk begint.'

'Rustig aan, juffie,' zei Sinead. 'We zitten te wachten op jouw
vriendje.' Ze keken naar de eerstejaars, die nog moesten kalmeren en
moesten wennen aan het leven op Ariel, en die uit alle macht probeerden vrienden te maken. Een van hen zette voor de vijfde keer die
avond Velvet Underground op.

Eliza zong zachtjes mee, terwijl ze verleidelijk langs haar kniehó-
ge laarzen streek en over haar lippen likte, met haar blik op een eer-

stejaars, die keek alsof hij niet wist of hij zich gevleid of doodsbang moest voelen.

'Let maar niet op haar, ze is getrouwd,' riep Sinead. Op dat moment kwam Godfrey op hen aflopen en hij knielde en kuste de punt van Eliza's laars. Alsof dat nog niet genoeg was, liet hij zijn tong langs de laars naar boven gaan en gromde hij.

De mond van de eerstejaars viel open en hij verdween hoofdschuddend in de richting van de flipperkast.

'Godfrey, verman je,' vermaande Sinead. 'Je maakt de kinderen bang.' Het was het door God gegeven recht van de oudere studenten om neer te kijken op de eerstejaars.

Nick kwam opdagen met een pakje sterretjes in elke zak en ze gingen naar Midsummer Common.

Het was koud, maar helder, en toen ze dichterbij kwamen, sloten ze zich aan bij een steeds grotere groep kermisgangers. Ze stroomden als een rivier in de oceaan van studenten en mensen uit de stad die het park overspoelde. De enorme attracties schitterden van de lichtjes en de zware bas van de muziek liet de grond trillen. Olivia hoorde gegil en gejuich van de mensen in de attracties. Ze zocht de engste uit en sleepte Nick ernaartoe.

In de Tornado werd je vastgemaakt in een stoeltje en op topsnelheid alle kanten uit geschoten. Nick aarzelde, maar Olivia kreeg er alleen maar meer zin in toen ze de gezichten zag van de mensen die er al in zaten. Nick liet zijn blik gaan over de Hollywoodsterren die als decoratie waren gebruikt. Arnold Schwarzenegger in zijn *Terminator*-kostuum, en Madonna herkende hij voornamelijk aan haar conische beha, maar de rest kon hij niet thuisbrengen.

'Moet dat Tina Turner voorstellen?' vroeg hij aan Olivia. Ze hoorde hem niet eens, zo fanatiek duwde ze zich door de menigte naar de attractie. Ze betaalde voor hen allebei. Na drie minuten centrifugale krachten was Nick hees van zijn mannelijke gegil en wilde Olivia nog een keer.

'Nee,' weigerde hij en hij trok haar mee naar het hotdogkraampje.

'Dus,' zei ze terwijl ze een hotdog met mosterd at, 'is alles nu weer goed tussen jou en Godfrey?'

Hij haalde zijn schouders op. 'Ik geloof het wel. Die jongen wordt nooit getuige bij mijn huwelijk of zoiets, maar ik denk dat hij er wel spijt van heeft dat hij zich heeft bemoeid met die toestand tussen Rob en Victor Kesselich.'

'Je bent niet bepaald haatdragend.'

Hij keek naar haar. Haar ogen stonden helder, opgewonden door de lichtjes, de beweging en het geluid. 'Nee, dat geloof ik niet.'

Hij kocht een ketting voor haar die haar gezicht en hals verlichtte met een neonblauwe gloed en toen zagen ze Rob en Laurence. Ze knikten onbeholpen tegen elkaar.

'Vind je het leuk?' vroeg Rob aan Olivia.

'Nou en of. En jij?'

Rob knikte en keek naar Laurence. Olivia zag dat hij heel even met zijn hand langs die van Laurence ging.

'Mooie ketting,' zei Laurence.

'Dank je,' zei ze zogenaamd trots. 'Een echte Gucci, weet je.'

Hij lachte. 'Dat kan ik wel zien. Nou, veel plezier bij het vuurwerk.'

Het stel liep naar het enorme kampvuur, waarvan de vlammen een groot deel van de nachtelijke hemel opslokten.

'Ik kan er nog steeds niet aan wennen,' zei Nick, die hen nakeek.

'Nee. Maar het is goed voor Rob dat hij uit de kast is.'

'Ik begrijp alleen niet waarom hij uit het rugbyteam gegaan is. Hij roeit ook niet meer. Ik bedoel, het zijn geen homohaters daar. Het kan hun niet schelen of hij homo is.'

'Ja, maar ze juichen het ook niet echt toe, of wel soms? Misschien voelt hij zich er gewoon niet meer op zijn gemak.'

'Dus hangt hij rond bij die zogenaamde intellectuelen? Dat vind ik ook niet echt iets voor hem.'

'Maar daar gaat het juist om op de universiteit,' merkte Olivia op. 'Een beetje rondkijken. Uitzoeken wat je leuk vindt. Jezelf vinden.' Ze trok een gezicht. 'Nou klink ik zelf ook als zo'n intellectueel. Snel, zoek iets met alcohol voor me voordat het nog erger wordt.'

Ze troffen de anderen in een pub op de hoek van het grasveld die de Fort St. George heette en waar ze met zijn allen op het eindstuk van een bank zaten. De pub stond stampvol en Olivia gaf het idee om iets te drinken te halen meteen op. Om de bar stond een menigte van zes mensen diep. In plaats daarvan nam ze een slokje uit Eliza's heupfles en gaf hem toen door aan Godfrey.

'Heb je het niet koud?' vroeg Paula aan Eliza. Paula droeg een heel leuk mutsje en een dikke wollen jas, met haar eigen paar donkere leren laarzen. Paula wist hoe ze zich warm en toch stijlvol moest kleden.

'Wil iedereen nou eens ophouden me dat telkens te vragen?' zei Eliza, en er kwam een geërgerde rimpel in haar gladde voorhoofd.

'Ben je niet bang dat je Jimmy Choos eraan gaan in deze modder?'

'Paula. Laat haar met rust,' zei Godfrey, die een van zijn dure Italiaanse sigaretten zat te roken.

'Je zou je verstandiger moeten kleden, zoals Olivia hier,' hield Paula vol.

Eliza trok haar neus op. 'Ik heb geen verstandige kleren.'

'En ook geen verstandig ondergoed,' voegde Godfrey eraan toe. 'Daarom hou ik zo veel van haar.'

'Trouwens,' zei Eliza, 'ik heb nog nooit een voet in een Primark gezet en dat ben ik ook niet van plan. Harvey Nicks zou me nooit vergeven.'

'Godfrey, ben jij wel eens met een meisje uit geweest wier ouders geen miljonairs waren?' vroeg Olivia, en ze hield haar hoofd scheef alsof het haar echt interesseerde.

'Ik wist niet dat zulke meisjes bestonden.' Godfrey stak de volgende sigaret aan met de peuk van de vorige.

'Godfrey, wat ben je toch een lul,' lachte Sinead.

'Wist je dat Godfrey de Union Jack aan zijn plafond heeft hangen?' zei Paul op snijdende toon. 'Hij is een echte patriot. Rood, wit en blauw. Koningin en vaderland.'

'Ik vind het leuk als mijn meisjes in bed aan Engeland kunnen denken,' legde Godfrey uit, en hij blies rook in Paula's gezicht.

'Waarom doe je zo vals, Paula?' vroeg Eliza. Haar lieve-meisjesstemmetje was verdwenen, ze klonk hard en boos.

Er viel een ongemakkelijke stilte. Paula leunde achterover en glimlachte gedwongen.

'Let maar niet op mij, Eliza,' zei ze. 'Zeker last van PMS.'

Er werd nog wat gekletst en bij de eerste de beste gelegenheid splitste de groep zich op: Paula en Sinead gingen samen naar het toilet en kwamen niet terug. De andere vier wachtten even en keken op hun horloge.

'We dachten erover naar Madame Rose te gaan,' zei Nick.

'Ik wist niet dat er bordelen waren in Cambridge,' zei Godfrey.

'De waarzegster, idioot. Zullen we om halfzeven bij het botenhuis afspreken?' Het botenhuis van Ariel, aan de andere kant van de rivier, bood een fantastisch uitzicht op het vuurwerk.

'Oké, we zien jullie daar.'

Nick en Olivia vertrokken, blij dat ze aan die rotstemming ontsnapt waren.

'Madame Rose?' zei ze toen ze buiten gehoorsafstand waren.

'Ik dacht dat het leuk zou zijn,' zei Nick. 'Kom op, ik betaal.'

'Ik heb geen behoefte aan liefdadigheid, hoor,' zei Olivia.

'Dat weet ik ook wel, doe nou niet zo opvliegend. Het is gewoon mijn idee, dus er is geen reden waarom jij ervoor moet betalen. Kom op, misschien vertelt ze ons hoeveel kinderen we krijgen.'

Madame Rose bewoonde een caravan bij het pad langs de rivier, beschilderd met rozen en verschillende tarotkaarten. De prijzen stonden met zwarte viltstift op een bordje bij de deur. Een stuk vitrage wapperde in de koude lucht.

'Ga jij maar eerst,' spoorde Olivia Nick aan.

Nick klopte naast de open deur op de caravan. Er verscheen een oude vrouw met geverfd zwart haar en wel een centimeter grijze uitgroei, met een glimlach op haar gezicht en een sigaret in haar hand.

'Dag, schatje. Wil je je toekomst laten voorspellen?'

'Alstublieft.'

'Allebei samen of één tegelijk?'

'Eén tegelijk,' zei Olivia. 'Ik wacht wel even buiten, dan hebben jullie wat privacy.'

Madame Rose gooide haar sigaret in de modder en wenkte Nick naar binnen. Ze deed de deur achter hen dicht.

Olivia leunde tegen een bank langs de rivier en sloeg haar armen om zich heen om warm te blijven. Er liepen wat opgefokte jongens langs met bier en een van hen, een knul met een geschoren hoofd en een gescheurde spijkerbroek, vroeg of ze met hem in de spooktrein wilde. Ze zei dat hij op moest rotten en trok haar sjaal dichter om zich heen.

Na vijf minuten kwam Nick weer voor de dag. Hij was een beetje rood toen hij tegen Madame Rose knikte. Olivia liep naar hem toe.

'Wat zei ze?' vroeg ze.

'Dat vertel ik je later wel. Jij bent aan de beurt.'

Ze keek over zijn schouder naar Madame Rose, die haar met gekromde vinger naar binnen nodigde.

'Oké. Zie ik je dan bij het botenhuis?'

'Ik kan hier wel even op je wachten.'

'Nee, ga maar vast, ik kom meteen achter je aan.'

Het was warm in de caravan na de kille novemberlucht, maar het stonk er naar sigarettenrook en kattenvoer.

Madame Rose wees Olivia op een sponzige groene stoel. Zij ging aan de andere kant van een houten tafel vol krassen zitten.

'Je liefje heeft al betaald,' zei ze, 'maar hij heeft me niet verteld wat voor consult je wilt.' Olivia moest vragend hebben gekeken, want ze ging door: 'Tarot? Theebladeren? Handlezen? Mijn kristallen bol?' Ze grinnikte. 'Dat laatste is maar een grapje.'

'Eh... tarot?'

'Goede keus.' Ze haalde een zwartzijden sjaal van een stapel grote kaarten en gaf ze aan Olivia om ze te schudden. Daarna nam Madame Rose ze weer terug en legde vijf kaarten met de beeldzijde op tafel.

'Als u er maar voor zorgt dat ik de Dood niet krijg,' grapte Olivia.

'Dat kan niet,' zei Madame Rose. 'Die haal ik er meestal uit.' Ze zag dat Olivia een wenkbrauw optrok. 'Nou, de mensen die er niet in geloven worden er altijd bang van, omdat ze niet begrijpen dat hij niet letterlijk de dood betekent, alleen het eind van iets en het begin van iets anders.'

'Een oude smoes,' zei Olivia.

'Ik merk wel dat jij er ook cynisch tegenover staat.' Madame Rose glimlachte. 'Nou, het is aan jou om de kaarten te geloven of niet. Gelovig of ongelovig, ze vertellen hetzelfde verhaal.'

Ze draaide de eerste kaart om. Er stonden twee bomen op met een touw ertussen en een man die ondersteboven aan het touw hing.

'De Gehangene,' zei ze. 'Je offert jezelf op. Je doet iets waar je je niet goed bij voelt om iets te krijgen wat je wilt hebben. Dat noemen ze tegenwoordig passief-agressief gedrag. Je kunt beter recht op je doel afgaan.' Ze draaide de tweede kaart om. Er stonden drie grote stenen op. Daarachter bevonden zich een nachtblauwe lucht en een grote witte maan, waarvan de gloed werd verhuld door een zwart masker. 'De Maan,' zei Madame Rose. 'Dat is de kaart van de illusie. Je bedriegt iemand of iemand bedriegt jou. Er zijn dingen verborgen, verhuld. Iemand heeft een masker op.'

'Nou, het is mogelijk dat een van mijn vrienden een wrede moordenaar is,' zei Olivia. 'Ik denk dat zulke mensen behoorlijk bedrieglijk zijn.'

Madame Rose kneep haar lippen op elkaar en draaide de derde kaart om. Een man zat op een troon met een gouden kroon op zijn hoofd. Hij had brede schouders en een streng gezicht. 'De Keizer. Die staat voor een sterke man. Een man die zijn koninkrijk beschermt.' Ze zag dat Olivia haar handen op haar schoot ineenklemde.

Op de vierde kaart stond een man in een wit gewaad, die met geheven armen op een bergtop stond. 'De Sjamaan,' zei Madame Rose tegen Olivia. 'Dit is een heel spirituele kaart. Hij staat voor een persoon die een eenzame weg aflegt, maar die dicht bij een onthulling is. Deze persoon zal de wereld binnenkort anders zien dan wij gewone stervelingen.'

Ze pakte de vijfde en de laatste kaart. 'Als het de Dood is, wil ik mijn geld terug,' zei Olivia. Haar stem klonk onvast.

Maar op de kaart stond een geblinddoekte vrouw met een zwaard in de ene hand en een weegschaal in de andere. 'Het Oordeel,' zei Madame Rose. 'Deze kaart vertelt me dat je jezelf veroordeelt. Maar je moet jezelf vergeven.' Ze boog zich naar voren, greep Olivia's handen en kneep erin. 'Wat er ook gebeurd is, je moet ermee ophouden jezelf de schuld te geven. Het was niet jouw fout.' Ze was verbaasd toen ze zag dat Olivia vocht tegen de tranen.

Kwetsbare mensen waren over het algemeen vrijgevig, maar Madame Rose zag aan de goedkope jas en gehavende schoenen van het meisje dat het tijdverspilling zou zijn om te proberen haar meer geld afhandig te maken. Ze keek op haar horloge.

'Oké, liefje, de tijd is om.'

Olivia veegde snel haar ogen af met het uiteinde van haar sjaal. 'Dank u.' Ze schoof haar stoel achteruit en liep naar de deur. Met haar hand op de deurknop bleef ze staan en keek achterom. 'Wat hebt u mijn vriend verteld? Over ons? Ik wil graag weten wat ik kan verwachten.'

Madame Rose haalde een nieuwe sigaret uit haar pakje. 'Ik heb hem verteld dat er niets goeds kan komen van jullie samenzijn,' zei ze, en ze keek Olivia recht aan. Daarna stak ze de sigaret in haar mond, boog haar hoofd naar haar aansteker en zoog aan de filter. Olivia staarde haar aan. Toen knipoogde Madame Rose. 'Ik maak maar een grapje,' zei ze, en ze blies een lange sliert rook uit. 'Ik heb gezegd dat jullie drie kinderen zouden krijgen en op hoge leeftijd in bed zouden sterven. Dag, Olivia.'

Zonder nog iets te zeggen verliet Olivia de caravan.

Olivia kwam bij het botenhuis van Ariel op het moment dat het vuurwerk begon. 'Hebben jullie Nick gezien?' vroeg ze aan Sinead en Paula, die bisschopswijn zaten te drinken en geboeid naar de show keken.

'Nee,' zeiden ze zonder hun blik af te wenden van de fonteinen groene kooltjes die de hemel verlichtten.

Olivia was zich ervan bewust dat ze de show miste toen ze haastig een weg tussen de mensen door zocht naar de deur van het botenhuis, waar drie leden van de watersportvereniging een pond rekenden voor zelfgebakken hamburgers. 'Jongens, hebben jullie Nick Hardcastle gezien?' riep ze over het geknal van het vuurwerk heen. Ze schudden hun hoofd en hielden hun aandacht bij het vlees op de barbecue.

Ze voelde een por in haar ribben en toen ze zich omdraaide, stond

Nick achter haar. Hij greep lachend haar hand en trok haar mee naar de rand van de rivier, waar ze onbeperkt uitzicht hadden op het vuurwerk. Iedereen riep 'ooo' bij een zilveren fontein van licht, 'aaa' om hun waardering te uiten voor roze lichtjes uit gouden vuurbloemen en er werd spontaan geapplaudisseerd voor de finale, de ene explosie van veelkleurige vonken na de andere aan de zwarte novemberhemel.

'Whooo!!! Whooo!' Leo sprong voorbij met een fluwelen narrenhoed op zijn dreadlocks. Hij greep Olivia vast en liet haar draaien. 'Wauw, man, was dat niet fantastisch? Die magische paddenstoelen zijn te gek!'

Ze duwde hem weg. 'Leo, je bent een sukkel. Ga ergens anders de nar uithangen.'

Hij gaf haar het v-teken en danste weg naar wat vrienden die ook stoned waren en die hamburgers met alle toebehoren stonden te kopen. Zij leken in ieder geval blij hem te zien.

'Wat heeft Madame Rose je allemaal verteld?' vroeg Nick, en hij kneep in Olivia's hand.

'Laten we maar zeggen dat we aandelen Prénatal moeten kopen,' antwoordde ze.

'Weet een van jullie waar Eliza is?' Het was Godfrey, die er bezorgder uitzag dan ze hem ooit hadden meegemaakt.

'Nee, maar ze zal wel ergens rondhangen. Heb je al in het botenhuis gekeken?'

'Daar is ze niet. Ik zoek haar al twintig minuten. Ze zei dat ze rechtstreeks hierheen zou komen.'

'Heb je haar mobiel geprobeerd?'

'Ja, natuurlijk. Ze neemt niet op.'

'Godfrey, ik weet zeker dat er niets aan de hand is,' zei Nick geruststellend.

'Ja, ze is waarschijnlijk tegen iemand op gelopen op weg hiernaartoe,' voegde Olivia eraan toe.

Godfrey keek hen aan en er lag paniek in zijn ogen.

'Daar ben ik juist bang voor.'

hoofdstuk **ELF**

'Het heet dissociatieve identiteitsstoornis oftewel DIS. Vroeger bekend als meervoudige persoonlijkheidsstoornis.'

Weathers keek hem van de andere kant van de tafel aan. Het was twee jaar en acht maanden geleden sinds ze elkaar hadden getroffen op het politiebureau van Cambridge en Denison voor het eerst de foto's van Amanda Montgomery's lijk had gezien. Weathers had nu een paar grijze haren en meer lijnen in zijn gezicht. Denisons middel was bijna acht centimeter gegroeid.

'Je meent het echt, hè?' zei Weathers eindelijk. Hij bleef Denison nog even aankijken en draaide zich toen om naar de serveerster. 'Schenken jullie ook sterke drank?' vroeg hij. 'Ik heb behoefte aan een dubbele whisky.'

De serveerster keek naar Denison. 'En u, meneer?'

'Ik hou het bij mijn mineraalwater, dank u.'

Hij wachtte tot ze buiten gehoorsafstand was. 'Hoor eens, Stephen, nu moet je niet zo overdrijven. Waarom zit ze verdomme al twee maanden in Coldhill als je niet vermoedde dat ze een psychiatrische aandoening had?'

Weathers wees naar hem. 'Dat komt door jou. Jij kwam met de aanbeveling om haar af te zonderen. En jij vroeg toestemming om haar gedwongen te kunnen behandelen.'

'Ze lag in elkaar gedoken als een baby in de hoek van die kamer. Ze heeft vier weken geen woord gesproken. Vind je soms dat we haar in de gevangenis hadden moeten gooien?'

'We hebben haar naast het lijk van dat meisje aangetroffen. Ze was overdekt met haar bloed! En nu wil jij me vertellen dat ze schizofreen is?'

Denison haalde diep adem. 'Stephen, ik ben ervan overtuigd dat jij als ervaren politieman weet dat het een veelvoorkomende misvatting is dat schizofrenie hetzelfde is als een meervoudige persoonlijkheidsstoornis.'

Dat wist Weathers inderdaad. Het was een van Denisons stokpaardjes en het was wel voorgekomen dat hij was weggelopen bij films waarin psychologen iemand met een meervoudige persoonlijkheid doodleuk omschreven als een schizofreen, waarbij hij binnensmonds had gevloekt op Hollywoodproducers die hun feiten niet natrokken. Op dit moment wilde Weathers Denison, de brenger van verdomd slecht nieuws, gewoon een beetje op de kast jagen.

'Oké, dus dat rare wicht heeft zich een ander accent aangemeten en je verteld dat ze nog nooit van Olivia Corscadden heeft gehoord. En wat dan nog?'

Denison haalde zijn mp3-speler uit zijn zak en gaf hem aan Weathers. De rechercheur rolde met zijn ogen, maar deed de oordopjes in en drukte op 'play'. Na tien minuten kwam de serveerster hun pizza's brengen. Denison at die van hem langzaam op en hield intussen Weathers' gezicht in de gaten. Weathers raakte zijn pizza niet aan. Maar hij dronk wel in één teug zijn whisky op en wenkte toen om nog een glas.

De opname duurde tweeënvijftig minuten. Tegen de tijd dat hij was afgelopen, had Denison zijn eigen pizza en de helft van die van Weathers opgegeten en was hij verdiept in *The Independent*. Weathers had zes glazen whisky gedronken en leek nog steeds broodnuchter. Hij legde de oordopjes voorzichtig op de tafel en schoof de mp3 terug naar Denison.

'Moeilijk te geloven dat ze liegt, nietwaar?' zei Denison.

Weathers knikte en wreef over zijn stoppels. 'Jezus, geen wonder dat ze het grootste deel van haar jeugd in de problemen zat.'

'Geen wonder dat ze naar dat internaat wilde. Arm kind.'

'Maar wat nu? Die Jude mag dan een angstaanjagende klootzak zijn, maar ze heeft geen woord gezegd over de moorden. We moeten een bekentenis hebben, niet haar autobiografie.'

'Het is niet mijn taak om je een bekentenis te bezorgen, Steve. Het is mijn taak om te beoordelen of ze over vijf maanden het ziekenhuis uit mag.'

'En als je tot de conclusie komt dat ze deze stoornis heeft? Is ze dan in staat terecht te staan of niet?'

Denison schudde zijn hoofd. 'Dat is een netelige kwestie. De verdediging zou door een psychiater kunnen laten verklaren dat Olivia niet in staat is het proces te begrijpen of te volgen als niet steeds dezelfde persoonlijkheid de leiding heeft. Als op een procesdag een alter ego op de voorgrond treedt, zou Olivia zich niet kunnen herinneren wat er die dag gebeurd is.'

'En als de aanklager een psychiater laat komen, wat zou die dan zeggen?'

'Hij zou kunnen zeggen dat de stoornis niet bestaat.'

Weathers ging rechtop zitten. 'Wat bedoel je daarmee?'

'Er bestaat nogal wat controverse in de wereld van de psychiatrie over de vraag of DIS een echte stoornis is of niet.'

'Willen ze beweren dat de patiënten het verzinnen?'

'Niet helemaal. Niet bewust, in ieder geval. Ze zeggen dat het niet zozeer een bestaande stoornis is, maar dat die tot stand komt in het kantoor van de psychiater.'

'Hoe dan?'

'Een heleboel van deze patiënten zijn onder hypnose als de andere persoonlijkheden naar boven komen. De psychiater zegt bijvoorbeeld iets als: "Is er nog iemand anders die met me wil praten?" en voilà, de patiënt produceert meteen iemand. En voor je het vraagt, nee, ik heb haar niet gehypnotiseerd.'

'Geloof jij dat DIS bestaat?'

'Ik ben nog nooit zoiets tegengekomen, dus ik kan niet uit persoonlijke ervaring spreken. Maar na lezing van de literatuur denk ik persoonlijk dat er een heleboel bewijs is dat mensen met DIS lang voordat ze bij een psychiater terechtkwamen symptomen hebben vertoond.' Denison fronste toen hij Weathers' gezicht zag. 'Kijk me niet zo aan.'

'Hoe kijk ik dan?'

'Alsof je boos op me bent. Het spijt me, als ik moet getuigen, ga ik niet zeggen dat ik denk dat ze toneelspeelt terwijl ik niet geloof dat dat het geval is.'

'Moet ze toneelspelen om schuldig bevonden te worden?'

'Wat bedoel je daarmee?'

'Ik bedoel, ervan uitgaand dat ze in staat geacht wordt terecht te staan, is DIS dan een goede reden om ontoerekeningsvatbaar te worden verklaard? Een goed excuus?'

Daar dacht Denison even over na. 'Niet noodzakelijk, nee. De meeste mensen met DIS kennen het verschil tussen goed en kwaad; ze weten wat hun daden inhouden. Hun persoonlijkheden zijn niet noodzakelijk psychotisch, er zijn er alleen meer.'

'Kan het zijn dat een van die persoonlijkheden niet weet dat het verkeerd is om het hoofd van een meisje af te snijden?'

Denison fronste. 'Dat zou kunnen. Een heel jonge persoonlijkheid of een persoonlijkheid die puur uit instinct handelt en helemaal niet gesocialiseerd is. Maar zo'n persoonlijkheid kan niet ongestraft een moord plegen. Hij zou de hulp van de anderen nodig hebben om de misdaad te verbergen.'

'Dus zelfs als de moordlustige persoonlijkheid ontoerekeningsvatbaar werd verklaard, kunnen de andere veroordeeld worden wegens medeplichtigheid?'

Denison gaf bijna antwoord, maar toen zag hij de schittering in Weathers' ogen en barstte hij in lachen uit. De twee lachten een hele tijd en hielden er pas mee op toen de serveerster de rekening kwam brengen.

Toen Eliza die avond niet bij het botenhuis kwam opdagen, ging Godfrey haar in zijn eentje zoeken. Geen van de anderen nam haar verdwijning serieus, wetend hoe grillig ze was. Ze was waarschijnlijk een oude vriendin van haar kostschool tegengekomen – de helft ervan leek in Cambridge te studeren – en zat op dat moment vast in een kroeg in de buurt cocktails te drinken met Jocasta of Bunty. Godfrey bleef een uur zoeken, en toen ging hij terug naar Ariel om te kijken of ze daar was. Ze was niet in haar kamer of in de bar, en bovendien lagen er briefjes en folders in haar postvakje, een duidelijk teken dat ze niet terug was geweest. Alle studenten keken elke keer dat ze het college in of uit gingen in hun postvakje. Hij krabbelde zelf ook een briefje aan haar om haar te laten weten dat hij haar zocht.

Toen hij het drie uur later opgaf en terugkeerde naar Ariel, was haar postvakje nog steeds niet geleegd. Hij klopte bij Paula op de deur en maakte haar wakker. 'Vanavond niet, Godfrey,' kreunde ze, terwijl ze in haar ogen wreef.

'Beeld je maar niets in. Ik ben op zoek naar Eliza,' zei hij. Ze ging naar haar nachtkastje en keek op haar horloge.

'Misschien moeten we de politie bellen en inspecteur Weathers te spreken vragen,' zei ze. 'Hij zal wel weten of we dit ernstig op moeten vatten of niet.'

'Natuurlijk moeten we dit ernstig opvatten!'

Ze begon kleren aan te trekken over het hemdje en de korte broek die ze droeg. 'Godfrey, Eliza is heus wel eens eerder tot na haar bedtijd opgebleven.'

'Ik heb gewoon zo'n vreemd gevoel. Ik denk dat er iets met haar gebeurd is.'

Nick en Olivia zaten te lunchen toen zijn telefoon ging. Paula's naam verscheen op het schermpje.

'Hoi, Paula, wat is er?'

Ze klonk vreemd. 'Nick, kun je naar het politiebureau komen? Ik ben hier met Godfrey en volgens mij is er iets mis.'

'Hoe bedoel je?'

'Ik bedoel dat Eliza nog steeds niet boven water is. En ik denk dat de politie iets voor ons verzwijgt. Nicky, ik kan dit niet alleen, wil je alsjeblieft komen? We zijn in Parkside.'

Hij keek op zijn horloge. 'Natuurlijk. Ik ben er in tien minuten.'

Olivia wilde per se mee. Ze fietsten erheen en zetten hun fietsen voor het bureau op slot. Voor de ingang stond een man in zijn mobiele telefoon te praten. Toen hij Nick zag, hield hij midden in een zin op.

'Nick? Nick Hardcastle?'

Nick fronste. 'Ken ik u?'

'Wat is er aan de hand, Nick? Ken je het slachtoffer?'

'Welk slachtoffer?' Nicks gezicht was bleek.

Met een soepele beweging klikte de man zijn mobiel dicht, liet hem in de zak van zijn spijkerjasje glijden, haalde er een dictafoon uit en klikte op de opnameknop. Hij hield het apparaat voor Nicks gezicht. 'Er is vandaag een lichaam gevonden op Jesus Green,' zei hij, terwijl hij lette op Nicks reactie. 'Een meisje van ongeveer twintig, blond haar, gemiddelde lengte, tenger gebouwd. Klinkt dat bekend, Nick? De beschrijving past zeker niet toevallig bij een van je vriendinnen?'

Olivia gaf de verslaggever een harde mep en ze voelde de stoppels op zijn wang tegen haar handpalm. 'Rot op, klootzak. Laat ons verdomme met rust!'

De verslaggever keek geschokt en zijn wang begon al rood te worden. Hij wees door de grote ramen van de receptie van het politiebureau naar de brigadier, die alles gezien had.

'Chris, dat heb je gezien, nietwaar? Nietwaar?'

De brigadier keek hem door de ruit aan en haalde langzaam zijn schouders op. 'Wat?' vroeg hij.

'Vuile klootzak,' vloekte de verslaggever. Hij duwde de dictafoon weer in zijn zak, beende naar zijn wagen en reed weg.

De brigadier knipoogde tegen hen toen ze binnenkwamen. 'Je moet proberen ze niet echt te slaan,' zei hij zachtjes tegen Olivia. 'Je wilt niet aangeklaagd worden wegens mishandeling. Zeg gewoon "geen commentaar". Daar worden ze gek van.'

'Is Paula Abercrombie hier?' vroeg Nick. 'Of Godfrey Parrish?'

De brigadier wreef over zijn snor. 'Ja. Ze zijn hier. Kom maar, dan laat ik jullie naar binnen.'

Hij liet hen door een agent naar de plek brengen waar Paula zat met een dik gezicht en bloeddoorlopen ogen. Ze had haar mouwen om haar handen getrokken en ze liet een beker thee in die handen ronddraaien. Toen ze Nick zag, stond ze op, haar gezicht verwrong en ze rende op hem af. Hij sloeg zijn armen om haar heen toen ze in snikken uitbarstte.

Olivia streelde haar haar. 'Shhh,' zei ze. 'Shhh. Het komt wel goed.'

'Ik denk dat er iets met Eliza is, maar ze willen ons niets vertellen. Ze is gisteravond niet thuisgekomen. Godfrey heeft haar uren lopen zoeken. Ze blijven maar met elkaar fluisteren en trekken heel ernstige gezichten, en ik weet zeker dat ze dood is en dat ze het ons gewoon niet vertellen!' Ze veegde haar neus af met de mouw van haar trui.

'Ik geloof dat ze een lichaam hebben gevonden,' zei Nick zachtjes. 'Ik weet het niet zeker, maar er stond een verslaggever buiten en hij zei zoiets, maar je weet hoe die schoften zijn.'

'O, god...' zei ze. 'O, Nicky, ik ben gisteravond zo gemeen tegen haar geweest. Het was niet mijn bedoeling! Als ik het had geweten, had ik niet zo vals gedaan...'

'Moet u het per se zijn?' Godfrey zat in een van de verhoorkamers. Weathers zat tegenover hem.

Weathers keek naar de agente naast hem en toen weer naar Godfrey. 'Heb je een probleem met me vanwege je vriend Rob McNorton en die vechtpartij in de bar van Ariel?'

Godfrey lachte zowaar en wreef in zijn ogen. Hij keek Weathers slaperig aan. 'Nee, niet vanwege dat. Omdat u de leiding hebt over de zaak van de Slager. En eerlijk gezegd wil ik niet dat de man die de leiding heeft over die zaak dezelfde is als degene die met mij praat over mijn vermiste vriendin. Ik word er doodzenuwachtig van.'

Weathers leunde achterover. 'Het spijt me, dat is niet de reden waarom ik hier zit. Ik ben gewoon de hoogste politieman op dit bureau. Ik doe de zwaardere gevallen. We nemen het feit dat je vriendin vermist wordt zeer serieus, maar dat betekent niet dat we denken dat haar verdwijning in verband staat met de zaak-Montgomery.'

Godfrey keek hem aan. 'Ik wil u graag geloven. Ik weet alleen niet goed of ik dat wel kan. Stelt u alstublieft uw vragen, dan is het maar achter de rug.'

Weathers keek naar zijn aantekeningen.

'Kun je me vertellen hoe laat Eliza is verdwenen?'

'Gisteravond tussen zeven uur en kwart over zeven. Dat is tenminste de laatste keer dat ik haar heb gezien.'

'En waar was dat?'

'Op Midsummer Common. We gingen naar het vuurwerk kijken.'

'Waren er nog andere mensen bij?'

'Eerder op de avond, ja. Nick Hardcastle, zijn vriendin Olivia, Paula Abercrombie en Sinead Flynn. We hebben samen wat gedronken in de Fort St. George. Daarna zijn we uit elkaar gegaan en Eliza en ik gingen naar een van de kermisattracties. We wonnen niets. Ik ging even naar de wc en toen ik naar buiten kwam, was ze er niet meer.'

'Kun je Eliza voor ons beschrijven?'

Godfrey verborg zijn gezicht in zijn handen. 'O, god... Ze is blond, een meter vijfenzestig, maatje vierendertig. Ze heeft blauwe ogen.'

'Wat had ze aan?'

'Een zwarte rok, zwarte laarzen. Een roze blouse en een zwarte regenjas.'

'Nog een laatste vraag. Weet je soms wat ze gisteravond heeft gegeten?'

Godfrey verstijfde. Hij keek ongelovig van Weathers naar Ames. 'Jullie hebben haar gevonden, hè?'

'Dat weten we nog niet, meneer Parrish.'

'Maar jullie hebben een lijk gevonden, een lijk dat aan de beschrijving voldoet. Anders zouden jullie verdomme toch niet vragen naar haar maaginhoud?'

'Meneer Parrish, als u zich kunt herinneren wat ze gegeten heeft...'

'Pasta. Ze heeft pasta gegeten. En daarna wat *tarte au chocolat* als dessert. Ze at er maar de helft van op. Ze zei dat je geen calorieën binnenkreeg als je maar een klein beetje van je dessert opat.'

Hij keek hen aan en wist dat het om haar ging.

Weathers was weer terug op het bureau nadat hij met de Fitzstan-leys naar het mortuarium was geweest om het lichaam te identifi-ceren. Bertram Fitzstanley had Weathers gevraagd hoe hij in gods-naam moest zien of dat in elkaar geslagen en verminkte gezicht dat van zijn dochter was, maar zijn vrouw Lavinia had met groeiend ver-driet de kentekenen op het lichaam van haar dochter aangewezen: de moedervlek bij haar navel, het litteken op haar knie, haar linker-voet die een halve maat kleiner was dan de rechter.

'Het is Eliza,' had ze nog kunnen uitbrengen, en daarna was ze in-gestort en voor Weathers' ogen zichtbaar gekrompen.

Ames wachtte hem op in de recherchekamer.

'Crosby wil je spreken, Steve.' Hij zag aan haar gezicht dat ze zich zorgen maakte.

'Wat is er aan de hand?'

Ze schudde haar hoofd. 'Ik weet het niet precies. Maar ze hebben MacIntyre er ook bij geroepen.'

Hij klopte op de deur.

'Binnen!' galmde hoofdinspecteur Crosby. Zijn kantoor keek uit op Parker's Piece en was licht en luchtig. Crosby was echter het soort man dat de voorkeur had gegeven aan een met hout betimmerde studeerkamer en hij had leren leunstoelen en schilderijen van de vos-senjacht meegebracht, die niet pasten bij de goedkope tapijttegels en de luxaflex.

Tegenover Crosby zat inspecteur Colin 'Mac' MacIntyre. MacIntyre was al tien jaar inspecteur bij de politie van Cambridge en er zat geen promotie meer voor hem in. De algemene opinie was dat hij het hoogst haalbare had bereikt – niet dat Mac het daarmee eens was. Hij gaf iedere zomer een barbecue voor zijn collega's en als iedereen beleefd zijn huis had bewonderd, zei hij dat ze volgend jaar eens wat zouden zien. 'Als ik hoofdinspecteur word, laten we aanbouwen aan de zuidkant van het huis en komt op de plek van deze patio een ser-re.'

'Ah, Weathers, kom binnen,' zei Crosby. 'Ga zitten.'

De enige lege stoel was zichtbaar naar de twee bezette stoelen toe gedraaid, zodat Weathers het gevoel kreeg dat hij op het matje werd geroepen. Hij trok automatisch zijn das recht.

Crosby legde zijn ineengeklemde handen op het bureau. 'Weathers, ik heb je laten komen om over de zaak-Fitzstanley te praten. We zijn ons ervan bewust dat je enigszins overhaast tot de conclusie bent gekomen dat deze zaak in verband staat met de moord op Amanda Montgomery en eerlijk gezegd doet dit de vraag rijzen of jij deze zaak wel moet onderzoeken. De commissaris vindt, en ik ben geneigd het met hem eens te zijn, dat het beter zou zijn als inspecteur MacIntyre de zaak-Fitzstanley behandelt.'

'Mag ik vragen waarom?' snauwde Weathers, en hij boog gespannen wat voorover. 'Waar komt die vraag precies vandaan?'

'Het is veel te vroeg om ervan uit te gaan dat de zaken verband met elkaar houden. Jij bent duidelijk erg bezig met de zaak-Montgomery en ik vrees dat dat je oordeel over deze zaak beïnvloedt.'

'Meneer, dat is niet zo,' protesteerde Weathers. 'Hoor eens, het kan toeval zijn dat de twee meisjes op hetzelfde college zaten en van hetzelfde jaar zijn, maar dat zou wel een heel groot toeval zijn. Hoeveel studentes worden er gemiddeld per jaar vermoord? Eén misschien, op zijn hoogst? Dus hoe groot is verdomme de kans dat het ongelukkige meisje twee jaar achtereen van Ariel komt?'

'Weathers, we sluiten de mogelijkheid dat de zaken met elkaar in verband staan niet uit, maar het lichaam van het meisje is verdomme nog geen tien uur geleden gevonden! Je hebt al conclusies getrokken over de moordenaar en dus zul je onvermijdelijk andere mogelijkheden negeren. We kunnen niet het risico nemen dat je het mis hebt en dat de dader vrijuit gaat omdat jij achter de Slager van Cambridge aan zit, of hoe die verdomde journalisten hem ook genoemd mogen hebben!'

Hoofdinspecteur Crosby leunde met een diepe zucht achterover, zich bewust van de ader die was beginnen te kloppen op zijn slaap.

'Hoor eens,' zei hij op rustiger toon. 'Wat ik wil zeggen, is dat we vinden dat beide onderzoeken er wel bij zouden varen als inspecteur

MacIntyre de zaak-Fitzstanley overneemt. Ik weet zeker dat inspecteur MacIntyre het onderzoek met alle plezier aan jou zal overdragen als het bewijsmateriaal wijst op een en dezelfde dader voor beide moorden. En eerlijk gezegd zit er niet veel schot in de zaak-Montgomery en is het misschien het beste als je al je aandacht op die moord kunt richten in plaats van er nog een zaak bij te krijgen.'

Weathers moest letterlijk op zijn tong bijten tot hij de behoefte om te gaan vloeken had bedwongen. 'Meneer, met alle respect, als de zaken wel met elkaar in verband staan zal het veel moeilijker voor me zijn om de moordenaar te pakken als de helft van het bewijs me wordt onthouden.'

'Weathers, doe niet zo belachelijk!' zei Crosby. 'Het bewijs zal je niet onthouden worden, je hebt de volledige beschikking over alles wat MacIntyre te weten komt.'

Weathers draaide zich om naar MacIntyre. 'Mac, je moet mijn voorlopige rapport gelezen hebben. Wat denk je ervan? Zie je de overeenkomsten dan niet?'

MacIntyres pak was zeven jaar oud en inmiddels een maat of twee te klein. Hij verschoof onbehaaglijk en trok aan de boord van zijn overhemd, die in zijn dikke nek sneed. 'Het is mijn ervaring,' zei hij, duidelijk snakkend naar een sigaret, 'dat dit soort moorden op openbare plekken wordt gepleegd door opportunistische misdadigers, straatrovers, verkrachters, junks. En nee, ik zie die overeenkomsten niet. Amanda Montgomery is vermoord in haar eigen kamer, waarschijnlijk door iemand die ze kende, en ze is na haar dood verminkt. Dat zie je hier niet. Dit meisje is vermoord met een stomp voorwerp, geen mes, ze is niet verminkt, ze is vermoord in een park en niet in haar eigen huis. Het is bij lange na niet zo gewelddadig als de moord op Montgomery. Die kerels worden niet met elke moord kalmer, ze worden juist gewelddadiger.'

'Hoe kan hij gewelddadiger worden dan bij de moord op Montgomery?' vroeg Weathers, die probeerde redelijk te blijven. 'Denk je niet dat Fitzstanley niet zo verminkt is als Montgomery omdat hij a) geen mes bij zich had en b) niet de benodigde privacy had?'

'Inspecteur Weathers, matig alsjeblieft je toon!' vermaande Crosby. 'Mijn besluit staat vast. Inspecteur MacIntyre heeft de leiding over de zaak-Fitzstanley.'

'Er loopt daarbuiten een seriemoordenaar rond,' siste Weathers, die door het raam naar Ariel College wees. 'Jullie kunnen hem negeren, jullie kunnen doen alsof hij er niet is, maar dat zal hem er niet van weerhouden nog een meisje te vermoorden.'

'Hoe durf je?' zei Crosby. 'Neem maar van mij aan dat het onze allereerste prioriteit is om de moordenaars van deze jonge vrouwen voor het gerecht te brengen. En als ik je het woord "seriemoordenaar" buiten dit kantoor hoor noemen, ben je voor je het weet weer in uniform.'

'Je moet vijf moorden plegen om officieel een seriemoordenaar te kunnen worden genoemd,' zei Denison door de telefoon.

'Waarom vijf?'

'Ik heb geen idee.'

'Dus als je maar vier mensen vermoordt, ben je een normale vent met een slecht humeur?'

'Hoor eens, Steve, ze zijn duidelijk bang dat er een enorme paniek zal uitbreken als ze toegeven dat er iemand rondloopt die het voorzien heeft op studenten. Je weet dat het in die rangen voor de helft draait om politiek en pr. Wat zou er verdorie gebeuren als er geen toeristen en studenten meer kwamen?'

'Dus jij vindt dat ze gelijk hadden toen ze me van de zaak af haalden?!'

'Natuurlijk niet. Niets is belangrijker dan die vent pakken. Ik zeg alleen dat ik snap waar ze vandaan komen.'

'Ja, daar ben je altijd goed in geweest.'

'Het is zo'n beetje mijn werk.'

'Ik had dat boek over Jack the Ripper moeten pakken en hen de foto van Mary Kelly moeten laten vergelijken met die van de andere slachtoffers. Dan hadden ze gezien wat een verschil tijd en privacy maakt voor een psychopaat die wil weten hoe een vrouw er van de binnenkant uitziet.'

Denison zoog met opeengeklemde tanden lucht naar binnen.

'Hmmm, dat had ook een tegengestelde uitwerking kunnen hebben. Kelly was het laatste slachtoffer. Je rivaal had kunnen beweren dat juist die escalatie ontbreekt bij deze moorden.'

'Matt, hoe zeker ben jij ervan dat het dezelfde dader is?'

Denison zweeg even. 'Vijfennegentig procent.'

Weathers zuchtte gefrustreerd. 'Dus wat moet ik nu doen?'

'Opnieuw gaan praten met de getuigen en de verdachten van de moord op Amanda. Vraag ze onder andere naar Eliza. Of liever, laat hen jou vragen stellen, want dat zullen ze waarschijnlijk wel doen. Vooral de moordenaar. Als hij ertussen zit, zal hij bijna zeker willen weten of jullie de moorden met elkaar in verband brengen.

Probeer vriendjes te worden met MacIntyre. Zeg dat je het hem niet aanrekent. Laat hem zijn eigen gang gaan. Misschien ontspant hij zich na een tijdje en houdt hij je met liefde op de hoogte. Intussen probeer je een lid van zijn team te vinden dat aan jou doorgeeft wat het onderzoek oplevert.

Probeer zo veel mogelijk te weten te komen over Eliza zonder MacIntyre te ergeren. Hoe meer we over haar weten, hoe beter we weten waarom de moordenaar haar heeft gekozen, en hoe beter we weten waarom hij haar heeft gekozen, hoe meer we weten over hem. Kijk vooral naar gelijkenissen tussen haar en Amanda. Vrienden, karaktertrekken, vijanden.'

'Doe ik. Bedankt, Matt.'

'Graag gedaan. En Steve? Tenzij je geluk hebt, gaat hij het weer doen. En daar mag je je niet schuldig over voelen. Je bent niet verantwoordelijk. Het bloed komt nu aan hun handen.'

hoofdstuk **TWAALF**

Eliza was niet erg populair geweest op Ariel. Ze wist mensen vaak te beledigen zonder dat het haar bedoeling was, een eigenschap die alleen overtroffen werd door haar vermogen om binnen een paar tellen de zere plekken in iemands psyche te zien en erin te porren met de nieuwsgierigheid van een kind dat het effect van zout op slakkenhuid bestudeert. Maar ze was ook een van de 'persoonlijkheden' van het college, iemand die iedereen kende of over wie iedereen in ieder geval gehoord had. En ze was er een van hen. Er was een band tussen de studenten van een bepaald college en dat gold nog sterker op Ariel, waar het gevoel van 'wij tegen de rest' goed ontwikkeld was in het jaar sinds Amanda Montgomery was vermoord. De algemene opinie – gebaseerd op overtuigingen waarvan de oorsprong allang vergeten was – was inmiddels dat de moordenaar van Amanda Montgomery een buitenstaander was. Een vreemde, een psychopaat, iemand als de mythische ontsnapte uit een gekkenhuis, was hun ivoren toren binnengedrongen, had een moord gepleegd en was toen in het duister verdwenen. Het kon niet een van hen zijn: de politie had toch DNA-monsters genomen? En toch was er niemand gearresteerd. Ze wisten niet dat er geen belastende DNA-sporen op de plaats delict waren gevonden, dat de monsters waren genomen maar nooit waren geanalyseerd en dat ze alleen gediend hadden om te kijken wie verdacht onwillig was om een monster te verschaffen.

Victor Kesselich was inmiddels een geest die zich zelden liet zien en die niemand vertrouwde, omdat hij ervan uitging dat ze allemaal hadden geloofd dat hij een moordenaar was. Ook Rob was veranderd, maar daarvan gaven ze de politie de schuld, die het college was binnengekomen, hen allemaal als misdadigers had behandeld, de verkeerde man had gearresteerd en toen... niets. Wat voerde ze uit? Waarom was er nog niemand gearresteerd? Waarom vertelde de politie nooit wat er gaande was? Besefte ze niet dat zij als medestudenten van Amanda het recht hadden om dat te weten? En dan waren de journalisten er nog, het schuim der aarde, die hun woorden verdraaiden om de door hen gewenste indruk te wekken. Eerst hadden ze van Amanda een heilig en onschuldig offer gemaakt en toen dat hen was gaan vervelen, hadden ze haar veranderd in de hoer van Cambridge. Ten slotte waren er nog hun families en vrienden thuis, die zich zorgen over hen maakten maar die niet hier waren, die het niet aan den lijve hoefden te ondervinden, zoals de moeders van Vietnamsoldaten die in hun knusse huis in Colorado en Pennsylvania met hun zakdoek zaten te spelen terwijl hun zoons in de loopgraven zaten en ieder moment vermoord konden worden of konden gaan moorden. Wat maakte het uit dat zij in tegenstelling tot die soldaten weg konden gaan wanneer ze wilden? Dan zouden ze de handdoek in de ring gooien. Dan zouden ze de anderen in de steek laten. En hoe groot was de kans dat de kwelduivel terug zou komen?

De studenten van Ariel droegen zwarte armbanden. Ze hadden haar misschien niet erg gemogen, maar ze was er wel een van hen.

De politie vaardigde een verklaring uit. De dood van Eliza werd beschouwd als moord, maar er was geen bewijs voor enig verband met de moord op Amanda Montgomery. De inspecteur die de leiding had, ondervroeg junks en eerder veroordeelde plegers van zedendelicten.

Ondanks de verzekering dat de studenten van Ariel niet werden gestalkt door een gek gingen er in de daaropvolgende weken toch een paar van naar huis, en ze kwamen niet terug. Tijdens de kerstvakantie gingen er nog eens vijf weg. Van de zeventig studenten in Olivia's jaar in Ariel waren er twee dood, hadden er tien hun studie opgeschort en hadden er zeven hun studie opgegeven of waren naar andere universiteiten vertrokken.

Het toelatingsbureau van Ariel merkte een vreemde trend op. De verwachting was geweest dat er een enorme daling zou optreden in het aantal inschrijvingen, maar dat bleek maar tien procent minder dan voor de moorden. Een nadere analyse van de ingeschrevenen onthulde echter dat het bijna allemaal mannen waren en dat ze bijna allemaal ver beneden de gebruikelijke normen van Ariel bleven. De moorden hielden inderdaad mensen weg, behalve diegenen die hun voordeel wilden doen met de onvermijdelijke afname van het aantal belangstellenden. De mentor die over de toelatingen ging, vergeleek ze met huursoldaten die opdoken in door oorlog verscheurde landen en die hun leven wilden riskeren voor een dik honorarium. 'Aasgieren' noemde hij ze, en hij putte er veel bevrediging uit om ze afwijzingsbrieven te sturen. Het college was financieel afhankelijk van een bepaald aantal studenten per jaar. Er werd crisisberaad gehouden. Bijna iedereen was het erover eens dat de toelatingsnormen niet verlaagd konden worden, dus moest het college onvermijdelijk genoegen nemen met minder studenten. Het college zou de broekriem moeten aantrekken en moeten vertrouwen op vrijgevige oudstudenten om het te kunnen uitzingen. Hier wisten de studenten niets van, ze waren alleen maar boos toen de huur werd verhoogd.

'Dus nu moeten we nog meer betalen voor het privilege om een gemakkelijke prooi te zijn voor een psychopaat,' zei Sinead. 'Stelletje lafbekken.'

'Wat gaat er nu gebeuren?' vroeg Weathers.

'Ik ga Olivia vertellen over de andere persoonlijkheden,' zei Denison tegen hem. Hij hoorde Weathers aan de andere kant van de telefoon zijn keel schrapen.

'Oké...' zei Weathers. 'En dan?'

'Dan moet ik erachter zien te komen wat de andere persoonlijkheden me over de moorden kunnen vertellen.' Hij zweeg even.

'Waarom denk ik dat wat je nu gaat zeggen me niet zal aan staan?' vroeg Weathers.

'Ik zal haar waarschijnlijk onder hypnose moeten brengen.'

'Dat meen je niet,' lachte Weathers.

'Jawel. Uit de literatuur blijkt vrij duidelijk dat het de beste manier is om de alter ego's naar boven te halen. Het is een korte route die recht naar hen toe voert.'

'Hoor eens, Matt, als je er maar voor zorgt dat je niets te weten komt dat zal worden verworpen omdat het een valse herinnering zou zijn. Als ze je begint te vertellen dat de moorden rituele offers waren, gepleegd door een satanische sekte, moet je haar vertellen dat ze alles moet vergeten wat ze heeft gezegd en vervolgens je opname van de sessie verbranden, oké?'

'Ik zal die opmerking niet bij mijn aantekeningen van dit gesprek schrijven,' zei Denison tegen hem, en hij probeerde zijn lachen in te houden. 'Steve, neem nou maar van mij aan dat ik alles gelezen heb over het opwekken van valse herinneringen. Ik beloof je dat ik het advies van de experts tot op de letter zal opvolgen.'

'Dus geen vragen als: "Heb jij dat meisje vermoord?" Geen "oké, welke van je duivelaanbiddende maatjes was het?"'

'Als je erop staat.' Denison liep naar de koelkast en pakte een biertje. 'Hoe is het trouwens met de lieftallige agente Sally Ames, Steve?'

'Bedoel je de lieftallige agente Sally Weathers?'

'Sally heeft me bij de bruiloft nadrukkelijk verteld dat ze niet van plan was jouw naam te gaan gebruiken.'

'Ik ben ermee bezig. Ze denkt dat het te verwarrend voor de gemiddelde agent zal zijn om twee mensen bij Moordzaken te hebben die Weathers heten. Ik heb geprobeerd haar te overtuigen van het feit dat een achternaam als Weathers je leuke bijnamen oplevert als "Storm", maar daar wil ze niet van horen. En hoe is het bij jullie, hoe gaat het met Cass?'

'Prima.' Denison nam een slok uit het bierflesje. 'We gaan over een paar weken naar Tenerife.'

'Aha, de zenuwslopende eerste vakantie samen. Nou ja, de eerste bruiloft als stelletje hebben jullie goed doorstaan.'

'Ja, ik moest je nog bedanken omdat je haar gevraagd hebt wanneer wij een datum gaan prikken,' klaagde Denison, maar Weathers lachte erom.

'Ze zei dat ze nog het een en ander aan je moest bijschaven voordat je het huwelijk waardig was.'

'O ja?'

'Ik ben bang van wel. Iets over het naar je toe trekken van dekbedden.'

Denison klakte met zijn tong. 'Steve, je liegt dat je barst. Ik ga ophangen.'

Het duurde bijna een maand voor de politie Eliza's lichaam vrijgaf. Haar ouders wilden de begrafenis in hun woonplaats Richmond houden, dus reisde een groep vrienden van Eliza de avond tevoren daarheen en deelden ze hotelkamers.

Olivia en Nick werden vroeg wakker en bleven een tijdje in stilte naast elkaar liggen, allebei verdiept in het schilderij aan de tegenoverliggende wand, van besneeuwde sparren. Uiteindelijk kwam Olivia op haar elleboog overeind en zoende ze de punt van Nicks neus.

'Gefeliciteerd, schat,' zei ze. Haar donkere haar leek bijna zwart om haar bleke schouders.

'Gefeliciteerd met een jaar samenzijn, Liv,' antwoordde hij, en hij trok haar naar zich toe voor een intiemere kus.

Ze troffen de anderen in de eetzaal van het hotel. Sinead en Paul aten allebei een grapefruit, maar Godfreys placemat was leeg, op een kop zwarte koffie na.

'Goedemorgen,' zei iedereen dof.

'Goedemorgen,' zei Nick. Hij wierp een bezorgde blik op Godfrey, die hun aankomst niet leek op te merken en zich concentreerde op zijn kop koffie.

'Thee, koffie?' vroeg een serveerster opgewekt.

'Twee koffie, alstublieft,' bestelde Olivia, en toen gingen ze aan het eind van de tafel zitten.

Leo verscheen in de deuropening in een wijd T-shirt en een zwarte spijkerbroek. 'Jongens, jullie geloven nooit wat ik net gehoord heb.'

'Leo, wat heb je in godsnaam aan?' bitste Godfrey.

'Rustig aan, man, dit trek ik niet aan naar de begrafenis. Ik heb boven een overhemd.'

'Jezus christus,' zei Godfrey, die achteroverleunde op zijn stoel. 'Wat kom je hier eigenlijk doen?'

'Hé, Eliza was een goede vriendin, hoor.' Leo keek gekwetst.

'Ja, hoor. Ze deed gewoon of ze je mocht zodat je haar gratis drugs zou geven, stomme klootzak dat je bent. Kon je niet eens de moeite doen je te scheren?'

'Dat doe ik straks wel,' mompelde Leo. 'Jezus, het is een begrafenis, geen modeshow.'

Godfrey zette met een klap zijn kopje op de tafel, zodat de helft van de koffie over het tafelkleed spatte. Hij beende de eetzaal uit en de deur sloeg tegen de muur toen hij hem openduwde.

'Zal ik achter hem aan gaan?' vroeg Sinead.

'Nee.' Nick schudde zijn hoofd. 'Laat hem maar.'

'Ik ga me heus wel opknappen voordat we weggaan, maak je geen zorgen, jongens,' zei Leo. 'Maar ik ben net gebeld door Danny en die had nogal een schokkend bericht, dat is alles. Jullie zullen het niet geloven, maar Suzy Marchmont is dood.'

Suzanne Marchmont was een van de studenten die na de moord op Amanda van Ariel was vertrokken. Voor zover Olivia zich kon herinneren, was ze aangenomen op de Sussex University als late starter. Ze was bevriend geweest met June en Olivia wist nog dat June haar had verteld dat Suzy heel populair was bij de studenten in Sussex, die allemaal de akelige details wilden weten van de gebeurtenissen op Ariel.

'Hoe is ze gestorven?' vroeg Paula.

'Bij een auto-ongeluk. Ze is tegen een boom gereden.'

'Jezus,' zei Sinead.

'Beschouwt de politie het ongeluk als verdacht?' vroeg Paula.

'Geen idee,' zei Leo. 'Waarom zou ze?'

'Nou, misschien was de Slager nijdig dat ze weg had weten te komen en buiten beeld was. Misschien wil hij dat we allemaal in Ariel opgesloten blijven, zodat hij ons kan vermoorden wanneer hij er zin in heeft.'

'Paula, nou draaf je wel een beetje door,' zei Nick. 'Het idee dat de Slager iedereen die van Ariel vertrekt zou straffen, dat is gewoon belachelijk.'

'Je bent niet veilig als je blijft, en ook niet als je weggaat...' fluisterde Leo.

'Leo, moedig haar nu niet aan,' zei Olivia, die probeerde niet te lachen.

'Om te beginnen is het een volkomen andere methode,' zei Sinead. 'Denk je dat de Slager haar van de weg zou rijden als hij haar ook in stukjes kon snijden? Dat geloof ik niet.'

'Nou, hij heeft Eliza toch ook niet in stukjes gesneden?' merkte Paula op. 'Volgens Godfrey heeft de politie tegen Eliza's ouders gezegd dat iemand haar met haar hoofd tegen een boomstam heeft geslagen.'

'We weten niet eens of de Slager Eliza vermoord heeft,' zei Nick.

'O nee?' zei Paula, en ze kneep haar ogen half dicht. 'Serieus, is er hier iemand die niet gelooft dat Amanda en Eliza door een en dezelfde rotzak vermoord zijn?' Ze keek de tafel rond.

Niemand sprak haar tegen.

Er stond een hele groep fotografen en journalisten voor de kerk. Olivia dacht aan het advies van de brigadier en wist haar handen thuis te houden. Godfrey had het hotel al verlaten tegen de tijd dat ze allemaal klaar waren om te gaan, en ze vroeg zich af of hij hierheen was gegaan of terug naar Cambridge.

In de kerk, waar het altaar beladen was met witte lelies, zag ze Weathers in een mooi zwart pak met een zwart overhemd en een zwarte das. Hij praatte met een kleinere man, wiens eigen zwarte pak een paar keer te vaak naar de stomerij was geweest. De knopen sprongen er bijna af, zo drukte zijn buik tegen de stof. Ze herkende hem als de inspecteur die de leiding had over Eliza's zaak.

Hij zag haar naar hem kijken en knikte meelevend. Ze glimlachte niet terug. Alles wat hij gedaan had, was mensen ondervragen wier enige fout was dat ze geen thuis hadden en klagen tegen de pers hoe moeilijk het was om kermisklanten op te sporen voor een verhoor. Olivia kon het ze niet kwalijk nemen dat ze zich niet hadden gemeld; ze wisten dat ze gemakkelijke zondebokken zouden zijn.

De studenten op Ariel hadden niet begrepen waarom Weathers niet ook de zaak van Eliza had gekregen tot ze een aantal politiemannen in mooie uniformen en met een paar strepen meer op hun petten en epauletten dan de gemiddelde agent hadden zien arriveren voor een gesprek met het hoofd van het college en zijn vriendjes. Daarna leek iedereen om het hardst te verklaren dat er geen enkel verband was tussen de moorden.

'Er is geen enkele reden om te veronderstellen dat de tragische dood van een studente van Ariel College vorig jaar geen opzichzelfstaand incident was, en we blijven erop vertrouwen dat de dader binnenkort voor de rechter gebracht kan worden,' verklaarde de politie. 'Onze statistieken tonen aan dat Cambridge een van de veiligste universiteitssteden in het land is en we hopen dat bezoekers zullen blijven komen om te genieten van de ongelooflijke architectuur en de warme sfeer in Cambridge.'

Olivia keek belangstellend toe toen Eliza's vader zich losmaakte van zijn vrouw en naar de politiemannen toe liep. Ze was te ver weg om te horen wat er gezegd werd, maar ze kreeg de indruk dat er scherpe woorden van Bertram Fitzstanleys lippen kwamen. Ze waren in het bijzonder gericht tegen inspecteur MacIntyre. Weathers leek tussenbeide te komen en de kleinere man bijna met zijn lichaam af te schermen, maar toen stak MacIntyre met een verzoenend gebaar zijn handen op en liep hij de kerk uit.

De dienst begon met een traditioneel gebed en een hymne en daarna las Eliza's beste schoolvriendin, Lucinda Franz-Hurst, een gedicht voor waarin beweerd werd dat Eliza nu de wind in de bomen was en het lied van de leeuwerik.

'Eerder het gekwaak van de eend,' zei Sinead zachtjes en Olivia had moeite haar gezicht in de plooi te houden. Sinead vond het heerlijk om op de meest ongeschikte momenten grapjes te maken en dat maakte het erg moeilijk om niet te lachen.

Een jongeman in een wit overhemd drukte op de knop van een draagbare stereo en de klanken van 'Tiny Dancer' van Elton John vulden de kerk. Het blikkerige geluid paste totaal niet binnen de indrukwekkende akoestiek in het gebouw.

Een andere schoolvriend las een stuk proza uit de negentiende eeuw voor, geschreven door een man aan de vrouw die binnenkort zijn weduwe zou worden, die haar verzekerde dat hij 'net om de hoek' zou zijn. Paula's zakdoekjes raakten op en ze moest er een lenen van Olivia.

Eindelijk kreeg Olivia Godfrey in het oog. Ze had verwacht dat hij vlak bij Eliza's ouders zou zitten, maar hij bevond zich vijf rijen achter hen. Toen ze probeerde zijn blik te vangen, zag ze hoe hij een zilveren heupfles naar zijn mond bracht en er een slok uit nam.

Denison verschoof ongemakkelijk op zijn stoel toen Olivia werd binnengebracht. Ze glimlachte naar hem en ging zitten.

'Wat kijkt u bezorgd.'

'We moeten ergens over praten en dat is niet niets, om eerlijk te zijn.'

'Oké...' zei ze, en ze fronste en boog wat naar voren. 'Het gaat toch niet over Nick?'

'Nee, het gaat over jou. Olivia, herinner je je ons laatste gesprek nog?'

'Natuurlijk, vorige week.'

'Nee, Olivia. We hebben elkaar gisteren gesproken. Weet je dat nog?'

Haar ogen werden groter en ze schudde haar hoofd. 'Weet u dat zeker? Ik ben ervan overtuigd dat ik u afgelopen vrijdag gesproken heb.'

'Ik weet het zeker. Olivia, ik ga je wat namen voorlezen. Wil jij zeggen of ze een belletje doen rinkelen? Goed dan, de eerste is Helen.'

Ze trok een gezicht. 'Ik heb een Helen gekend die in het kader van een uitwisselingsprogramma bij ons op school kwam. Verder niet.'

'En Vanna?'

Ze schudde haar hoofd. 'Iemand met zo'n naam zou ik me wel herinneren!'

'Christie?'

'Nee.'

'Mary.'

'Een personeelslid van de bar van Ariel heet Mary. En de muzieklerares op school. En volgens mij ook een van mijn oudtantes.'

'Kelly?'

Ze begon weer haar hoofd te schudden, maar toen bloosde ze. 'Dit is een beetje gênant, maar toen ik klein was, had ik een denkbeeldig vriendinnetje dat Kelly heette.'

'Echt waar? Hoe oud was je toen?'

'Niet zo oud. Drie of vier.'

'Hoe lang duurde die denkbeeldige vriendschap?'

Olivia fronste. 'Hmmm. Dat weet ik niet zo goed. Het klinkt misschien gek, maar soms heb ik het gevoel dat ze nog steeds in de buurt is. Alsof ik soms haar stem hoor. Ik bedoel, ik weet dat het aan mij ligt, aan mijn gedachten, maar soms trekt ze haar mond open alsof ze per se haar zegje moet doen.'

Ze lachte verlegen. Denison keek naar de laatste naam op zijn aantekenblok.

'Jude?' zei hij.

Ze schudde meteen haar hoofd.

'Weet je het zeker?'

'Heel zeker,' bitste ze. Ze wrong haar handen. Denison wilde niet dat ze te erg van streek raakte, want hij wist dat dan waarschijnlijk een van de alter ego's naar boven zou komen, dus bracht hij het gesprek op dingen die ze comfortabel en ontspannend vond. Na een tijdje keerde hij terug naar het onderwerp van haar diagnose.

'Olivia, we hebben het gisteren gehad over geheugenverlies. Kun je me daar wat meer over vertellen?'

Ze keek betrapt, alsof ze hem onbedoeld haar geheimen had verteld. 'Het komt wel eens voor dat ik mensen ontmoet die ik volgens mij nooit eerder heb gezien, maar die tegen me praten alsof ze me kennen.' Hij knikte geruststellend, hem kon ze alles vertellen.

Ze haalde haar schouders op alsof er niet meer te zeggen was.

'Heb je ooit meegemaakt dat vrienden vertelden dat je iets had gezegd en dat je je dat gesprek helemaal niet kon herinneren?' vroeg hij.

Ze knikte zonder hem aan te kijken.

'Heb je ooit een kledingstuk in je kast aangetroffen waarvan je je niet kon herinneren dat je het gekocht had?'

Ze knikte weer en hij zag dat haar ogen vol tranen schoten.

'Heb je wel eens meegemaakt dat je niet meer wist hoe je ergens gekomen was?'

Nu keek ze hem aan en de tranen rolden over haar wangen. 'Op een keer werd ik wakker en wist ik niet waar ik was. Ik had geen geld bij me. Ik moest teruglopen naar het college en voortdurend de weg vragen. Het kostte me twee uur om thuis te komen.'

'Nog andere dingen, Olivia?' vroeg hij zachtjes.

Ze slikte moeizaam. 'Werkstukken. Soms lagen er werkstukken in mijn postvakje die door mijn leraren beoordeeld waren. Mijn naam stond erop. Ik wist niet meer dat ik ze geschreven had! Of Nick vroeg me waarom ik voor de derde keer hetzelfde boek las. Op een keer...' Ze haalde diep adem. 'Op een keer op school zeiden ze dat ik een week had gespijbeld en moest ik nablijven. Ik weet niet meer wat ik in die week gedaan heb en waar ik dan was!' Nu trilde ze en de paniek kwam naar buiten alsof hij een diepe wond in haar huid had gemaakt en alle twijfel en verwarring eruit stroomden. 'Toen ik zeventien was, ging ik in december slapen en toen ik wakker werd, was het februari! Ik was zeven weken kwijt, inclusief Kerstmis en oud en nieuw!' Ze zweeg plotseling en haalde beverig adem. 'Sorry. Het was niet mijn bedoeling te schreeuwen.'

'Je hoeft je niet te verontschuldigen. Het spijt me dat we hierover moeten praten. Ik besef dat het heel traumatisch voor je moet zijn. Je hebt dit jarenlang met succes voor iedereen verborgen gehouden. Je bent er heel goed mee omgegaan. Maar nu wordt het tijd om je door ons te laten helpen, Olivia. Het hoeft niet zo te zijn.'

Ze keek naar hem en veegde de tranen van haar rood aangelopen gezicht. Haar ogen stonden vol pijn. 'Alstublieft, dokter Denison,' zei ze. 'Vertel me alstublieft wat er mis is met mij.'

Hij verschoof op zijn stoel. 'Ik denk dat je iets hebt wat wij een dissociatieve identiteitsstoornis noemen.' Ze keek niet-begrijpend. 'Vroeger noemden ze dat een meervoudige persoonlijkheidsstoornis.'

'Ben ik schizofreen?' vroeg ze ongelovig.

Hij haalde diep adem. 'Nee, je bent niet schizofreen. Schizofrenie is een heel andere psychiatrische aandoening.'

'Maar ik ben wel gek?'

'Olivia, je hebt een ernstige kwaal. Maar we kunnen je helpen. We kunnen je behandelen.'

Ze schudde haar hoofd. 'Wilt u zeggen dat er iemand anders in mijn lichaam woont als ik er niet ben? Iemand anders dan ik? Is het niet gewoon geheugenverlies?'

'Olivia, het is geen andere persoon. Jij bent het nog steeds. Alleen een heel ander aspect van jou. Zo anders dat jullie verschillende herinneringen hebben, een andere smaak en verschillende manieren om met dingen om te gaan.'

Ze leunde achterover om zo ver mogelijk van hem weg te komen. 'Nee. Dit kan niet kloppen. U moet het mis hebben. Het moet iets anders zijn.'

Hij haalde aarzelend zijn mp3-speler tevoorschijn. 'Zal ik je een stukje van de sessie van gisteren laten horen?'

Ze haalde scherp adem. 'Ja. Doe maar.'

Denison had van tevoren een paar minuten uitgekozen waar-in niet op het misbruik werd ingegaan. Wat ze nu ging horen, zou al schokkend genoeg zijn. Hij drukte op de knop en Helens stem klonk blikkerig door de luidspreker van het goedkope apparaatje.

'*Als u vragen wilt stellen, zult u directer moeten zijn. U krijgt me toch niet zover dat ik meer vertel dan ik van plan ben, dus u kunt net zo goed eerlijk tegen me zijn.*'

Olivia's hand schoot naar haar mond.

'*Goed dan*,' hoorde Denison zichzelf zeggen. Hij vond het ver-velend om naar zijn eigen stem te luisteren; het verbaasde hem altijd hoe pedant hij klonk. '*Over wie heb je het als je "anderen" zegt? Olivia?*'

'*Zij is er een van. De voornaamste, neem ik aan. En ik kom waar-schijnlijk op de tweede plaats. Hoewel het voelt alsof ik degene ben die het grootste deel van de tijd de touwtjes in handen heeft, als u be-grijpt wat ik bedoel.*'

'*Wie is er verder nog, behalve Olivia?*'

'*Even zien... Mary is de slimme meid. Degene die ons op Cam-bridge heeft gekregen. Doet vaak niet de moeite op te komen dagen voor mondelinge tentamens, dus dat is wel een paar keer paniek ge-weest voor Olivia. En dan hebben we Kelly. Ik denk dat u haar wel ontmoet heeft. Ze is een muis en zou nog geen vlieg kunnen dood-slaan en zo. En Vanna, dat is degene die je nodig zou hebben als je op het punt stond overvallen te worden. Christie is de jongste, dat is eigenlijk nog maar een kleuter. En dan is Jude er nog. En ik, Helen. Ik ben niet de slimste, niet de hardste en ook niet de jongste. Ik geloof dat ik degene ben die alles bij elkaar houdt en probeert het niet te moeilijk te maken voor Olivia. Die sukkel weet namelijk niets van ons af, ziet u. Ik probeer de overgangen soepel te laten verlopen, maar ik kan de anderen niet altijd in bedwang houden.*'

Hij drukte op 'stop'. Olivia's hele lichaam was gespannen, ze zat stijf rechtop op de bank. Haar ogen werden glazig en opeens was het meer alsof hij in een spiegel keek dan door het venster van iemands ziel. Alle spieren in haar gezicht ontspanden zich. Toen kwam de persoonlijkheid terug in haar gezicht, alsof je de kleuren aanzet op een televisiescherm. Ze fronste tegen hem.

'Wil je ons een paniekaanval bezorgen of zo? Jezus christus, dokter, kun je niet wat voorzichtiger met haar zijn?' Het accent was sterk en de stem hard.

'Vanna?' raadde hij.

'Ja.'

'Ik besef dat dit moeilijk is voor Olivia, maar ik wilde met haar praten over haar kindertijd. Helen heeft me verteld dat Olivia op grote schaal is misbruikt toen ze jong was.'

Vanna snoof. 'Ze was niet de enige.'

'Wat kun jij me daarover vertellen?'

Vanna kneep haar ogen tot spleetjes. 'Waarom, zodat jij je naderhand in je eigen toiletje kunt gaan aftrekken? Ik dacht het verdomme niet. Het gaat je trouwens geen ene moer aan.'

'Je mag denken wat je wilt, maar ik raak niet opgewonden als ik hoor hoe mannen jonge meisjes misbruiken. Ik kan je niet helpen als je je voor me afsluit.'

Ze stak haar middelvinger op. 'Ik wil weg.'

'Vanna, we zijn nog maar halverwege onze sessie.'

Ze sprong overeind. 'Wat kan mij dat bommen! Mary zegt dat je ons kwijt wil. Nou, ik blijf zitten waar ik zit, dus je kunt oprotten wat mij betreft!'

'Vanna, ik wil jullie helemaal niet kwijt. Zo werkt het niet. Jullie worden één geheel, waarin jullie allemaal samen kunnen bestaan. Samen worden jullie één volwaardige persoon.'

Ze kon amper een woord uitbrengen. 'Jij wilt me één geheel maken met hém? Met hém? Dat had je gedacht. Dat gebeurt niet!'

hoofdstuk **DERTIEN**

Gemiddeld viel er per jaar maar een paar dagen sneeuw in Cambridge, en dat ging onvermijdelijk gepaard met hordes gretige fotografen die de mooiste colleges af gingen. Ondergesneeuwde fietsen waren bijzonder populair.

Op een ijskoude dag halverwege januari, aan het begin van haar voorlaatste trimester op Cambridge, zat Olivia met Paula en Sinead in de bar van Ariel een kop soep uit de automaat te drinken, terwijl ze probeerde niet te denken aan de verwarmingskosten. Danny kwam binnengestapt met zijn laarzen vol sneeuw. Hij liet zich op de stoel naast Olivia vallen en gaf haar een exemplaar van de plaatselijke krant.

'Elvis leeft!' las ze. 'De beste Elvis-imitator van het land komt deze maand naar Cambridge en treedt op 14 januari op in de Corn Exchange.'

'Niet dat stuk!' zei Danny, en hij schudde zijn jas uit. 'Dat stuk.'

Er stond een foto in de krant van een man van middelbare leeftijd, netjes gekleed in een blazer en das alsof hij militair was geweest, en met een zakhorloge in zijn hand.

'Mortimer Grady bezoekt aanstaande woensdag de Spiritualist Church op Bailey Road voor een avond helderziendheid. Meneer Grady is een bekend medium en heeft al duizenden seances gegeven in het hele land sinds hij vijf jaar geleden aan zijn spirituele carrière begon.

"Ik ontdekte pas laat dat ik deze gave bezat," zegt meneer Grady. "Zeven jaar geleden is mijn vrouw overleden en kort na haar dood voelde ik hoe haar geest me bezocht. Ze vertelde me waar ik een ring van haar kon vinden die ik kwijt was geraakt en waar ik me erg schuldig over voelde. En ja hoor, hij lag precies waar ze zei dat hij zou liggen. Ik putte enorme troost uit de wetenschap dat haar ziel nog leefde, dus toen ik ook andere geesten begon op te pikken, wilde ik die wetenschap delen met andere nabestaanden. Van daaruit is het verder gegroeid. Ik had nooit verwacht dat ik het publiek zou bereiken dat nu naar mijn sessies komt."

De sessie begint om 20.00 uur. De toegangsprijs is £ 4,50 voor leden en £ 8 voor niet-leden.'

Olivia legde de krant op de tafel en Paula pakte hem meteen om het artikel ook te lezen.

'Je wilt toch niet voorstellen dat we erheen gaan?' vroeg Olivia aan Danny.

'Natuurlijk moeten we gaan,' zei Paula. 'Dit kan onze kans zijn om erachter te komen wat er met Amanda en Eliza is gebeurd.'

Danny haalde zijn schouders op. Als die vent een bedrieger blijkt, kunnen we in ieder geval eens goed lachen.'

Olivia keek naar Sinead. 'Ik vertel het niet aan Nick als jij het ook niet doet,' zei het roodharige meisje met een knipoog tegen haar.

Ze fietsten door de sneeuw en hun zwakke fietslampjes verlichtten de vlokken die uit de zwarte hemel naar beneden dwarrelden. De weg bleek te glad voor Danny, die met zijn één meter negentig en slungelige ledematen altijd al onhandig was. Hij nam de bocht naar Bailey Road veel te snel en zijn fiets gleed onder hem weg, zodat hij tegen een paar vuilniszakken schoot die stonden te wachten op de ophaaldienst. Hierdoor en door de vier glazen brandy die ze voor vertrek hadden gedronken hadden Olivia en Sinead al de slappe lach voordat ze zelfs maar waren gearriveerd.

De kerk, een onaantrekkelijk betonnen gebouw uit de jaren zestig, was bijna vol toen ze aankwamen. Olivia verbaasde zich over de verscheidenheid aan mensen, want ze had een bepaalde groep verwacht. De vier vonden wat lege plastic stoeltjes achterin – de banken zaten al vol – en wachtten tot Mortimer Grady zou verschijnen. Sinead en Olivia zaten nog steeds te giechelen en Paula en Danny, die blauwe plekken had, maar wie verder niets mankeerde, gingen tussen hen in zitten om hen tot bedaren te brengen.

Er werd hier en daar geklapt toen Mortimer Grady werd geïntroduceerd. Hij droeg dezelfde kleren als op de krantenfoto, tot aan zijn das toe. Olivia vroeg zich af of dat was omdat hij veel zorg besteedde aan het image dat hij wilde uitstralen of dat hij gewoon maar één das en één blazer had ingepakt voor zijn bezoek aan Cambridge.

'Ik krijg een vrouw, een ouder iemand. Haar naam begint met een E. Emily... Ethel misschien.'

Er stond een vrouw op met haar handtas tussen haar handen geklemd. 'Ik ken een Ethel.'

Grady keek haar vriendelijk aan. 'Ja, liefje. Ze was een familielid, iemand die je heel na stond. Je moeder?'

De vrouw knikte heftig.

'Ze zegt dat ze zich zorgen om je maakt. Dat je op het moment onder grote druk staat.' Nog meer geknik. 'Ze zegt dat je je geen zorgen moet maken, dat het allemaal goed komt. Ze zegt dat je niet in moet zitten over het geld.' De kin van de vrouw begon te trillen. 'Ja, er zijn veel spanningen geweest. Maar volgens de fantastische vrouw die nu in mijn oor praat, is het geld niet belangrijk. Wat is dat? Ethel zegt dat je die nieuwe jas moet kopen die je gezien hebt. Dat hij je echt goed zou staan. Goed, goed, Ethel moet nu gaan.' Grady klapte in zijn handen en keek naar Ethels dochter, bij wie de tranen over haar wangen liepen. 'Alles goed?' Ze knikte en ging zitten.

Het volgende uur zag Olivia hoe Mortimer Grady het publiek bewerkte. Ze dacht dat ze doorhad hoe hij het deed. Hij begon een beetje vaag over de naam tot die werd bevestigd door iemand in het publiek. Daarna bekeek hij die iemand eens goed en ging af op hun leeftijd, hun uiterlijk en met wie ze waren om te beoordelen in welke relatie ze waarschijnlijk tot de 'geest' stonden. De berichten waren zo algemeen dat ze op het grootste deel van het publiek van toepassing waren – wie maakte zich geen zorgen over geld? – en de meer specifieke uitspraken kwamen pas aan het eind, als de toegesprokene klaar was om alles te geloven wat hij vertelde. 'Nieuwe jas? O ja, de jas die ik nu heb is inderdaad wel wat te dun voor dit koude weer. Echt iets voor mama om te willen dat ik goed warm blijf.' Om negen uur had Olivia het gevoel dat ze de show zo zou kunnen overnemen.

In de pauze dronken ze limonade uit plastic bekertjes en wisselden ze indrukken uit. Danny en Olivia waren ervan overtuigd dat Mortimer Grady een oplichter was. Paula vond hem fantastisch. Sinead was geroerd door de tranen en het verdriet van het publiek en hun blijdschap om de boodschappen die ze over het graf heen ontvingen.

'Heeft hij ons gezien?' vroeg Olivia. 'Als hij ons tussen het publiek heeft zien zitten, wil ik wedden dat hij met Amanda of Eliza komt. Hij weet dat er maar één reden kan zijn voor de komst van vier studenten.'

En ja hoor, de eerste geest die Grady bezocht nadat hij zijn voorstelling had hervat, was blijkbaar een jonge vrouw met een heleboel pijn. 'Haar naam heeft een heleboel klinkers, iets als Andrea, of Emma. Ze is voor haar tijd overgegaan.'

Plotseling besefte Olivia dat Paula overeind was gekomen, met ogen vol tranen. 'Ja, ik geloof dat dat onze vriendin is.'

Grady knikte. 'Ze zegt je gedag. Ze zegt dat je voorzichtig moet zijn, dat er een donkere macht in je buurt hangt. Ze wil weten of je je nog herinnert waar jullie het bij de rivier over hebben gehad.'

Paula keek verbaasd. 'Meneer Grady, kunt u me vertellen met welke vriendin u spreekt?'

Nu was het zijn beurt om verbaasd te zijn. 'Weet je dat niet, liefje?'

'Het probleem is dat twee van onze vrienden dood zijn.' Er ging een luid gemompel op in de menigte. 'Een van hen heette Amanda, de ander Eliza. Wie van de twee is het?'

Hij draaide zijn hoofd naar de lege ruimte achter hem. 'Ze zegt dat ze Amanda heet. Ze zegt dat Eliza er ook is, maar dat die niets durft te zeggen.' Olivia hoorde een gesmoord geluid en zag Danny's sproeterige hand naar zijn mond schieten om de lach te smoren die hem was ontsnapt.

Paula knikte. 'Ja, Amanda. Ik herinner me ons gesprek bij de rivier.' Er waren misschien wel tien bruggen over de rivier de Cam in het centrum van Cambridge. Het college lag naast de rivier. Paula's favoriete pub stond aan de oever. Olivia vroeg zich af hoe Paula wist over welk gesprek Amanda het had, want er moesten er heel veel geweest zijn.

'Heb ik het juist als ik zeg dat Amanda op gewelddadige wijze deze wereld verlaten heeft?'

Paula knikte en betastte de ring van Amanda, die aan een ketting om haar hals hing. 'Ze is vermoord.'

Alle gezichten in de kerk waren nu naar hen toe gekeerd en de mensen rekten zich uit om de vier te kunnen aangapen. Ze waren blijkbaar heel interessant omdat ze bevriend waren geweest met het dode meisje.

Grady duwde zijn vingertoppen tegen elkaar. 'Ja, dat moet de dónkere macht zijn waar ze voor waarschuwt. Ik neem aan dat de moordenaar nooit gepakt is?'

Paula schudde haar hoofd en er viel een traan op het tapijt van de kerk. 'Kan ze me vertellen wie haar vermoord heeft?'

Olivia schudde haar hoofd. Dat had Grady aan moeten zien komen. Hij hoestte, hield een hand bij zijn oor en boog zich naar de lege ruimte.

'Het spijt me, meisje. Ik raak haar kwijt. Ze wordt heel zwak. Wat, Amanda, wat zei je?' Hij schudde zijn hoofd. 'Het spijt me, ze is weg.'

'Dat komt wel erg goed uit,' mompelde Danny. Paula stond nog steeds overeind, alsof ze op iets wachtte.

Grady keek de kerk door alsof hij zijn volgende slachtoffer zocht, maar toen schoot zijn hoofd plotseling achterover en gingen zijn ogen dicht. De mensen hapten naar adem en bogen zich naar voren.

Er kwam een zuchtend, schor gefluister uit zijn keel: 'Waaiervleugel.'

Een fractie van een seconde later glimlachte hij weer en bewerkte hij de zaal routineus, alsof er niets gebeurd was.

Toen ze terug waren op het college haastten ze zich naar de bibliotheek en zochten tevergeefs in de encyclopedieën naar het woord 'waaiervleugel'. 'Ik weet niet waarom jullie zo veel moeite doen,' zei Olivia, die toekeek terwijl de anderen naslagwerken van de planken trokken. 'Het maakte gewoon deel uit van zijn act. Waarschijnlijk betekent het helemaal niets.'

'Daar zou ik maar niet om wedden,' zei Danny triomfantelijk van achter een van de computers in de bibliotheek. Ze verzamelden zich om hem heen terwijl hij voorlas van een webpagina op het computerscherm. 'Waaiervleugeligen zijn parasitische insecten. Ze nestelen zich in het lichaam van een ander insect en kunnen het vlees van het gastdier zo goed nabootsen dat die gastheer zich er niet van bewust is dat hij langzaam van binnenuit opgegeten wordt. Uiteindelijk is alleen de huid van de gastheer nog over en andere insecten reageren op deze huid zonder te merken dat hij wordt gedragen door de waaiervleugelige.'

'Denk je dat die enge man ons iets probeerde te vertellen?' lachte Sinead, slecht op haar gemak. 'Laten we gaan. Ik moet een sigaret hebben.'

Het was bloedheet in Denisons kantoor. Het raam kon slechts op een kier open, voor het geval een wanhopige patiënt erdoor zou willen ontsnappen. Denison keek verlangend naar het park aan de overkant, waar een stelletje op een picknickdeken in de schaduw van een plataan van een ijsje zat te genieten.

Hij liep terug naar zijn stoel en voelde zijn overhemd aan zijn rug kleven toen hij zich tegen de rugleuning liet zakken.

'Olivia, de laatste keer dat we elkaar spraken, ging het niet helemaal zoals ik gepland had.' Denison geloofde dat eerlijkheid in dit geval de beste politiek was. 'De schok toen je erachter kwam wat de oorzaak was van al dat geheugenverlies in de loop der jaren was blijkbaar te veel voor je. Ik ben bang dat een van

de andere persoonlijkheden, een van de alter ego's, het heeft overgenomen om je te beschermen. Kun je me vertellen wat je je herinnert?'

Hij werd bemoedigd door haar gezicht en haar verschijning.
Haar kleren en haar haar waren schoon en netjes en ze had kleur
op haar wangen. Ze leek sterker.

Ze spreidde haar handen. 'Ik was hier. Daarna was ik opeens
weer in mijn kamer, met een knallende hoofdpijn. Ik weet nog
dat u me vertelde over... mijn probleem en ik herinner me dat u
een bandje afspeelde waarop ik tegen u sprak als een van mijn
andere persoonlijkheden.' Ze vond het duidelijk moeilijk om zo
rechtstreeks over haar toestand te spreken en hij had bewonde-
ring voor haar vastberadenheid. 'Dat was het. Ik lag op mijn bed
en er zat een prik in mijn arm, dus dacht ik dat ik... emotioneel
was geworden' – ze glimlachte bij deze milde omschrijving – 'en
dat ze me verdoofd hadden.'

Hij knikte. 'Ik geloof dat je niet veel rustiger werd toen je terug was op je afdeling, dus moesten ze je wel iets kalmerends geven.

Olivia, je alter ego Vanna kwam naar boven. Ik begon haar uit
te leggen wat de aanbevolen behandeling is voor jouw stoornis,
die inhoudt dat de verschillende persoonlijkheden geleidelijk
geïntegreerd worden tot één geheel, één persoon. Dat idee leek
haar in paniek te brengen. Weet jij soms waarom?'

Olivia fronste en schudde haar hoofd. 'Dokter, u weet meer
over mij dan ikzelf.'

Hij glimlachte meelevend. 'Nou, Vanna hoeft zich geen zorgen te maken. Ik ga niet proberen je te genezen. Mijn eerste
zorg...'

Ze viel hem in de rede. 'Waarom niet?'

'Olivia, het is niet mijn rol om jou therapie te geven. Ik moet
het hof helpen beslissen of je in staat bent terecht te staan, en
zo ja, of je je bewust was van de aard van het misdrijf op het moment dat je het bedreef.'

Haar mond viel open.

'O, mijn god,' zei ze. 'Wilt u zeggen dat ik ze heb vermoord?'

Hij besefte te laat dat hij niet over zijn woorden had nagedacht en haastte zich haar te kalmeren. 'Nee, Olivia, ik probeer je niet te vertellen dat je bekend hebt. Je hebt niet bekend. Maar er zijn goede redenen om te denken dat je erbij betrokken was.'

'Dat dacht ik al,' zei ze sarcastisch. 'Ik dacht al dat er misschien een reden voor moest zijn dat ik afgezonderd werd, ik weet verdomme alleen niet wat die reden is!'

Ja, dacht hij. Ze is beslist sterker. Nou, goed dan.

Hij legde zijn pen en aantekenblok neer en zette zijn stoel recht, zodat die recht tegenover die van haar stond. 'De derde moord, de laatste, is twee maanden geleden gepleegd. We hebben jou en Nicholas in de kamer aangetroffen met het lijk. Jullie zaten allebei onder het bloed. Nicholas had zijn kleren aan, maar jij was bijna naakt en verkeerde in shock. Olivia, drie dagen later had je nog geen woord gezegd en had je er niet eens blijk van gegeven dat je je bewust was van je omgeving. Je bent door twee dokters onderzocht – ik was een van hen – en we waren het erover eens dat je vastgehouden moest worden onder sectie twee van de wet op de geestelijke gezondheid. Dit stelde ons in staat om achtentwintig dagen lang je geestelijke toestand in de gaten te houden. Uiteindelijk duurde het eenendertig dagen voordat je echt met ons kon communiceren of zelfstandig kon eten of zelfs maar in je eentje naar de badkamer kon gaan.' Olivia zat stijf rechtop, met haar armen over elkaar. Zo te zien wilde ze dit niet horen. Nou, jammer dan. 'Je leek helemaal niet te weten hoe je hier was gekomen en ook niet waarom je niet weg mocht.'

'Als u me maar achtentwintig dagen kon vasthouden, waarom ben ik hier dan nog?' vroeg ze.

'Na achtentwintig dagen kan een maatschappelijk werker een verzoek doen voor een gerechtelijk bevel onder sectie drie, als dat nodig blijkt. Dat stelt ons in staat je nog zes maanden vast te houden.'

'En is Nick ook hier?' Hij zag dat haar handen trilden.

'Nee.' Hij zette zijn bril recht. 'Ik ben bang dat Nick werd gearresteerd wegens moord.'

Haar ogen schoten onmiddellijk vol tranen. 'Nee...' zei ze, en haar stem brak.

'Hij is niet in staat van beschuldiging gesteld, maar hij moet zich ter beschikking houden van de politie terwijl de zaak verder wordt onderzocht.'

'Maar hij heeft het niet gedaan!' riep ze.

'Olivia, hij was overdekt met het bloed van het meisje. Zijn vingerafdrukken stonden op het mes.'

'Maar wat heeft hij gezegd?' protesteerde ze. 'Hij moet er een verklaring voor hebben gegeven, ook al geloofden jullie die niet!'

Denison schudde zijn hoofd. 'Hij zegt dat hij jou daar aantrof.'

'En de vingerafdrukken?'

'Hij zegt dat hij het moordwapen op de grond zag liggen en het heeft opgepakt. Dat is gewoon niet erg geloofwaardig, Olivia. Hij is te slim om zoiets stoms te doen.'

'Dokter, hij is erin geluisd, dat moet wel. Ik kén hem, het bestaat niet dat hij ze heeft vermoord!'

'Olivia, ik weet dat je van hem houdt en dat je hem wilt helpen. Maar de waarheid is dat we gewoon niet precies weten wat er in die kamer gebeurd is. Dat moet jij me vertellen.'

'Maar ik kan het me niet herinneren.'

'Je alter ego's misschien wel.'

'Vraag het hun dan!'

'Zo gemakkelijk is dat niet. Je kunt ze niet zomaar tevoorschijn roepen.' Hij zweeg even. 'Maar er is wel een manier.'

'Vertel.'

Olivia was verbaasd toen ze de deur opendeed en June voor zich zag staan. June had dat jaar toevallig de kamer naast Nick, maar omdat ze het grootste deel van hun tijd op de kamer van Olivia zaten, zag ze haar meestal alleen bij de colleges.

'Hallo,' zei June verlegen. 'Ik vroeg me af of jij vandaag nog naar het seminar over Shakespeare ging.'

Olivia keek op haar horloge. 'Nou, ik dacht er wel over. De dissertatie vordert goed, dus misschien heb ik wel even tijd. Het gaat vandaag over *Macbeth*, nietwaar?'

'Oftewel "dat Schotse stuk", zoals Sinead het per se wil noemen,' zei June, en ze rolde met haar ogen. Ze lachten allebei.

'Oké, ik pak even mijn spullen.'

Olivia deed haar deur verder open, zodat June binnen kon wachten terwijl zij haar pennen, aantekenboeken en haar exemplaar van het toneelstuk pakte. June keek de kamer rond – ze was nog niet eerder binnen geweest – en zag de ingelijste foto van een chic geklede Nick en Olivia die met glazen champagne op een zonnige binnenhof stonden, de afdruk van *De Sterrennacht* van Vincent van Gogh en de poster van Louis Armstrong met bolle wangen rond het mondstuk van zijn trompet.

'Wat is er met je poster van Mr. Blonde gebeurd?' vroeg June. De afbeelding uit *The Reservoir Dogs* was in hun eerste jaar op Ariel Olivia's favoriete poster geweest.

'Ach, je weet wel,' zei Olivia nonchalant. 'Die was wel een beetje erg stereotiep, vind je ook niet? De standaard student: een plaat van de Beatles, een poster van Tarantino, wijde truien en altijd klagen over de studiefinanciering.'

'Daar sta je nu zeker boven?' plaagde June.

Olivia staarde haar aan en besloot uiteindelijk te lachen. 'Ja, ik heb me ontwikkeld,' zei ze. 'Oké, ik heb alles.'

Na het seminar gingen ze nog een kop koffie drinken in de bar van de Picturehouse Cinema. Ze discussieerden tien minuten over de rol van het onaardse – Banquo's geest en de heksen – in de val van Macbeth en toen begon June eindelijk over de reden waarom ze Olivia had opgezocht.

'Liv, ik hoop dat je dit niet verkeerd opvat, maar... gaat alles goed tussen jou en Nick?'

Olivia zette haar kop koffie neer. 'Hoe bedoel je? Het gaat prima.'

'Oké... Alleen hoorde ik Nick laatst schreeuwen en ik maakte me zorgen omdat hij zo boos klonk.'

'Dus je luistert ons af.'

'Nee! Natuurlijk niet. Liv, ik kan het niet helpen dat ik naast hem woon en dat de muren zo dun zijn. Is alles echt oké? Geen problemen?'

'Ik weet niet wat je bedoelt,' zei Olivia met een strak gezicht. 'Hij was boos op me en daar had hij een goede reden voor. Ik had afgesproken zijn moeder van het station te halen omdat hij een afspraak had met zijn studiebegeleider en dat was ik vergeten. Daar zou ik zelf ook kwaad om zijn geworden.'

'Maar hij ging echt over de rooie, Liv. Ik was bijna naar jullie toe gekomen. Ik maakte me zo'n zorgen om jou.'

'We hadden gewoon ruzie, June. Dat gebeurt wel eens tussen stelletjes.' Ze stond op en begon haar jas aan te trekken. 'Als jij een relatie had die langer dan twee weken duurde, zou je beseffen dat je enorme ruzie kunt maken zonder dat dat het einde van de wereld is.' Ze gooide haar tas over haar schouder en haastte zich de trap af en het gebouw uit.

De hemel was zachtroze en de wolken waren net volle waszakken, zwaar van de natte kleren. Olivia liep over de Backs en ging rechtsaf de achterpoort van Ariel in. Het pad dat over de rivier en naar de binnenplaats van het college leidde, was omzoomd met laatbloeiende narcissen. Een merel hopte voor haar uit over het pad, pikte een broodkruimel op en wipte de avondlucht weer in.

Het was rustig in de bar van Ariel. De eters waren klaar en weer vertrokken, naar de pubs of naar de bibliotheek, afhankelijk van hun werklust. Er waren slechts een paar mensen achtergebleven: een aantal eerstejaars die niet van het quizapparaat los konden komen en de naam niet schenen te weten van de moordenaar van John Lennon en vier derdejaars aan de pooltafel. Leo was er een van en Sinead een andere. Danny en Nick waren de enigen die echt aan het biljarten waren. Leo en Sinead hadden een keu in de hand, maar gebruikten die meer om mee te gebaren dan om ballen in de netten te schieten. Toen Olivia dichterbij kwam, zag ze dat Danny Sinead probeerde te vertellen dat ze aan de beurt was en dat hij met zijn ogen rolde tegen Nick toen Sinead hem volkomen negeerde. Nick gaf Danny een por om hem de beurt van Sinead te laten overnemen.

'Ik vind het gewoon moeilijk te geloven dat een intelligente, liberale vent als jij voor de doodstraf is,' snauwde Sinead tegen Leo.

Leo had zijn dreadlocks laten uitgroeien tijdens de paasvakantie en had nu kort haar, waar hij met gel pieken van maakte. Het kapsel deed Olivia denken aan een vergroting van bacteriën die ze een keer in een van Danny's leerboeken had gezien.

'Waarom zou de overheid in godsnaam vele duizenden ponden moeten uitgeven om een klootzak in leven te houden die iemand verkracht en vermoord heeft?' argumenteerde Leo.

'In godsnaam, Leo, weet je wel hoeveel het in Amerika kost om iemand te executeren? Meer dan een miljoen dollar!'

'Ik wist niet dat de elektriciteit daar zo duur was,' reageerde Leo droog. Danny bedwong een lach. Nick gaf Olivia een kus en bood haar een slokje van zijn bier aan.

'Het zijn juist de beroepsprocedures die zo veel geld kosten. Sommige van die arme kerels zitten wel tien jaar of nog langer in de dodencel, en dat noemen ze dan geen "wrede en buitensporige straf"?'

'Als de beroepsprocedure zo duur is, waarom nemen ze ze na de veroordeling dan niet gewoon mee naar achteren en schieten ze door het achterhoofd?'

'Jezus christus!' barstte Sinead los. 'Heb je wel eens gehoord van de term "rechterlijke dwaling"? Of denk je soms dat dat alleen in fascistische dictaturen voorkomt?'

Leo haalde zijn schouders op. 'Nou, dan zijn er misschien een paar op de honderd onschuldig. Het is waarschijnlijk minder erg dat die het loodje leggen dan dat er ook maar één psychopaat vrijkomt.'

'Amen!' zei een stem aan een tafeltje in de buurt. Olivia had niet gezien dat daar iemand zat. Ze keek op en zag Godfrey met zijn voeten op de tafel een glas heffen met zo te zien whisky erin.

'Zie je wel, Godfrey is het met me eens,' zei Leo, alsof de zaak daarmee was afgedaan. 'Ik wed dat jij graag zou zien dat de vent die Eliza heeft vermoord geëxecuteerd wordt, waar of niet?'

'Ik zou met alle liefde zelf de schakelaar overhalen,' zei Godfrey met een akelige grijns, en hij sloeg de rest van zijn drankje achterover.

Sinead wist wel beter dan over een ethische kwestie te discussiëren met iemand die zo'n goede reden had om die discussie op zichzelf te betrekken en ging weer naar Danny en Nick.

Olivia liep naar Godfrey toe, deels in de hoop dat ze hem de weg naar de bar en nog meer drank kon versperren. Toen ze naast hem ging zitten, rook ze de drank in zijn adem en zijn kleren. Er lag een fles Jack Daniel's tegen zijn heup. Hij haalde de schroefdop eraf en schonk zijn glas vol.

'Wil je ook wat?' vroeg hij.

'Nee, dank je.' Olivia plukte aan een losse draad van de kussenhoes. 'Godfrey, gaat het wel goed met je? Ik bedoel, ik weet dat het een stomme vraag is, maar we maken ons allemaal zorgen om je. Als je soms iemand nodig hebt om mee te praten...' Haar stem stierf weg uit angst dat ze een paar snerende opmerkingen zou krijgen. Ze was verbaasd toen Godfrey uiteindelijk een spijtig glimlachje tevoorschijn toverde.

'Dank je, Olivia,' zei hij. 'Maar zo ben ik niet opgevoed. Nooit je gevoelens laten blijken en zo. Ik kom er wel overheen. Het verbaast me alleen een beetje hoe erg ik haar mis, om eerlijk te zijn. Toen we nog samen waren, vond ik haar veertig procent van de tijd een enorme lastpak.' Hij draaide het glas op de tafel. 'De Amerikanen hebben het toch altijd over dingen afsluiten? Nou, ik geloof dat ik nu weet wat ze bedoelen. Ik heb het gevoel dat ik zit te wachten. Wachten tot ze die ellendeling pakken. Stel dat dat nooit gebeurt? Misschien blijf ik dan altijd in deze onzekere situatie hangen.'

Olivia kneep in zijn hand. 'Misschien is het gemakkelijker als we niet meer hier zijn. Hier zijn overal herinneringen aan verbonden.'

Godfrey trok een gezicht. 'Ja. Maar wat zal het tegelijkertijd vreemd zijn om in een omgeving te zitten waar we niet worden omringd door mensen die het begrijpen. Hier zitten we zo'n beetje allemaal in hetzelfde schuitje. Ik weet niet of ik er wel tegen zal kunnen als ik in de buitenwereld moet omgaan met een stelletje naïevelingen die niet weten hoe het is om je vrienden weg te zien vallen.'

Olivia lag op de bank in Denisons kantoor met haar hoofd op een kussen, haar handen op haar buik en haar enkels gekruist. Denison zag aan haar houding dat ze zich niet kon ontspannen. Hij zat zelf een goede anderhalve meter verderop om haar een heleboel ruimte te geven.

'Probeer het je zo gemakkelijk mogelijk te maken. Ontspan je, zorg dat je lekker ligt.' Hij zag tot zijn tevredenheid dat ze haar enkels naast elkaar legde, even heen en weer schoof en haar broek en shirt goed trok.

'Oké,' zei ze.

'Ik wil dat je je ogen dichtdoet en dat je je benen en voeten helemaal ontspant. Leg je handen ontspannen langs je lichaam. Laat je schouders wegzinken in de kussens.' Zijn stem was geruststellend, sussend.

'Ik wil dat je je concentreert op mijn stem. Misschien hoor je geluiden van verkeer of zo, maar ze zullen amper tot je doordringen. Je zult je de hele sessie kalm en ontspannen voelen.

Ik wil dat je je voorstelt dat je op een eiland op het strand ligt. Het is warm en zonnig en je voelt de zon op je huid. De hemel is blauw en je hoort de golven op het strand en de palmbladeren ruisen door het briesje. Je geniet van de warme stralen van de zon. Het is zo vredig, zo ontspannend. Er is helemaal niets om je zorgen over te maken.' Hij zag dat Olivia langzamer en dieper ging ademhalen, dat haar handen ontspanden en dat haar voeten iets uit elkaar vielen.

'Verderop op het eiland, op een open plek tussen de bomen, staat een oude kerk. Hij is leeg en het is er heel stil. Je loopt tussen de palmbomen door naar de kerk. Je voelt de gladde houten vloer onder je voeten. Het zonlicht stroomt door de gebrandschilderde ramen en verlicht de kerk met de prachtigste blauwe, rode en groene tinten. Je loopt rond door de verschillende tinten licht en je merkt dat elk ervan je een ander gevoel geeft als je erdoor overspoeld wordt.

Er is een zware houten deur achter in de kerk. Je gaat die deur door en staat boven aan een wenteltrap. Je begint de trap af te lopen. Met elke stap voel je je slaperiger. Je oogleden worden zwaar. Je benen worden zo moe, zo moe. Je wilt gewoon gaan liggen slapen. Met elke stap ga je dieper, dieper, dieper. Naar beneden, steeds verder naar beneden.'

Hij zweeg even. Net als de meeste mensen die zich in een diepe hypnotische trance bevinden, leek Olivia vast in slaap.

'Je komt onder aan de trap. Je bevindt je in een veilige omgeving; hier kan niets je kwaad doen. Als we het over dingen hebben die in het verleden zijn gebeurd, zal het zijn alsof je naar een film op de televisie kijkt. Je kunt die film stilzetten of afbreken. Je kunt vooruit- en terugspoelen. Je kunt het geluid harder of zachter zetten of zelfs helemaal uitdraaien. Wat wil je me op het scherm laten zien?'

Olivia's ogen bewogen onder haar oogleden, alsof ze in een remslaap verkeerde.

'Toen dat meisje gewond raakte,' zei ze met slaperige stem.

'Welk meisje?'

'Tabitha Newland.' Denisons hart sloeg over. Een ander slachtoffer van wie ze niets wisten? Iemand van voor de meisjes op Ariel?

'Laat maar zien wat er gebeurd is met Tabitha Newland.'

'Ze pestte me. Ze vond me altijd in de pauze, ook al had ik me verstopt, en dan maakte ze me belachelijk tegenover de anderen. Soms sloeg ze me. Het deed geen pijn, maar het was vernederend. Ze wist dat ze me kon pesten. Ze voelde dat ik zwak was. Die dag kwam ik thuis en mijn jas was kapot, omdat zij de zak eraf had gescheurd. Mijn moeder werd helemaal gek en mijn vader zei dat ik een zielenpoot was. Ik kon niet eens tegen een tiener op. Hij wilde weten waar ze woonde. Ik vertelde het. Op Amhurst Park, tien minuten van ons vandaan.'

Tabitha Newland. Dat moest het meisje van Olivia's school zijn dat bij een ruzie met haar een gebroken arm had opgelopen.

'Hij reed ons erheen in zijn auto. We zagen haar roken op het speelterrein en wachtten op de trap tot ze naar haar flat ging voor het avondeten. Toen ze ons zag, probeerde ze weg te rennen. Mijn vader greep haar vast en stompte haar op haar neus.' Olivia's stem werd dieper en harder en snauwde: '"Ik laat mijn meisje niet pesten door een of ander rotkind."' Hij draaide haar arm op haar rug en ik hoorde een krakend geluid, alsof er een stok brak. Hij dwong haar zich tegenover mij te verontschuldigen. Toen ze dat had gedaan, zei hij: "Vooruit, Olivia, zet het haar betaald." En hij duwde haar naar me toe. Ze viel om en bleef jankend op de grond liggen. Hij schreeuwde dat ik het haar betaald moest zetten. Maar ik wilde niet. Dus nam Vanna het over en die schopte haar. Toen hoorde ik mensen de trap op komen. Ze zagen Tabitha bloedend op de vloer liggen en gingen snel hulp halen. Mijn vader rende de andere kant uit.' Hij schrok toen ze opeens giechelde. 'Dat was de enige keer dat ik me kan herinneren dat mijn vader voor me opkwam.'

Denison was nieuwsgierig. Ze had gezegd dat Vanna het overnam; betekende dit dat Olivia zich in deze toestand bewust was van haar alter ego's, of sprak hij nu met een van de andere persoonlijkheden?

'Hoe wil je dat ik je noem?' vroeg hij vriendelijk.

'Kelly.' Het bange meisje dat het grootste deel van het misbruik te verdragen had gekregen.

'Kelly, kun je me iets vertellen over Olivia?'

Olivia trok haar neus op. 'Ze is aardig. Ik mag haar graag. Ze is niet erg opmerkzaam, maar dat hoeft ook niet, neem ik aan, want wij beschermen haar.'

'Wie beschermt haar nog meer?'

'Helen, voornamelijk. Helen is de oudste, zij is de volwassene. Ze weet meestal wel wat we moeten doen, wat we moeten zeggen. Ik ben te verlegen. En Mary helpt ook. Die is heel slim. Ze leest graag en vindt leren leuk. Ze heeft ons van hem weg gekregen.'

'En Vanna?'

'Vanna kan gemeen zijn. Meestal maakt ze alles alleen maar erger. Ze jaagt altijd iedereen op de kast. Maar soms ben ik blij dat ze er is. Als we in de metro zitten en het laat is. Of als zo'n dakloze tegen ons uitvalt omdat we hem geen geld willen geven.'

'En Jude?' Denison hield zijn stem kalm en geruststellend, maar hij zag toch dat Olivia's spieren zich meteen spanden en dat haar ademhaling sneller werd. 'Kelly, haal diep adem en laat de lucht heel langzaam ontsnappen... Kelly, je bent hier veilig. Er bevindt zich een barrière om je heen die je beschermt. Het is net een krachtveld, een bel waar niemand in kan.'

'Hij is al binnen,' fluisterde Kelly. 'Maak hem niet wakker.'

'Ik wil hem spreken,' zei Denison.

'Nee,' siste ze. Toen veranderde er iets in haar gezicht en haar stem werd zelfverzekerder, terwijl het accent een heel eind verdween. 'Dokter, probeer alstublieft niet Jude naar boven te halen. U hebt er niets aan. Hij is... onsamenhangend.'

'Ben jij dat, Helen?'

Ze knikte. 'Ik kan u vertellen wat u moet weten.'

'Helen? Was het Jude? Heeft hij die meisjes vermoord?'

Ze negeerde de vraag. 'Wie wilt u dat we u laten zien in de snuffmovie die we bekijken? Amanda? Eliza?'

'Amanda,' zei hij na een tijdje.

Helen/Olivia haalde heel diep adem. 'Het was afschuwelijk, dokter. Echt heel erg. Weet u zeker dat u het wilt horen? Weet u zeker dat het zal helpen?'

'Ik weet het zeker,' zei hij, en hij zette zich schrap.

/ *hoofdstuk* **VEERTIEN**

MacIntyre zat met een bord eieren met patat op een terras, en zat tegelijkertijd de tweede van de drie sigaretten te roken die hij zich tijdens de pauze toestond. Weathers ging tegenover hem zitten.

'Hallo, Steve,' zei MacIntyre met een mond vol eidooier en gebakken brood.

'Hé, Mac. Hoe gaat het? Koffie, alstublieft,' zei Weathers tegen de serveerster. Het was kil; hij trok zijn jas om zich heen en schoof iets dichter naar de terraskachel die vlak bij hun tafel stond.

'Niet zo goed, niet zo goed.' MacIntyre prikte de laatste vier patatjes op zijn vork, stak ze in zijn mond en duwde het bord met een zucht weg. Toen pakte hij zijn smeulende sigaret weer op. 'En bij jou?'

Weathers haalde zijn schouders op. 'Dat hangt ervan af of je werk of privé bedoelt. Mijn zaak ligt helemaal stil. Op persoonlijk vlak gaat het fantastisch. Je hebt het misschien wel gehoord, Sally gaat een eerlijk man van me maken.'

MacIntyre grijnsde ietwat geforceerd. 'Dat is fantastisch, Steve. Gefeliciteerd. Heb je haar gevraagd tijdens dat intieme weekendje dat je twee weken geleden hebt genomen?'

'O, als je met je verloofde gaat, mag je het geen intiem weekend noemen. Dan is het een romantisch intermezzo.'

'Nou ja, zolang je lekker van bil kunt, verder maakt het niet uit,' zei MacIntyre te midden van een long vol rook. Samen met de rook dreven er een paar korte beelden langs Weathers: een kreunende Sally in het grote hotelbad, met nat haar en zeepbelletjes op haar huid, Sally's tong die in de gondel zijn oor likte, terwijl de gondelier met een begrijpend Italiaans lachje zijn blik afwendde, Sally tussen de frisse witte lakens, die zachtjes snurkte.

De serveerster bracht Weathers' koffie.

'Maar de zaak-Montgomery, denk je dat er verder niets uit komt?' MacIntyre leek opgelucht dat hij niet de enige was wiens onderzoek op niets was uitgelopen.

'Nou, we hebben de zaak van alle kanten onderzocht. Er was geen forensisch bewijs waar we iets aan hadden. Geen getuigen. Voor zover wij kunnen nagaan niemand die een wrok tegen haar koesterde. Ik weet vrij zeker dat het een van die smerige studentjes is, maar ze hebben de rangen gesloten. Ze hebben inmiddels zo erg het gevoel van "wij tegen de rest" dat ze de schoft waarschijnlijk zelf zouden ophangen als ze erachter kwamen wie het had gedaan.'

MacIntyre snoof en rookte zijn sigaret tot op de filter op. 'Nou, wij hebben juist te veel forensische gegevens. Weet je hoeveel condooms we binnen een straal van drie meter om het lichaam hebben gevonden?' Hij duwde zijn sigaret uit en stak een andere op.

Weathers nam een slok koffie. Het was instantkoffie, maar niet erger dan de troep die uit het apparaat op het bureau kwam. 'Maar op geen ervan zat ook het DNA van Fitzstanley.'

'Nee. En dokter Bracknell denkt niet dat ze verkracht is. Maar ik heb wel vijftig sigarettenpeuken en tien blikjes fris en bier waarop DNA zou kunnen zitten.'

'Zou kunnen?'

'Ja. Mij is verteld dat ik ze niet allemaal kon laten testen, alleen wat van recente datum leek. Verspilling van middelen, blijkbaar. In ieder geval, we hebben DNA van vijf peuken en twee blikjes. In drie gevallen was het afkomstig van een vrouw. We hebben vier monsters

187

mannelijk DNA vergeleken met de monsters die we hebben afgenomen bij een paar van de schooiers die we ter verhoor hebben opgepakt, maar dat leverde niets op. Ik weet niet, het was toch nogal vergezocht. Om te beginnen denk ik niet dat de moordenaar rookte of een blikje fris dronk terwijl hij het meisje om zeep hielp en als we wel overeenkomsten hadden gekregen, had de betrokken persoon alleen hoeven zeggen: "Ja, ik ben daar een dag eerder geweest en toen heb ik mijn peuk in de bosjes gegooid, en wat dan nog?" Dat is niet bepaald belastend bewijs.'

'Ik begin het punt van het verspillen van middelen te begrijpen,' gaf Weathers toe. 'Dacht jij dat een van die kerels die je hebt opgepakt het wel eens gedaan zou kunnen hebben?'

MacIntyre lachte snerend en liet zijn vergeelde tanden zien. 'Wie weet? Ze zouden allemaal hun grootmoeder nog vermoorden als ze dachten dat ze er wat op zouden verdienen. En sommigen van die kerels kunnen echt over de rooie gaan als ze goed high zijn.'

'Maar waar is het motief?' vroeg Weathers. 'Ik dacht dat jullie ervan uitgingen dat ze geld wilden voor drugs. Als ze al high waren, waarom zochten ze dan geld? Die lui denken niet verder dan tien minuten vooruit.'

'Nou, volgens mij waren ze high en geil. En toen ze niet mee wilde werken, sloegen ze haar in elkaar.'

'Hoe zou zo'n type haar kunnen meelokken naar een begroeide en afgezonderde plek? Zou jij met zo iemand meegaan?'

MacIntyre lachte en de rook stroomde uit zijn neusgaten. 'Sorry, Steve, dat is onbeschoft van me. Wil je er ook een?' Hij hield Weathers zijn pakje Dunhills voor.

Weathers schudde zijn hoofd. 'Nee, dank je. Ik probeer te stoppen.'

MacIntyre knikte. 'Dat doen we allemaal. In ieder geval, ik denk dat ze haar hebben kunnen "meelokken", zoals jij het stelt, omdat ze dacht dat ze iets te koop hadden. Juffrouw Fitzstanley was blijkbaar nogal verknocht aan coke. Nou ja, een uit de hand gelopen verkrachting is ook maar één theorie. Een andere is beroving. Ze stribbelde een beetje te erg tegen en dat leverde haar een ingebeukt gezicht op.'

'Maar dan nog, Mac, wat deed ze daar tussen de bosjes?'

'Misschien moest ze plassen.'

'Een meisje als zij, in de bosjes? Terwijl er wel vijf pubs binnen loopafstand zijn?'

MacIntyre stond op en gooide wat geld op het formica tafelblad. 'Jij denkt nog steeds dat het iemand was die ze kende, nietwaar?'

'Kom op, Mac, het is de beste verklaring voor haar aanwezigheid op de plek waar ze is vermoord.'

'En de vermiste tas?' De tas en de laarzen waren vijf uur na het lichaam ontdekt in de Cam door een roeiboot vol studenten. 'Alleen het contante geld was eruit.'

'Een poging om het op een beroving te laten lijken. Mac, kom op, je weet dat dit om het meisje zelf te doen was.'

MacIntyre ging opeens weer zitten en zei fel: 'Weet je, Steve, je raakt de weg een beetje kwijt. Is het nou een seriemoordenaar of niet? Seriemoordenaars kennen hun slachtoffers niet, weet je nog? Het gaat hun niet om iemand persoonlijk, weet je nog?'

'Dat is niet altijd waar, Mac,' zei Weathers, en hij schudde zijn hoofd. 'Een aantal slachtoffers van Fred West waren mensen die hij kende. Een ervan was zijn dochter! John Wayne Gacy vermoordde twee jongens die voor hem werkten. Ed Kemper vermoordde zijn moeder en haar beste vriendin.'

'Je hebt je er behoorlijk in verdiept, merk ik,' zei MacIntyre. 'Maar laat het niet naar je hoofd stijgen. Het heeft niets extra's om een seriemoordenaar te pakken. Je legt er geen eer mee in. We doen gewoon ons werk en het zou voor ons precies hetzelfde moeten zijn als de vent pakken die zijn vrouw heeft gekeeld omdat ze het deed met de melkboer.'

Sigaret nummer drie belandde bij nummer een en twee in het asbakje en Weathers bleef alleen achter, terwijl de mensen om hem heen zich afvroegen wat hij gezegd kon hebben om zijn metgezel in zo'n smerige bui te laten wegbenen.

De rivieroever tegenover Ariel College was een lappendeken van felgekleurde handdoeken in turkoois, felroze, limoengroen en nachtblauw. De meeste studenten zonnebaadden in een korte broek en een shirtje, en degenen met meer zelfvertrouwen in een bikini of zwembroek.

June en Danny lagen naast elkaar op hun handdoeken. Olivia en Nick gooiden hun boeken op het gras en gingen naast hen zitten.

'Hallo,' zei June, die haar haar strak tegen haar hoofd had gevlochten om haar hoofdhuid koel te houden. 'Het lijkt wel alsof ik jullie in geen tijden heb gezien. Hoe is het met de tentamens?'

'Het zou gemakkelijker zijn als het af en toe eens regende,' zei Nick. 'De *Interpretation of Cultures* van Geertz heeft het moeilijk in de strijd tegen deze zon.'

'Vertel mij wat,' zei June, die haar armen uitstrekte en genoot van de warme zonnestralen. 'Ik heb mijn aantekeningen over Chaucer sinds maandag al niet meer ingekeken.'

Danny trok zijn cricketpet naar beneden. 'Ik geloof dat ik aan het verbranden ben,' zei hij somber. June gaf hem een zonnebrandcrème met factor 40.

'Hé, hebben jullie Leo gezien?' vroeg ze met een grijns.

'Niet onlangs, hoezo?'

'Hij moet hier ergens zijn. Je zou zijn haar eens moeten zien.'

Tien minuten later kwam er een punter aangedreven van de Mathematical Bridge, bestuurd door een knap uitziende jongeman met kort haar en een wit overhemd. De punter en de vaarboom waren paars en wit geschilderd, de kleuren van Ariel, dus bekeek het groepje de punter en de passagiers iets beter.

'O mijn god, is hij dat?' vroeg Nick.

De punter kwam langszij en de man op de achtersteven zette zijn zonnebril van Armani af en lachte naar hen. Met zijn respectabele kapsel en het klassieke witte overhemd kon Leo opeens doorgaan voor een bankier op zijn vrije dag.

'Hé, jongens,' zei hij. 'Wat een prachtige dag, hè?'

Godfrey lag in de kussens van de punter met zijn arm om een blond meisje en een groot stickie nonchalant in zijn andere hand. Olivia herkende zijn medepassagiers – drie mannen met hetzelfde slappe haar en dure schoenen – als een paar vrienden van hem van

Trinity College. 'De Pimm's is op,' lijsde Godfrey. 'Jullie hebben zeker geen alcohol bij je?'

'Ik heb een blikje Special Brew. Je kunt het krijgen voor vijf pond,' zei June spottend.

Godfrey negeerde haar. 'Kom op, Leo, breng ons ergens heen waar alcohol geserveerd wordt, brave borst,' zei hij, maar Leo had Sinead gezien, die een eindje verderop zat.

'Waarom neem je het niet even over, luie donder?' zei Leo vriendelijk, en hij gaf de vaarboom aan Godfrey. 'Ik zie jullie wel in Grantchester.' Hij sprong op het gras en liep naar Sinead.

Godfrey stak een van zijn vrienden de vaarboom toe. 'Rupert,' commandeerde hij, en Rupert nam de vaarboom aan en sprong op de planken achter in de punter. Hij stak de vaarboom in de rivier en duwde hard. De punter dreef weer weg en Godfrey glimlachte hemels tegen hen toen ze verdwenen in een grote groep punters vol Franse en Spaanse tieners met waterpistolen.

'Weet je zeker dat je niet met ze mee wilt, Liv?' vroeg June. 'Ik dacht dat jij en Godfrey zo close waren.' Ze stak twee gekruiste vingers op.

'Dat moet je niet zeggen,' zei Nick met een frons. 'Je kent hem niet, niet echt. Hij is enorm veranderd sinds Eliza dood is.'

'Ja, dat kun je wel zien,' zei June, die het beeld van Godfreys hand op de licht gebruinde schouder van het blonde meisje nog vers in haar hoofd had.

'June, jij was niet degene die de hele nacht met hem heeft opgezeten terwijl hij zich bezatte en de gedichten voorlas die hij voor haar had geschreven.' Nick klonk boos, maar June hield vol.

'Heeft hij gedichten geschreven?' lachte ze. 'Man, die zou ik graag gehoord hebben.' Nick stond op en pakte zijn boeken.

'Ik ga naar de bibliotheek,' zei hij tegen Olivia en hij liep weg langs de rivieroever. De anderen keken hem na.

'Wat zie je toch in hem?' vroeg June.

'Neem me niet kwalijk?' zei Olivia met opgetrokken wenkbrauwen.

'Kom nou toch, hij is echt zo'n braverik van een dure kostschool. Ik zie hem nog niet over Dalston High Street lopen. Hij zou doodsbang zijn dat hij overvallen zou worden door drugsdealers.' Danny keek gegeneerd naar een paar toeristen aan de andere kant van de rivier.

'Wat geeft jou het idee dat hij ook maar in de buurt van Dalston High Street zal komen?' zei ze. Haar Londense accent kwam wat meer naar boven, zoals altijd als ze met June sprak, alsof die de oude Olivia weer opriep. 'Ik ga niet terug. Ze kunnen daar de pot op.'

'Waar ga je dan heen, juffrouw Doolittle? Hampstead? Mayfair?'

'Misschien gaan we in Oxford wonen,' zei Olivia. 'Of Brighton, als Nick een beurs krijgt om zijn doctoraal te kunnen doen.'

'En wat ga jij doen als je bent afgestudeerd?' vroeg June. 'Bij wijze van werk, bedoel ik.'

Olivia haalde haar schouders op. 'Dat weet ik nog niet. Ik denk dat ik eerst maar eens kijk wat voor cijfers ik haal.'

'Dus het komt erop neer dat jouw leven draait om wat Nick wil doen,' concludeerde June.

'Jij hebt altijd moeite gehad te begrijpen wat een relatie echt inhoudt,' zei Olivia met een bittere glimlach, en ze kwam met een soepele beweging overeind. Ze raapte haar boeken op en liep naar Sinead, die een grote, slappe hoed droeg en een blouse met lange mouwen. Op haar handdoek stond een flesje zonnebrandolie van Clinique, factor 40.

'Het is echt vreselijk om rood haar te hebben,' zei ze tegen Olivia. Maar toen ze naar haar opkeek, zag ze Olivia's gezicht en fronste ze. 'Alles goed, meid?' vroeg ze.

'Prima. Alleen zit June irritant te doen.'

'Het zal niet de eerste keer zijn,' zei Leo.

Sinead haalde een flesje limonade uit haar koeltas en gaf het aan Olivia. 'Opdrinken.'

Ze strekten zich uit op het gras, dronken uit de ijskoude blikjes en genoten van de zonnestralen. Toen het lunchtijd was, ging Leo baguettes kopen bij de broodjeswinkel. Hij was blijkbaar vergeten dat hij met Godfrey had afgesproken. Ze lazen Milton, Shakespeare, Dostojevski en Homerus. Toen ze zich begonnen te vervelen, lazen ze Jackie Collins, John Grisham en Stephen King.

Olivia lag op haar buik en steunend op haar ellebogen *The Dark*

Half te lezen toen ze hoorde fluiten en zich omdraaide. Paula paradeerde over de oever in een felblauwe bikini en een doorzichtige sarong. Er zaten koperen belletjes op haar zijden sandalen en het gerinkel bij elke stap die ze zette vormde de muzikale begeleiding bij het deinen van haar gebruinde decolleté.

Toen ze bij hen was, veegde ze haar glanzende zwarte haar met haar zonnebril uit haar gezicht. 'Ik moet jullie iets laten zien,' zei ze, en ze draaide zich om en stak een bil naar achteren. Er zat een groot wit verbandgaas op.

'Paula, ik heb je toch gezegd dat je moet stoppen met die sm-sessies met andere kerels als het ooit wat moet worden tussen ons,' vermaande Leo.

Paula negeerde hem en trok het verband weg, zodat er een vlinder op haar rode huid tevoorschijn kwam.

'Je hebt een tattoo!' piepte Sinead. 'O, mijn god!'

'Vinden jullie hem mooi?' vroeg Paula. 'Het deed ontzettend pijn.'

'Hij is leuk,' zei Olivia.

'Hij is fantastisch,' zei Leo, die bijna zat te kwijlen. 'Waar heb je het laten doen?'

'Bij die nieuwe tattooshop bij Downing. Die kerel was echt gaaf, hij deed het voor de helft van de prijs. Het is een mooie zaak, helemaal niet smerig of zo. Ze hebben houten vloeren en het ruikt er naar een schoonheidssalon.'

'Ik wil er ook een,' zei Leo.

'Na-aper,' plaagde Paula.

'Hé, ik wilde er vorig jaar al een, weet je nog? Toen heb ik toch die tattooshop opgezocht in de Gouden Gids? Maar toen ik er een stap binnen had gezet, dacht ik meteen: dit ga ik niet doen. Het was een vervallen tent waar eens goed schoongemaakt moest worden. Hoeveel moest je ervoor betalen?'

'Twintig pond, maar dat was een speciale aanbieding.' Paula knipoogde naar Olivia.

'Waarom was het een speciale aanbieding?' vroeg Olivia.

'Omdat het haar kont was, sukkel,' zei Sinead. 'Waar is die tent?'

'Vlak bij die Oddbins tegenover Parker's Piece. Wil je er ook een?'

'Misschien,' lachte Sinead. 'Dat hangt ervan af wat voor ontwerpen ze hebben. Ik zou wel iets willen waaraan je kunt zien dat ik van Ierse afkomst ben.'

'Een klavertje of zo!' spotte Leo. 'Of misschien een groen kaboutertje!'

'Rot op!' giechelde Sinead. Ze gaf Olivia een por. 'En jij, Liv? Zie jij het zitten?'

'Denk je dat Nick het mooi zou vinden?' vroeg Olivia verlegen.

'Ach, wat kan jou dat schelen?' lachte Sinead. 'Hij is je vriendje, niet je pa.'

'Ik denk dat hij het te gek vindt,' zei Leo. 'Tattoos zijn heel sexy.'

'Je kunt zijn naam in een hart laten zetten,' stelde Sinead met een ondeugende blik voor. 'Dan moet hij het wel mooi vinden.'

De tattooshop had een grote etalage die veel licht binnenliet, een gewreven houten vloer en schone witte muren. In de hoeken stonden ficussen naast de zwartleren bank. De receptioniste probeerde vier Duitse jongeren te vertellen dat ze zestien moesten zijn voor een tatoeage, maar de taalbarrière bleek een probleem.

'Hallo,' zei Leo tegen hen. '*Sie sind nicht alt genug. Zurück in drei Jahren.*' De kinderen begrepen zijn gebroken Duits en liepen met teleurgestelde pruillippen naar buiten. '*Tschüss!*' riep hij hen na.

Er stonden vier elektrische ventilators te draaien, maar het was toch nog warm in de zaak. Paula, die nog niet op haar pas versierde bil kon zitten, wuifde zich met een exemplaar van de *Vogue* koelte toe terwijl de anderen de boeken met voorbeelden bekeken.

'Heb je je bedacht?' vroeg ze aan Olivia, die zo ging zitten dat een van de ventilators in haar gezicht blies.

'Nee, ik heb al een ontwerp,' zei Olivia, en ze liet een stukje papier zien met oosterse karakters erop.

'Waar heb je dat vandaan?'

'Uit een knalbonbon,' spotte Olivia, en ze deed haar ogen dicht. Een lok van haar haar wapperde in het windje.

De tattoo-artiest verscheen, een dertigjarige man in een strak grijs t-shirt zonder enige piercing of gezichtshaar. Hij zag er eerder uit alsof hij meubels maakte voor IKEA dan dat hij mensen brandmerkte met vlammende schedels en afbeeldingen van Tweety Pie. Hij knipoogde tegen Paula.

'Je kunt nu je geld niet meer terugkrijgen, schat!'

Sinead ging eerst, want ze was bang dat ze niet meer zou durven als ze het niet meteen liet doen. Ze liet een Keltische knoop op haar enkel zetten, hoewel ze wist dat het pijnlijker was naarmate de plek dichter op het bot zat. Haar ogen traanden drie kwartier.

Leo werd door een vrouw vol tatoeages meegenomen naar de kelder en toen hij terugkwam, was de huid rond zijn navel versierd met een rond patroon van cirkels en bliksemschichten. Hij deed alsof het geen pijn deed, maar Olivia hoorde hem vloeken toen hij door de gang naar het toilet liep.

De tattoo-artiest grinnikte naar haar toen Sinead naar de bank hinkte. 'Volgende slachtoffer,' zei hij. Ze ging in de stoel zitten terwijl hij naar de receptioniste liep en haar een folder van de afhaalchinees gaf. 'Kun jij even de Jade of the Orient bellen en vragen om een 21, een 17, een 8 en wat jij wilt?' Hij draaide zich weer om naar Olivia. 'Oké, wat wenst mevrouw?'

Ze gaf hem haar stukje papier. 'Op mijn linkerschouder, alstublieft. Net zo groot als hierop.'

'Geen probleem.' Hij kopieerde het ontwerp op speciaal papier en bracht het toen in paarse inkt over op haar schouder. Hij liet het haar zien in een spiegel. 'Ben je klaar voor de naald?'

'Prikken maar,' zei ze. De pijn was als die van een speldenprik. Ze had veel erger gevoeld. Ze knipperde niet eens met haar ogen.

'Olivia hoorde Amanda over haar praten, op de binnenplaats.'

'Op de avond dat Amanda is gestorven?'

'Ja. Ze vertelde Sinead Flynn over dat mondeling waarbij Olivia zo voor paal had gezeten. Mary had al het werk gedaan, maar zij liet het afweten toen het tijd werd om tevoorschijn te komen en over het onderwerp te praten. En Olivia raakte in paniek, en nog wel in het bijzijn van Amanda, die zich tegenover Sinead beklaagde omdat het alle vrouwelijke studenten een slechte naam gaf bij de meer conservatieve leraren en die lui alleen maar sterkte in hun opvatting dat vrouwen niet op Cambridge thuishoorden.'

'En daar werd Olivia boos om?'

'Nee.' Olivia/Helen lachte, nog steeds uitgestrekt op Denisons bank. 'Nee, het kwetste haar. Het gaf haar het gevoel dat ze niet goed genoeg was. En dan wordt Jude wakker.' Ze fluisterde de naam bijna. 'Olivia hield het nog maar vijf minuten vol en toen nam hij het over. Hij ging bijna Nick te lijf met een lege riojafles en rende weg. Jude zag Amanda toen ze op de terugweg was van de Porters' Lodge. Ik weet niet wat ze daar was gaan doen, misschien in haar postvakje kijken of zo. In ieder geval volgde hij haar naar Hicks, de kamers boven de bar, en klopte bij haar aan. Ze deed open en wist niet dat ze niet Olivia binnenliet, maar een monster.

Hij had een mes in zijn hand. Ik weet niet eens hoe hij daaraan kwam. Amanda zag het niet. Ze was de rommel op haar bed aan het opruimen, aantekeningen en boeken en zo, zodat ze kon gaan slapen. Ik probeerde het nog over te nemen, dokter, dat zweer ik, maar hij is altijd veel te sterk! Hij trekt zich nooit terug voordat hij gedaan heeft wat hij kwam doen, en ik zat achter hem en was gedwongen toe te kijken, het samen met hem te beleven.' Helens kin trilde en ze had haar kaken stevig op elkaar geklemd. 'Ze draaide zich om en hij haalde gewoon naar haar uit. Overal was bloed. Het spatte op de muren.

Ze viel achterover op het bed. Hij sneed haar jurk kapot met het mes en gooide hem over zijn schouder. Daarna ging hij op haar naakte lichaam zitten en bleef maar steken en steken. Hij wilde bloed zien, hij wilde haar kapotmaken. Dat is zijn obsessie, om dingen kapot te maken.' Helen slikte moeizaam. 'Weet u zeker dat u dit wilt horen?'

Denison schraapte zijn keel. 'Het spijt me, Helen,' zei hij. 'Maar ik moet wel.'

Ze zuchtte. 'Na die steekpartij raakte hij iets van zijn woede kwijt. Hij was helderder. Toen sneed hij haar borsten af en stak het mes in haar bovenbenen.'

'Waarom?'

'Om haar te ontseksen. Om haar afstotelijk te maken.' Ze slikte en haar neusvleugels trilden door haar moeizame ademhaling. Denison gaf haar even de tijd en uiteindelijk ging ze verder. 'Hij stak het mes in de wond in haar hals en sneed alle huid en andere dingen weg tot haar hoofd alleen nog met de ruggengraat aan haar lichaam zat, en toen stak hij het mes tussen haar wervels en hij... hij...' Helen draaide zich plotseling op haar zij en braakte op de vloer.

De schoonmakers hadden hun best gedaan, maar de sterke geur van tapijtreiniger kon de stank van braaksel niet helemaal verdringen.

'Kun je verdomme geen raam openzetten, Matt?' vroeg Weathers.

Denison schudde zijn hoofd. 'Dat kan niet. Er zou iemand uit kunnen springen.'

'Ja, ik.' Weathers zag een beetje groen. 'Ze heeft je niet verteld wat ze met het hoofd heeft gedaan?'

Denison veegde zijn bril schoon aan zijn das. 'Ze zegt dat ze zich op dat moment van Jude wist los te maken en dat geen van de alter ego's weet wat er gebeurd is tussen dat moment en toen ze een paar uur later wakker werden.'

Weathers keek hem verbaasd aan omdat zijn stem zo vlak bleef.

'Hoor eens, Matt, je hebt een bekentenis losgekregen. Daar zou je blij mee moeten zijn.'

'Waarom?' snauwde Denison, en hij zette zijn bril weer op. 'Een arme meid die door haar vader aan de ene pedofiel na de andere wordt gegeven als hij haar tenminste niet zelf aan het slaan en verkrachten is, wil zelf ook mensen pijn doen als ze groot wordt. Nou, dat is verdomme heel begrijpelijk, als je het mij vraagt.'

'Oké, laten we haar dan maar lopen? Zeggen we dan: goed, je hebt drie mensen vermoord, maar je hebt zo'n ellendige jeugd gehad dat we je maar zullen vergeven?'

'Steve, doe niet zo lullig. Ik wil alleen zeggen dat ze zelf op een gegeven moment ook een slachtoffer is geweest. Ik geniet er niet van om jou te helpen haar achter de tralies te krijgen.'

'We hebben nog een lange weg te gaan, partner. Ze moet die bekentenis in mijn bijzijn herhalen, en dan moet verdomde duidelijk zijn dat ze weet wat haar rechten zijn, anders krijgen we nooit een veroordeling. Als jij het er tenminste mee eens bent dat ze berecht kan worden.'

'Op dit punt weet ik niet of ik het daar wel mee eens ben, Steve.'

'Matt, ze is verdomme een psychopaat!'

'Ze is ziek. Ze hoort in een medische inrichting thuis, niet in een gevangenis, en daar komt ze toch te zitten, of ze nu terechtstaat of niet.'

'Dat weet je niet. Misschien is de jury niet zo lichtgelovig als jij.'

Denison keek hem geschokt aan. 'Geloof je haar niet?'

Weathers verschoof op zijn stoel. 'Ik weet het niet. Om eerlijk te zijn, gaat het mij allemaal een beetje te ver.'

'Geloof je wel dat ze inderdaad misbruikt is?'

Nu leek Weathers zich echt niet meer op zijn gemak te voelen, en hij weigerde Matt aan te kijken. 'Ja, dat wel. We hebben overal kinderporno aangetroffen.'

'Hoe bedoel je?'

Weathers trok aan zijn das. 'We hebben een inval gedaan in de woning en de winkel van de Corscaddens onder het voorwendsel dat we gestolen goederen zochten. We hebben geen harde kopieën van kinderporno gevonden, maar er was een computer met ongeveer zeven en een half duizend illegale beelden van kinderen op de harddrive. Hij zal een hele tijd moeten brommen.'

Denison was ontzet. 'En dat heb je gewoon gedaan zonder met mij te praten? Heb je enig idee wat je aangericht hebt?'

Weathers keek hem eindelijk aan. 'Ja, ik heb een sadistische pedofiel achter de tralies gezet die al twintig jaar kinderen misbruikt. Wat kan daar verdomme mis mee zijn?'

'Je bent afgegaan op wat Olivia me heeft verteld. Niet eens Olivia zelf, maar een van haar alter ego's! Dat is niet hetzelfde als dat zij officieel aangifte doet van misbruik, Steve! Jezus christus, ze weet niet eens dat haar ouders haar misbruikt hebben. We hadden het haar eerst moeten vertellen. Je had haar om toestemming moeten vragen voordat je daar binnenstormde. Het is niet eerlijk tegenover die kinderen dat jij de touwtjes in eigen handen hebt genomen!'

'Ze is geen kind, Matt, ze is een volwassen vrouw. En wat voor gevolgen zal het voor haar hebben, dat haar ouders misschien kwaad op haar zullen zijn en nooit meer met haar zullen willen spreken? Nou, dat is erg!'

'Wat dacht je van haar zusjes? Denk je dat ze die ooit nog te zien krijgt?'

'Daar hebben de ouders misschien niet veel over te zeggen. Mevrouw Corscadden stond op zo veel foto's dat de kinderen waarschijnlijk uit huis worden geplaatst.'

'Nou, dat is fantastisch, niet? Eind goed al goed.'

'Vind jij het beter dat ze bij dat stelletje perverse ouders blijven?'

'Olivia heeft gezegd dat hij de andere kinderen niet heeft aangeraakt.' Weathers zweeg. Denison drukte door. 'Nou? Heb je foto's aangetroffen van Olivia's zusjes? Nou?'

Weathers schudde zijn hoofd. 'Nee.'

'Maar wel een heleboel van Olivia, neem ik aan?'

'Ja,' zei Weathers zachtjes, en hij keek Matt recht aan. 'Daar hebben we er zat van gevonden. Het is geen excuus, Matt.'

'Ik probeer ook helemaal geen excuus te vinden,' zei Denison. 'Maar ik kan wel met haar meevoelen. Heb jij dan totaal geen medelijden?'

Weathers stond abrupt op en liep naar het raam. Op deze warme zomerdag zag hij mensen op straat wandelen buiten de sterke muren van de instelling. Sommigen glimlachten, anderen lachten. Ze wisten niet hoeveel geluk ze hadden. Hij dacht dat de wereld tot stilstand zou komen als de mensen konden zien wat hij had gezien.

'Er zijn zat misbruikte kinderen die geen moordenaars worden,' zei hij met zijn rug naar Denison. 'De meerderheid zelfs. Ze overleven. Ze groeien op tot fatsoenlijke mensen, goede mensen. De meesten zouden hun eigen pijn nooit doorgeven aan een andere mens. Je kunt niet zeggen dat ze niet verantwoordelijk is voor de moorden. Er is ook nog zoiets als de vrije wil.'

Denison schudde zijn hoofd. 'Je begrijpt het niet. Het heeft weinig zin een vrije wil te hebben als je zo verknipt bent dat het je gewoon niet kan schelen. Als het toebrengen van pijn en lijden belangrijker voor je is dan de vraag of de maatschappij je erom veroordeelt. Je weet misschien dat het verkeerd is omdat dat je verteld is, maar je voelt het niet. Het is niet hun schuld dat ze het niet voelen.'

'Wil je zeggen dat Olivia geen geweten heeft?' Weathers draaide zich om.

'Misschien heeft ze wel een geweten. Maar het alter ego dat die meisjes heeft vermoord, heeft er geen. Hij is misschien niet meer dan een zak motorische functies en moordlust.'

Olivia paradeerde rond in een zwart topje dat haar gloednieuwe tatoeage vrij liet. Nick was er eerst niet blij mee geweest, maar toen ze hem had verteld dat de Chinese karakters 'eeuwigheid' betekenden en dat dat voor hem bedoeld was, werd hij rood en gaf hij haar een dikke zoen.

Het was Strawberry Fair in Cambridge, en dat betekende dat *crusties*, hippies, tieners en studenten van heinde en verre naar de stad kwamen om te genieten van dit minifestival. Midsummer Common stond vol met kraampjes en danstenten en overal lagen dekens vol zilveren sieraden en honden aan een touw. De verlokkende geur van hamburgers en patat dreef over het veld.

Nick en Olivia wandelden over de markt en stopten hier en daar omdat Olivia naar oorringen en kleurige T-shirts en Nick naar afgeprijsde cd's en een verzameling miniatuurcactussen en vleesetende plantjes wilde kijken.

'Heb je gehoord dat Leo naar banenmarkten gaat?' vroeg Nick terwijl Olivia een presse-papier in de vorm van een schildpad kocht.

'Nee!' lachte ze. 'Ik dacht dat hij van plan was voor eeuwig op kosten van de staat te blijven leven. Tenzij hij er alleen heen gaat voor het gratis eten. De buffetten zijn blijkbaar heel goed.'

'Nee, ik geloof dat hij echt op zoek is naar een baan. Hij is tot het besef gekomen dat een drugsdealer op een universiteit iets heel anders is dan een drugsdealer in de grote gemene buitenwereld.'

'Bang te worden neergeschoten door gangsters?' grinnikte Olivia. 'Ja, ik geloof niet dat die erg onder de indruk zouden zijn van Leo.'

'Heb jij nog nagedacht over wat je wilt gaan doen?' vroeg Nick zo nonchalant mogelijk.

Olivia was die vraag meer dan zat. 'Nou, laat eens kijken, wat kun je doen als je Engelse literatuur hebt gestudeerd? Misschien kan ik wat verdienen met het analyseren van de werken van Shakespeare. Of ik kan essays schrijven over het effect van emancipatie op de literatuur van de twintigste eeuw.'

Nick stapte om een bewusteloze dronkenlap met een heliumballon van de Tasmanian Devil aan zijn linkeroor heen. 'Je hoeft niet zo sarcastisch te doen. Er zijn genoeg van zulke baantjes op de universiteiten. Of je kunt recensies schrijven voor tijdschriften of kranten.'

'Ik kan het ook meteen opgeven en in een Burger King gaan werken. Nick, ik ben eerlijk gezegd niet van plan om midden op de Strawberry Fair te beslissen wat ik de rest van mijn leven ga doen, dus waarom wachten we niet gewoon af hoe ik door de examens kom? Dan zien we daarna wel verder, oké?' Ze sloeg een arm om zijn middel en lachte naar hem. 'Goed?'

'Goed dan.' Hij gaf haar een zoen op haar voorhoofd. 'Wil je wat noedels?'

'Klinkt goed. En daarna moesten we maar eens teruggaan. Ik wil mijn Virginia Woolf nog een keer doornemen voor het examen van morgen.'

Denison had een afwezige blik in zijn ogen die zijn vriendin Cass heel goed kende. Ze noemde het zijn 'verloren in La La Land'-gezicht. Haar favoriete methode om hem terug te brengen in het hier en nu was pardoes op zijn schoot springen. Hij schrok zich altijd rot en dat bezorgde haar weer de slappe lach.

Maar ze wist dat hij het moeilijk had met Olivia Corscadden en dus spaarde ze hem en ging ze naast hem op de bank zitten in plaats van op hem. Ze pakte zijn hand en streelde zijn vingers, waarbij ze zich vooral concentreerde op de bult op zijn middelvinger, veroorzaakt door te veel schrijfwerk.

Denison zuchtte en leunde achterover. Hij wreef in zijn ogen.

'Zware dag?' vroeg Cass.

'Afschuwelijk. Dat kun je je niet voorstellen.'

'Probeer het maar eens.'

Hij draaide iets om haar aan te kijken. 'Dat zou je niet zeggen als je wist wat ik je zou vertellen.'

Ze stond op, ging naar het keukentje, trok de kurk uit een fles merlot en schonk twee glazen in. Toen kwam ze terug en gaf een van de glazen aan hem. Ze stak drie grote geurkaarsen op de salontafel aan en zette wat zachte pianomuziek op. Hij had altijd gedacht dat Cass goed zou zijn in ontspanningstherapie.

'Probeer het maar eens,' herhaalde ze.

Dus lapte hij de geheimhoudingsplicht tegenover zijn patiënt aan zijn laars en vertelde hij haar dat hij Olivia had gehypnotiseerd om erachter te komen wat er was gebeurd in de nacht dat Eliza Fitzstanley was vermoord. Hij en Weathers waren er nooit honderd procent zeker van geweest dat Eliza niet door iemand anders dan de Slager van Cambridge was vermoord, en hij was bang dat ze gewoon een avond met vuurwerk en kermisattracties zou beschrijven, zonder enige verwijzing naar Eliza's dood. Ze vertelde hem eerst over haar bezoek aan de waarzegster.

'Alle kaarten leken over mijn jeugd te gaan,' had ze gezegd terwijl ze met haar ogen dicht op de bank had gelegen. 'Ze zei dat ik mezelf opofferde en te onderdanig was. Ze had het over mijn vader, over hoe sterk hij was. Ze zei dat ik mezelf moest vergeven.'

'Waarvoor dacht je dat je jezelf moest vergeven?' had Denison gevraagd.

'Omdat ik zo'n ondankbaar kind was. Omdat ik vond dat ik beter was dan zij, dat ik meer kon bereiken.' Daarna had ze het vuurwerk en het kampvuur beschreven en verteld dat Godfrey had gezegd dat hij Eliza niet kon vinden.

'Dus ze heeft dat tweede meisje niet vermoord?' vroeg Cass verbaasd.

'Nou, ik besefte dat ik niets zou bereiken door met Olivia te praten. De andere persoonlijkheden hebben er altijd voor gezorgd dat ze van niets wist, ook niet van het feit dat ze als kind misbruikt was. Dus vroeg ik of Helen voor de dag wilde komen.'

'Dank je, Olivia. Als het goed is, zou ik nu graag met Helen willen praten. Helen, ik wil dat je met me komt praten. Als je daar klaar voor bent, Helen, wil ik dat je je rechterhand omhoogdoet, zodat ik kan zien dat je er bent.'

Na een paar seconden had Olivia haar rechterhand van de bank getild.

'Hallo, Helen?'

'Hallo, dokter Denison.'

'Helen, Olivia heeft me net verteld over het vuurwerk. Heb je dat gehoord?'

Olivia's lichaam had gelachen. 'Ja, arme ziel. Stel je voor, ze voelde zich schuldig vanwege haar gedrag tegenover onze ouders! Ze raakte helemaal overstuur van die tarotkaarten, maar ze had geen idee waarom.

Dat oude mens raakte echt een snaar met die keizerkaart. Onze vader, de heerser van zijn rijk. En wij hangend aan een boom, net als die vrouw in *King Kong*, als de offergave. En daarna kwam ze met de sjamaankaart, de persoon die dingen anders zag dan "gewone stervelingen". Ze had geluk dat Jude op dat moment niet tevoorschijn kwam en een buiging maakte.' Ze had even gezwegen. 'We namen aan dat de oordeelkaart betekende dat we niet verantwoordelijk waren voor wat Jude had gedaan.'

'En daarna?'

Olivia raakte in paniek. Negenennegentig procent van wat de waarzegster zei ging haar ver boven de pet, maar toen ze die caravan uit ging, had ze toch het gevoel dat de grond haar te heet onder de voeten werd. Dat is geen goede gemoedstoestand. Het maakt haar ontvankelijk voor ons, voor Jude. Vooral omdat die ouwe gek tegen haar had gezegd dat 'er niets goeds kan voortkomen uit je relatie met Nick'. Dat maakte Olivia pas echt nijdig.

Kelly kwam tevoorschijn. Ze wist niet waar ze was en het was lawaaiig en er waren een heleboel mensen op de been. Kelly houdt niet van menigten. Ze wilde zo snel mogelijk naar huis, naar het college. Maar toen kwam ze Eliza tegen op Jesus Green.'

Op dat punt was Denison rechtop gaan zitten. Olivia had gezegd dat ze Eliza het laatst gezien had toen ze iets dronken in de pub.

'Wat gebeurde er?' had hij gevraagd.

'Eliza was dronken. Ze vroeg waar Godfrey was en zei tegen Kelly dat ze naar bed wilde. Kelly wist niet wat ze bedoelde. Eliza gaf haar een por in haar ribben en vroeg of ze niet vond dat Godfrey er pikant uitzag in Prada. Die arme Kelly vroeg: "Waar is Prada?" Alsof het een land was waar hij op vakantie kon gaan. Eliza beging de fout om zich rot te lachen. Het hyenageluid dat ze maakte zorgde ervoor dat Jude uit zijn donkere grot kwam rennen. Hij zei dat hij haar iets moest laten zien en nam haar mee de bosjes in. Hij wees haar een boom aan. Ze zei dat ze niets zag. Hij zei dat ze beter moest kijken, dat ze dichterbij moest gaan staan. Ze bevond zich nog maar een centimeter of vijftien van de boomstam toen hij zijn hand tegen haar achterhoofd legde en haar gezicht tegen de bast sloeg. Ze maakte een vreemd geluid, een soort gepiep. Haar neus bloedde. Hij had nog steeds haar haar vast en sloeg haar weer tegen de boom. Ik denk dat ze daarna bewusteloos was, want ze stribbelde niet tegen. Hij sloeg haar nog een keer of vijf tegen die boom, en toen liet hij haar los. Toen ze op de grond lag, schopte hij haar. Haar gezicht was één massa aan moes geslagen bloed en huid.'

Er kwam een traan onder Helens rechter ooglid vandaan, de kant die naar hem toe lag, en hij viel op de bank en maakte een donkere vlek op de stof.

'Wiens idee was het om de laarzen en de tas mee te nemen?' had Denison gevraagd toen ze hem alles verteld leek te hebben.

Helens mond vertrok toen ze zei: 'Het mijne. Hij dwong ons weer hem te helpen. Ik stelde voor de tas en de laarzen mee te nemen. Ik dacht dat de politie dan misschien zou denken dat iemand haar had vermoord omdat hij geld nodig had.

We hadden geen bloed op ons gekregen, alleen op onze handen. Die veegden we af aan haar jas en toen lieten we haar daar liggen. We gooiden de tas en de laarzen in de rivier toen we naar het botenhuis liepen, waar we met Nick hadden afgesproken. En onderweg lieten we Olivia terugkomen. Ze besefte niet eens dat ze weg was geweest, zelfs niet toen ze het extra geld in haar zak vond.

'Die oordeelkaart had het mis, nietwaar, dokter Denison? We zijn net zo slecht als hij, zo is het toch?'

Cass zette haar wijnglas neer. Het was nog vol. 'Ik weet niet hoe je het volhoudt, Matt,' zei ze met haar hand nog in de zijne. 'Ik weet niet hoe je het kunt verdragen om dit aan te horen.'

'Het helpt dat jij thuis op me wacht,' zei hij, en hij kuste met een brok in zijn keel de rug van haar hand. 'Jij neemt alle donkere en smerige dingen weg. Jij geeft me het gevoel dat er licht en goede dingen in de wereld bestaan.'

Ze trok hem tegen zich aan en omhelsde hem met haar zachte, met kasjmier bedekte armen. Hij legde zijn hoofd op haar borst en deed zijn ogen dicht. De kaarsen brandden en de vlammen weerspiegelden in hun wijnglazen.

Elke morgen verzamelden de examenkandidaten van Ariel zich in de grote zaal voor het ontbijt en vertelden ze over hun nachtmerries.

Deze morgen was Danny aan de beurt. 'Ik droomde dus dat ik na de examens op vakantie ben in het zuiden van Frankrijk en dat ik geniet van mijn vrijheid. Ik lig in de zon, ik lees een boek, ik drink wijn en ik eet brood en kaas. Er is een zwembad en ik besluit er even in te gaan, dus ga ik naar mijn kamer om een handdoek te halen. Ik trek hem uit mijn tas en er komt een stuk papier mee. Ik kijk erop en zie dat het mijn examenrooster is. En dan zie ik het. Een laatste examen, op die morgen. Ik dacht dat ik ze allemaal gedaan had, ik dacht dat ik klaar was, maar ik moet er nog een! En toen werd ik wakker.'

Leo keek de tafel rond, zijn pen in de aanslag om de cijfers op te schrijven. 'Zes,' stemde Paula.

'Zeven,' zei Sinead. 'Ik vind de wreedheid van die vakantieomgeving mooi.'

'Twee,' zei Godfrey. 'Gebrek aan realisme.'

'Zes,' zei Olivia. 'Mijn droom dat ik werd gearresteerd door de surveillanten omdat ik pennen uit de examenkamer had gestolen was meer kafkaësk.'

'Nee, dromen dat je pennen veranderen in kevers zou meer kafkaësk zijn geweest,' zei Danny, en hij stak zijn tong uit tegen Olivia.

'Waar is het vriendje vanmorgen?' vroeg June, die niet had willen stemmen.

Olivia merkte dat de smaak van haar grapefruitsap veel overeenkomst vertoonde met de klank van Junes stem.

'Hij heeft gisteren zijn laatste examen gehad,' zei ze. 'Dus ik denk dat hij wel ergens in een goot zal liggen. Of anders slaapt hij zijn roes uit in zijn kamer.'

'De bofkont,' zei Paula. 'Hoe durft hij klaar te zijn terwijl ik nog vier examens moet?'

'Hij is wel een week eerder begonnen,' merkte Leo op. 'Een week minder om zich voor te bereiden, dus.'

Na haar nachtmerrie nam Olivia voortaan naar elk examen een set van zes pennen mee, omdat ze er onder geen beding een wilde lenen van de surveillanten.

Ze had moeite met de examens. Het laatste jaar hadden de studenten voor elk werkstuk een aantal onderwerpen behandeld. Het was niet zeker dat die onderwerpen ter sprake zouden komen in het examen en er was altijd de mogelijkheid dat je een vraag moest beantwoorden over een onderwerp waar je helemaal niets vanaf wist.

Dat gebeurde Danny in het voorlaatste examen. Hij probeerde zich erdoorheen te slaan en tevergeefs een stuk te schrijven aan de hand van een college dat hij zich amper kon herinneren. Toen hij de examenzaal uit kwam, vertrok hij in zijn wanhoop meteen naar de dichtstbijzijnde pub en dronk hij acht pinten bier voordat hij terugstrompelde naar Ariel en overgaf in de fontein.

'Het is gewoon niet eerlijk,' zei hij met dubbele tong tegen June, die hem een halfuur later aantrof terwijl hij nog steeds over de rand van de fontein hing. 'Ik heb al het werk gedaan. Ik heb alle mondelinge tentamens gehad. En dan word ik genaaid door dat verdomde examensysteem.'

Na haar laatste examen voelde Olivia zich vreemd leeg. Ze wist dat ze dolblij zou moeten zijn en dat ze het zou moeten gaan vieren. Maar ze bleef het gevoel houden dat ze de kans met beide handen zou aangrijpen als iemand haar een tijdmachine zou geven en ze drie jaar terug in de tijd zou kunnen gaan om het nog eens te doen, maar nu goed.

'Iedereen zegt dat het een anticlimax is,' verzekerde Sinead haar, die nog twee examens te gaan had. 'Je hebt drie jaar enorm hard gewerkt en dan komt het allemaal neer op een paar examens. Het is heel normaal dat die examens niet voelen als het hoogtepunt van de opleiding waar je leven zesendertig maanden om gedraaid heeft.'

'Kom op, we gaan een cocktail drinken,' zei Paula, die al dronken was en helemaal geen last had van de anticlimax waar Sinead het over had.

'Het kan ook zijn dat je het gewoon jammer vindt dat er een eind komt aan dit deel van je leven,' opperde Sinead. 'God weet dat we het zwaar hebben gehad, maar we hebben ook vrienden gemaakt voor ons hele leven. En bedenk hoe heerlijk het zal zijn om verlost te zijn van deze plek. Dan hoeven we niet meer altijd in groepjes rond te lopen als het donker is, met een alarm in onze zak. We hoeven niet meer bang te zijn dat er midden in de nacht een psychopaat onze kamer zal binnendringen die ons in stukken zal hakken. We hebben ons hele leven nog voor ons liggen, Liv.'

Valerie Hardcastle was altijd nerveus als Nick het huis uit ging. Ze bleef bij het namaaktudorraam dat uitzicht bood op de oprit zenuwachtig met haar zakdoek staan spelen tot hij terug was.

Geoff legde een geruststellende hand op haar schouder. 'Kom op, Val, hij is zo terug. Ga jij nou maar in de serre zitten, dan maak ik een kop thee voor je.'

'Hij ging alleen maar naar de winkel in het dorp,' zei ze. 'Hij had allang terug moeten zijn.'

'Doe nou niet zo dom. Je weet dat het minstens tien minuten kost om daarheen te lopen. Kom maar, schat. Hoe moet hij zich niet voelen als hij terugkomt en ziet dat jij als een havik op hem staat te wachten?'

Ze liet zich naar de serre brengen, waar de zon warm op de zwart met witte vloertegels scheen.

'Wil je earl grey of English Breakfast?' vroeg Geoff.

'Earl grey, alsjeblieft.'

'Goeie keus.'

Valerie keek naar de tuin en zag hoe groen het gras was in de zon. Er wipte een merel overheen, op jacht naar wormen. Hij keek haar met zijn kraaloogjes aan, maar toen ze vooroverboog om hem beter te kunnen zien, vloog hij weg. Haar oren waren gespitst op het geluid van de voordeur.

De week daarvoor had ze Nick meegenomen naar het tuincentrum om haar karretje te duwen. Iemand had hem herkend, een grote man met dikke bakkebaarden en een rood gezicht, die duidelijk de lugubere verhalen over de laatste moord op Ariel had gelezen in de sensatieblaadjes. De man had naar Nick gespuugd en het speeksel was over Nicks spijkerjasje gegleden.

'Ze zouden je moeten doodschieten,' had de man gezegd met het zware accent van Oxfordshire. 'Het is jammer dat ze de doodstraf hebben afgeschaft, als je het mij vraagt.' Het was de verontwaardiging die Valerie boos had gemaakt, de zelfvoldane brutaliteit. Hoe durfden ze haar zoon te veroordelen?

'Nou moet u eens goed luisteren,' had Valerie gezegd, en ze had haar goed gemanicuurde vinger naar het gezicht van de man uitgestoken. Nick had haar bij de arm gegrepen.

'Laat maar, mam,' had hij gezegd. De man met het rode gezicht had zijn zegje gezegd en draaide zich om naar de deur, gevolgd door zijn woedende vrouw, die hun nog even een 'schandelijk' toevoegde. Valerie had zo hard haar vuisten gebald dat een van haar vingernagels was gebroken. Geoff was er niet bij geweest en had de kwaadaardigheid niet gezien in de ogen van die man, dus kon hij ook niet begrijpen waarom ze Nick niet graag alleen van huis zag gaan. Stel dat iemand anders hem herkende, iemand die verder wilde gaan dan alleen wat spugen?

Geoff kwam de serre weer in met een mok thee in elke hand. Op dat moment hoorde ze geschreeuw aan de voorkant van het huis. Ze sprong zo snel op dat ze haar thee uit Geoffs hand sloeg en de mok op de vloertegels kapotviel.

Toen ze de voordeur opengooide, zag ze Nick tegenover een andere jongeman staan met donker haar en van gemiddelde lengte. Tussen hen in stond een meisje met lange rode krullen, dat probeerde te voorkomen dat Nick de jongen sloeg. Het zag ernaar uit dat Nick al een paar klappen had uitgedeeld; het t-shirt van de jongen was gescheurd en zijn linkerwang was felrood. In het grind lag een spuitbus zonder dop.

'Nick, ik bel de politie!' riep Valerie in paniek.

Toen Nick haar stem hoorde, deed hij een stap achteruit en liet hij zijn vuisten zakken. Maar hij wendde zijn blik niet van de jongen af.

'Niet doen, mam,' zei hij. 'Ze gaan net weg.' Geoff kwam naar buiten en wrong zich langs haar heen om naast Nick te gaan staan, maar Nick had zijn hulp niet nodig; het stelletje leek maar al te graag te vertrekken.

De jongen liep weg zonder iets te zeggen. Het meisje zorgde ervoor tussen hem en Nick te blijven, voor het geval een van hen probeerde het gevecht voort te zetten. Bij het hek bleef ze staan.

'Vertel in godsnaam gewoon de waarheid, Nick,' zei ze met een Iers accent. Het stel liep naar een auto die verderop geparkeerd stond en reed weg. De jongen maakte het v-teken door het raampje toen ze langsreden.

'Alles goed, Nicholas?' vroeg Valerie.

'Prima.' Nick beende zijn vader voorbij en pakte de twee tassen met boodschappen die hij aan het eind van de oprit had neergezet. Onderweg naar het huis bukte hij en pakte ook de spuitbus op.

'Wat had dat allemaal te betekenen?' vroeg Geoff, maar toen zag hij de gevel van het huis. Ze hadden de eerste acht letters van 'MOORDENAAR' in felblauwe verf over de stenen en de voordeur gespoten.

'Maak je maar niet druk,' zei Nick, die weigerde hen aan te kijken toen hij naar binnen liep. 'Ik maak het wel schoon.'

hoofdstuk VIJFTIEN

De uitslagen kwamen op de dag van het meibal op Ariel. Onderweg naar de kapper gingen Sinead, Paula en Olivia even langs bij het Senate House en liepen ze de rij namen langs in de glazen kasten aan de gevel van het gebouw.

'Ja!' zei Paula, en ze gaf Sinead een stomp tegen haar arm. 'Ik ben summa cum laude geslaagd!'

'Gefeliciteerd!' zei Sinead, die haar een zoen op de wang gaf. 'Zo te zien heb ik een 2:1. Te veel gerepeteerd, niet genoeg revisie.'

'Doe niet zo raar, een 2:1 is fantastisch,' zei Paula. Ze keken allebei naar Olivia, die verderop stond. Ze haalde haar schouders op.

'Een 2:2.'

'Alle goede mensen krijgen een 2:2,' zei Danny, die naast haar kwam staan. Hij sloeg een arm om haar heen en trok haar even tegen zich aan om zijn solidariteit te tonen.

'Heb jij er ook een?' vroeg ze.

'Ja. Ik kan die doctoraalstudie in Bristol wel vaarwel zeggen.'

'Wat jammer.'

Hij haalde zijn schouders op. 'Hoe heeft Nick het gedaan?'

'Een 2:1. Hij is enorm in zijn nopjes.'

'En de rest van de studenten Engels?'

Olivia slikte de jaloezie weg en keek nog eens naar de uitslagen, alsof ze ze was vergeten.

'June en Leo zijn allebei cum laude geslaagd.'

Paula tikte op haar horloge. 'We komen te laat. Kom op, Olivia.'

'Kom jij vanavond ook?' vroeg Olivia aan Danny.

'Jazeker. Ik zie jullie daar. Feliciteer Nick maar van me.'

'Doe ik.'

De kapper maakte zachte golven in hun haar en krulde en speldde tot Olivia het gevoel had dat ze een rol had in een Bijbels verhaal. De kapsels pasten niet echt bij hun gewone kleren en Nick lachte toen hij haar zag met haar chique haar, maar nog steeds in haar Garfield-t-shirt. Ze vond het vreselijk om hem te moeten vertellen dat ze maar een 2:2 had gehaald.

Hij sloeg zijn armen stevig om haar heen. 'Je bent gewoon veel te gespannen bij examens. Je weet hoe je bent. Het betekent niets.'

'Alleen dat ik stom ben.'

'Je bent niet stom! Je werk van dit studiejaar was fantastisch. Je bent gewoon niet goed in examen doen. Ook niet mondeling.' Hij had haar aan het lachen gemaakt. Daar maakte hij gebruik van. 'Je hebt het in ieder geval niet zo slecht gedaan als die arme Laurence Merner. Hij heeft een voldoende.'

'Dat meen je niet! Wat is er gebeurd?'

'Wie weet? Het heeft er waarschijnlijk mee te maken dat Rob hem in het laatste trimester aan de kant heeft gezet. Dat heeft hij zich blijkbaar nogal aangetrokken.'

'Hoe heeft Godfrey het gedaan?'

'Daar heb ik niets van gehoord. En Leo?'

'Die heeft een first,' zei ze, en ze rolde met haar ogen. 'Hoe heeft hij dat in godsnaam voor elkaar gekregen? Hij is al drie jaar stoned.'

'En hij heeft de laatste drie maanden zo'n beetje in de bibliotheek gewoond. Hier is niemand stom, Olivia. Je hebt het over de verschillen tussen de slimste eenentwintigjarigen in het land. Dat is net zoiets als een procent in vieren delen. Hoeveel verschil denk je dat er werkelijk is?'

'Ik wou dat ik kon geloven dat dat waar was,' zei ze zachtjes. 'Maar ik vermoed zo dat het een wereld van verschil is voor de nog slimmere mensen die die examens nakijken.' Ze maakte zich van hem los en haalde haar baljurk uit de kast. 'Verdomme. Waarom kunnen ze ons niet gewoon een IQ-test afnemen en de resultaten daarop baseren?'

Nick lachte. 'Omdat het de bedoeling is dat we iets geleerd hebben, sufferd. Het diploma bewijst dat je een opleiding hebt gehad, niet dat je een IQ van boven de honderdtwintig hebt. Hé, wat een mooie jurk.'

'Het brengt ongeluk als je hem ziet voor het bal,' zei Olivia sarcastisch. 'Kom op, wegwezen. Kom om halfacht maar terug.'

Ze ging uitgebreid in bad en negeerde de vijf mensen die op de deur klopten omdat ze ook wilden. Haar haar hield ze zorgvuldig uit het warme water, maar door de stoom krulde het nog meer.

Daarna ging ze met een handdoek om voor haar bureau zitten om zich op te maken. Haar lippenstift had een lichte goudkleur, die haar bruine huid benadrukte. Terwijl ze met kohl een randje om haar ogen trok, dacht ze erover na in hoeverre de bruine huid was verworven ten koste van haar eindcijfer.

Haar baljurk was van bronskleurige fluweel en had een halter die haar gladde schouders en pas geheelde tatoeage liet zien. Hij paste haar perfect. Niemand had een idee hoeveel ze ervoor had betaald.

Nick kwam haar halen en ze vertrokken naar het bal. In haar kamer lag het kohlpotlood in twee stukken op het bureau.

Het was een zwoele juniavond. De lucht was zacht en warm en rook naar de jasmijn die op de grote binnenplaats bloeide. De studenten van Ariel, voor één avond getransformeerd tot sterren, liepen over het terrein in smoking en jurken van zijde en satijn.

In Carriwell Court gloeiden Chinese lantaarns. Langs de enorme witte tent op het grasveld bij de kapel twinkelden lichtjes. Op het grote podium speelde een band en de studenten die al aangeschoten waren, waren op het springkasteel in de weer.

Nick gaf Olivia een glas champagne en ze proostten. 'Op het eind van een tijdperk,' zei hij, en toen zag hij dat haar knokkels helemaal wit waren.

'Heb ik iets verkeerds gezegd?' vroeg hij toen ze hem niet wilde aankijken. Ze probeerde te glimlachen.

'Nee, natuurlijk niet. Kom op, laten we Godfrey gaan opzoeken. Ik verwed er een tientje onder dat hij zijn witte smoking draagt.'

Godfrey stal hun casinochips, won aan de roulettetafel en gaf hun een deel van zijn winst. De chips waren alleen tijdens het bal iets waard. Hij was al dronken en werd vervelend, dus lieten ze hem staan. Buiten ging de zon onder, met achterlating van een veeg roze en oranje aan de horizon. Ze gingen in het reuzenrad en lachten toen ze Ariel uit de lucht zagen. Ze kwamen Sinead en Leo tegen en kregen de slappe lach toen ze hen probeerden te raken in de botsautootjes.

'Kom op, laten we Archers en limonade gaan halen,' zei Sinead, en ze sleepte hen mee naar een tentje waar borrels werden geschonken. June stond daar ook te praten met een vriendin van haar, met haar haar in lange vlechten.

'Je ziet er fantastisch uit,' zei Olivia, die Junes felgele jurk bewonderde.

'Jij ook. Waar heb je die droom van een jurk vandaan?'

'Debenhams,' zei Olivia opgewekt.

'Echt waar?' June fronste. Ze ging achter Olivia staan en trok het etiketje uit de jurk, zonder te letten op Olivia's protesten. 'Jezus, Liv, dat is een designjurk. Ik dacht dat je blut was?'

Nick fronste nu ook, want hij wist dat Olivia helemaal geen geld kreeg van haar ouders en afhankelijk was van de studiefinanciering en haar krediet bij de bank.

'Ik heb hem gewoon met mijn creditcard gekocht,' zei ze.

'Welke creditcard?' vroeg hij. Iedereen leek ongelukkig bij deze wending van het gesprek.

'Ik hoef jou niet precies te vertellen hoe mijn financiële situatie is,' zei Olivia zachtjes tegen hem, terwijl Sinead een nieuw onderwerp probeerde aan te boren met Danny door te doen alsof ze niets gehoord hadden.

'Een grote schuld op je creditcard is wel het laatste wat jij kunt gebruiken,' zei Nick. 'Waarom heb je het mij niet gevraagd? Ik had je het geld wel geleend.'

'Ik heb jouw geld niet nodig!' snauwde Olivia.

'Goed dan!' Hij maakte een ongeduldig gebaar. 'Ik ga Leo zoeken. Ik zie je later wel.' Hij beende weg in de richting van de grote tent.

'Dankjewel, June,' zei Olivia met een stem vol sarcasme. 'Heel goed gedaan.' Ze draaide zich om, stapte het tentje binnen en vroeg de man die achter de toog stond om een dubbele borrel.

'Het spijt me!' zei June. 'Ik wist niet dat Nick dacht dat die jurk van het rek met koopjes kwam.'

'Rot op,' snauwde Olivia. Ze dronk de schnaps op en vroeg om nog een glas.

'Olivia, in godsnaam, hij is het niet waard!' riep June. 'Ik weet hoe moeilijk je het vindt om hem gelukkig te houden en om je aan te passen aan hem en zijn vrienden. Maar je zult er nooit bij horen! Het zijn allemaal kostschooljongens die hun hele leven alles hebben gekregen wat ze wilden hebben, en jij bent een meisje uit het East End met een vader die een winkel heeft met goedkope namaakartikelen en een moeder die nog niet zou weten welk bestek ze het eerst moest gebruiken als er een etiketje op zat. En daar is niets mis mee! Dat is het probleem! Ze proberen je aan te praten dat je je moet schamen voor je afkomst, en dat moet je nooit doen. Je bent meer waard dan zij, Liv. Je bent van zo ver gekomen en daar zou je trots op moeten zijn.'

Iedereen was stilgevallen bij deze toespraak. Sinead was vuurrood en keek naar het gras tussen haar nieuwe schoenen. Ze was waarschijnlijk de enige die wist hoe juist de beschrijving van Olivia's ouders was. Junes vriendin had een waarschuwende hand op Junes arm gelegd.

Olivia draaide zich niet om. Ze leunde op de toog met haar handen plat op het natte oppervlak en haar schouders naar voren. De man in het tentje keek naar haar en voelde zich niet op zijn gemak. Ze pakte haar borrel, wierp haar hoofd achterover en dronk het glas in één slok leeg.

'Nog een. Alsjeblieft.'

Hij schonk haar nog eens in omdat hij haar niet erger van streek wilde maken door te weigeren.

'Liv?' zei June buiten de tent. Haar donkere huid gloeide in het licht van de ondergaande zon.

Olivia dronk haar derde dubbele borrel op, nog steeds met haar rug naar de anderen.

'Oké, jij je zin,' zei June, maar haar stem beefde en ze draaide zich op haar hielen om en rende weg. Haar vriendin pakte haar rokken bijeen en ging achter haar aan.

Sinead en Danny wisselden een blik. 'Ik ga Nick zoeken,' zei hij, en hij liep naar de grote tent. Sinead haalde diep adem en ging naast Olivia staan.

'Alleen limonade, alstublieft,' vroeg ze aan de nerveuze bediende, die dankbaar de kans aangreep om te doen alsof hij helemaal opging in zijn nieuwe taak.

Sinead legde haar hand op Olivia's schouder. 'Liv? Maak je toch niet zo van streek. Nick is een aardige knul, maar dat ziet zij alleen niet. Ze wil dat je gelukkig bent.'

Olivia trilde helemaal. Ze wilde Sinead niet aankijken. 'Ze vindt me een waardeloze achterbuurtmeid,' zei ze met trillende onderlip.

'O, Liv, natuurlijk vindt ze dat niet. June heeft dezelfde achtergrond als jij, ze kijkt heus niet op je neer. Ze vindt juist dat die rijkeluiskinderen niets waard zijn!'

Olivia veegde voorzichtig haar ooghoeken af om haar make-up niet te bederven. 'Omgekeerd snobisme is net zo slecht als gewoon snobisme,' zei ze.

'Ja, maar omgekeerde snobs komen nooit in de *Tatler*,' merkte Sinead op, en ze zag tot haar genoegen dat ze Olivia aan het lachen had gemaakt. 'Kom op, we gaan Nick zoeken en dan leggen we hem uit hoeveel winst je morgen op eBay kunt maken met die jurk.'

De klok in de kapel luidde middernacht. Leo en Sinead dansten langzaam op de muziek van het strijkkwartet op het achterste grasveld. De witte gloed van de bollen die tussen de oude ijzeren lantaarns waren gehangen gaf hun allebei een romantisch gevoel. Sinead legde haar hoofd op Leo's schouder, zuchtte voldaan en genoot van de geur van zijn aftershave. Leo liet zijn handen over haar rug glijden en voelde haar lichaam onder de satijnen jurk.

'Zullen we ergens heen gaan waar we wat meer privacy hebben?' fluisterde hij in haar oor.

Ze keek zogenaamd geschokt naar hem op. 'Foei, meneer Montegino! O, goed dan. Maar vertel het niet aan Paula. Ze wordt boos als een van haar bewonderaars een tijdje niet aan haar voeten ligt.'

'Ik lig niet aan haar voeten!' protesteerde Leo, maar Sinead lachte alleen en sleepte hem mee naar haar kamer in Carriwell Court. Onderweg pikte ze nog even een halflege fles Veuve Clicquot op.

Ze passeerden een stelletje op de binnenhof met hun tong diep in elkaars keel, terwijl de hand van de jongen over het been van het meisje omhooggleed. Onder aan de trap zat Godfrey naar het amoureuze koppel te kijken en een glas champagne te drinken.

'Vermaak je je een beetje?' vroeg Leo met een knipoog, blij dat iemand zou weten dat hij vanavond gescoord had.

'Niet echt,' zei Godfrey afgemeten. 'Mijn vriendin is een beetje uitgeteld.' Ze volgden zijn blik naar de plek waar het meisje met wie hij een paar weken eerder in de punter had gezeten stond te braken in de bosjes. Ze leek een schoen te missen. 'Dat krijg je nou als je uitgaat met een scholier. Die kunnen niet tegen drank.'

Sinead gaf hem een klopje op zijn hoofd toen ze langs hem stapte. 'Haal wat koffie voor haar. Misschien ontnuchtert ze nog een beetje voor ze binnen moet zijn.'

Leo liep achter haar aan de trap op en voelde dat zich iets vol verwachting roerde in zijn broek toen zij haar handen naar haar haar bracht en de speld eruit trok, zodat de amberkleurige lokken over haar bleke blote rug vielen. Op de tweede verdieping haalde Sinead haar sleutel van het geheime plekje op het kozijn en ze glimlachte verleidelijk tegen Leo toen ze hem in het slot liet glijden. Hij boog zich naar haar toe om die zachte roze lippen te zoenen, maar werd plotseling tegengehouden door haar vingers.

'Hoorde je dat?' fluisterde ze.

'Nee,' zei hij, en hij trok haar vingers weg. Maar ze hield hem weer tegen.

'Ssttt!' Ze luisterden allebei. Leo hoorde heel zachtjes snikken. 'Volgens mij is het Liv,' zei ze.

Leo knikte. 'Ja, ze heeft vanavond ruzie gehad met Nick.'

'Misschien moet ik even gaan kijken of alles goed met haar is,' zei Sinead bezorgd.

'Nee, nee,' kreunde Leo, en hij drukte haar tegen de deur. 'Blijf toch hier. Er is vast niets aan de hand.'

'Leo, haal je kruis van me af. Wacht jij maar in mijn kamer, als je wilt, maar ik wil zeker weten dat ze het redt.' Hij gaf toe en duwde zich van haar af, maar daarna liep hij achter haar aan naar de derde verdieping, omdat hij vermoedde dat zij en Olivia urenlang zouden blijven zitten praten als hij haar alleen liet gaan.

Het eerste wat hun opviel, was de stank. Een combinatie van braaksel en poep. Sinead en Leo werden opeens bang en gingen langzamer lopen. Het gesnik was nu luider, maar het kwam uit de kamer van June, niet uit die van Olivia. Ze verzetten zich tegen de aandrang om de trap af en het hek door te rennen, gingen voorzichtig de hoek om en bleven als aan de grond genageld staan in de deuropening van Junes kamer.

Olivia lag onder het bloed en met alleen haar beha en slipje aan ineengedoken op het vloerkleed en de tranen stroomden langs haar bebloede gezicht. Naast haar lag het lichaam van June Okeweno, met wel honderd steekwonden, waarvan het blootgelegde roze weefsel scherp contrasteerde met haar gladde bruine huid.

Nick zat nog steeds in smoking op zijn knieën naast haar en schoof haar ingewanden weer in haar buikholte.

Er was inmiddels niet veel meer voor nodig om Olivia onder hypnose te brengen. Denison merkte dat de visualisatie van het strand nu genoeg was en dat hij het deel van de kerk en de gebrandschilderde ramen kon weglaten. Ze lag ontspannen op de bank, met een blos op haar wangen en haar mond een beetje open. Denison vond dat ze eruitzag als een slapend kind.

'Hallo, dokter,' zei ze slaperig. 'Helen hier.'

'Hoe is het met je, Helen?'

'Niet zo goed. Ik weet dat u vandaag over June wilt praten.'

'Dat klopt. Je moet me vertellen wat er die avond gebeurd is.'

Helen zuchtte en bleef heel lang stil. Denison begon zich af te vragen of ze niet in slaap was gevallen; dat was niet ongewoon als iemand onder hypnose werd gebracht. Hij schrok op toen ze plotseling begon te praten.

'Het was omdat ze zo tekeerging over Olivia's ouders. Het gaf haar het gevoel dat ze... niets waard was. Dat ze niet goed genoeg was. Ik ben er nog wel in geslaagd Jude onder bedwang te houden, waarschijnlijk omdat ze in dat stadium nog helemaal nuchter was. Het werd zelfs weer rustig. Mary was nogal teleurgesteld over onze cijfers, dus nam ik de tijd om haar ervan te verzekeren dat het niet haar schuld was als ze niet bij alle examens aan het oppervlak had kunnen komen. Misschien had ik beter moeten opletten, had ik me niet moeten laten afleiden, maar Olivia was weer naar haar kamer gegaan en ik dacht dat alles veilig was. Maar toen klopte June aan en begon ze weer ruzie te maken. En Jude lag al op de loer.

Hij dwong haar weer naar haar eigen kamer en deed de deur achter hen op slot. Ze verzette zich hevig, maar u moet begrijpen dat Olivia in lichamelijk opzicht veel sterker is als Jude de leiding heeft. Hij heeft June vermoord. En ze heeft geleden...' Plotseling barstte Helen in tranen uit. 'Ze heeft ontzettend geleden! De anderen begrepen niet wat er gebeurde. Het was voor hen zo snel voorbij. Maar June kreeg de tijd om het te begrijpen. Dat arme, arme meisje.'

'Kun je me vertellen wat hij met haar deed?' vroeg Denison, die zijn pen tussen zijn vingers liet ronddraaien. Hij vond het verschrikkelijk dat hij haar dit moest aandoen. De gedachte kwam bij hem op dat hij graag zijn cricketbat zou ophalen en

Jude tevoorschijn zou roepen om te spelen, die klootzak. Eens zien hoe gewelddadig hij nog was als een groot stuk wilgenhout een paar keer in contact kwam met zijn hoofd. Maar de grote fout in deze fantasie was natuurlijk dat hij Olivia het hoofd zou inslaan.

'Hij heeft haar darmen uit haar lichaam gesneden. En daarna bleef hij maar steken en hij wilde niet meer stoppen. Ik kon hem niet laten ophouden. Nick kwam binnenrennen en dat is het laatste wat ik me kan herinneren. Ik weet niet wat er daarna gebeurd is. Ik weet niet waar we waren in de tijd dat Olivia volgens u catatonisch was.'

Denison legde zijn pen op zijn aantekenboek. 'Oké,' zei hij, 'we zullen je nu maar uit je trance halen.'

Tien minuten later zat Olivia verfrist en ontspannen na een post-hypnotische suggestie van Denison met een glas water in haar hand naar hem te kijken.

'Olivia, kun jij je nog iets van die dag herinneren? Dat je de uitslagen las, bijvoorbeeld. Dat je je klaarmaakte voor het meibal? Van het bal zelf?'

Ze knikte. 'Alles.'

'Er zijn geen hiaten?'

Ze dronk wat water. 'Misschien. Eerst was Danny er en toen ineens niet meer. Maar ik geloof niet dat ik al te veel kwijt ben.'

Denison maakte een aantekening. 'Weet je nog dat je terug bent gegaan naar je kamer?'

'Ja, ik was behoorlijk dronken en had slaap. Nick vond dat hij me naar bed moest brengen. Hij moest mijn jurk voor me losritsen. Ik ben in mijn ondergoed naar bed gegaan, zo moe was ik.'

'En is hij toen weer weggegaan of is hij in de kamer gebleven?'

Ze schudde haar hoofd en nam nog een grote slok water. 'Daarna weet ik niets meer. Het is net als die keer dat u zei dan ik naar Brown's ben gegaan op Valentijnsdag of die keer dat ik

Sinead meenam naar de pub om naar de kwartfinale te kijken. Ik weet alleen dat Nick en ik in Junes kamer zijn beland omdat u me dat verteld heeft.'

Denison, die zat te schrijven met zijn blauwe ballpoint, merkte plotseling dat zijn pen stil tegen het papier lag. 'Wat zei je?' Zijn adem stokte in zijn keel.

'Nu moet u niet beledigd zijn. Ik wil alleen zeggen dat ik erop vertrouw dat wat u me vertelt de waarheid is. Het zou ook kunnen dat u tegen me liegt. Ik zou het gewoon niet weten.'

Denison schraapte zijn keel. 'Ik lieg niet tegen je, Olivia. Dat verzeker ik je. Hoor eens, het wordt laat. Laten we er voor vandaag maar een eind aan maken.'

'Volgens mij liegt ze,' zei Denison. Hij zette zijn bril af, wreef hem op met zijn das, zette hem toen weer op en keek Weathers aan.

Weathers keek terug. 'Wat is er gebeurd?'

'Mensen met DIS raken af en toe in een soort trance, en als ze daaruit komen, weten ze niet meer wat er in die periode gebeurd is. Dat komt omdat een van hun alter ego's dan het heft in handen neemt. De hoofdpersoonlijkheid is zich niet bewust van wat er gebeurt als het alter ego de leiding heeft.'

'Oké,' zei Weathers ongeduldig.

'De middag dat Sinead Flynn Olivia opzocht in Londen zou ze ook in zo'n trance zijn geweest. Olivia zei dat ze alleen wist dat ze in een pub naar de kwartfinale had zitten kijken omdat ik haar dat verteld had.'

Weathers keek naar hem en hief toen gefrustreerd zijn handen. 'En?'

'Ik heb Olivia alleen verteld dat er een wereldbekerwedstrijd op de tv was,' zei Denison. Hij keek alsof hij op het punt stond te gaan overgeven. 'Hoe wist zij dat het een kwartfinale was?'

Weathers keek boos naar het plafond. 'Waar hebben we het over?'

'Het kan zijn dat ze doet alsof, dat ze alle symptomen van een dissociatieve identiteitsstoornis heeft gespeeld. Goed, ze zou dan nog steeds worden opgesloten in een gesloten inrichting tot ze op wonderbaarlijke wijze kan genezen, maar het is een stuk beter dan twintig jaar tot levenslang in de gevangenis.'

'Maar waarom zou ze in godsnaam doen alsof ze meerdere persoonlijkheden heeft? Ik heb van jou begrepen dat het niet bepaald een garantie is op een plekje in Broadmoor in plaats van in Holloway. Waarom heeft ze dan niet iets gemakkelijkers verzonnen, waarover iedereen het eens is dat het bestaat, zoals paranoïde schizofrenie?'

Denison haalde zijn schouders op. 'Dat weet ik niet. Misschien is ze bang dat ze antipsychotica toegediend zou krijgen. Die zou ik ook niet slikken als het niet absoluut noodzakelijk was. Bovendien zijn er tijdens haar drie jaar op Ariel geen duidelijke tekenen geweest van een psychose, dus hoe geloofwaardig zou het geweest zijn als ze nu opeens zou zeggen dat ze Napoleon was en dat de CIA probeerde haar onder de duim te houden via haar tv?'

'Matt, hier kan ook een andere verklaring voor zijn.' Weathers verdrong een glimlach. 'Als ze enig idee had in welke week Sinead Flynn haar heeft opgezocht, heeft ze misschien kunnen nagaan dat het tijdens een kwartfinale moet zijn geweest. Jezus, weet je zeker dat je het haar zelf niet verteld hebt?'

'Ik heb mijn bandjes afgeluisterd. Ik heb alleen gezegd dat het een wereldbekerwedstrijd was. Ik geloof dat ik niet eens verteld heb dat het in juni was.'

'We moeten iets substantiëlers zien te vinden. We moeten bewijzen of die meervoudige persoonlijkheid nu echt bestaat of niet.'

Denison moest bijna hardop lachen. Hij deed zijn das een beetje losser en ontspande zich wat. 'Weet je, als ik dat kon bewijzen, zou de aandoening niet zo controversieel zijn. In de meeste literatuur over DIS gaat het erom vast te stellen of de patiënten echt verschillende persoonlijkheden hebben. Met behulp van rorschachtests, bijvoorbeeld, of MRI-scans.'

'Fijn. Dus jij wilt zeggen dat we op geen enkele manier kunnen vaststellen of ze het heeft of niet?' Weathers schoof zijn stoel achteruit en ging door het raam staan staren. 'Ik moet een sigaret hebben.'

'Ik dacht dat je gestopt was,' zei Denison.

'Dat klopt. Heb jij er een?'

'Ja.' Denison kwam ook bij het raam staan en leunde tegen het kozijn. 'Maar je krijgt er geen.'

Weathers grinnikte. 'Vuile schooier.'

'Ik ben niet van plan medeplichtig te worden,' zei Denison, die moeite moest doen om niet te lachen. 'Hoor eens, heb je ooit gehoord van Kenneth Bianchi?'

Weathers knikte. 'Ja, een van de Hillside Stranglers in Californië, in de jaren zeventig.'

'Nou, hij beweerde dat de moorden waren gepleegd door een alter ego. De officier van justitie slaagde er niet in te bewijzen dat hij die andere persoonlijkheid verzon, maar wel dat hij deed alsof hij onder hypnose was gebracht.'

Weathers' groene ogen lichtten op. 'Dus als we kunnen aantonen dat Corscadden niet echt onder zeil gaat, betekent dat dat ze alles waarschijnlijk verzint? Matt, je bent een genie.' Hij legde zijn handen om Denisons gezicht en plantte een dikke zoen op zijn voorhoofd. 'We gaan ervoor.'

'Heb je bezwaar tegen die videocamera, Olivia?'

Olivia keek slecht op haar gemak van de cameralens naar Denison. 'Nou ja, niet echt, als u het nodig vindt.'

'Ik denk dat het verstandig is om niet alleen het geluid vast te leggen, maar ook beelden.' Denison vond het erg dat hij haar moest misleiden; dat hoorde normaal gesproken niet bij zijn werk. Hij zet de camera op autofocus en richtte hem op haar terwijl ze op de bank lag.

Ze gingen de hele hypnoseroutine door: het strand, de kerk, de trap. Olivia leek in een diepe hypnotische trance te verzinken.

'Olivia,' zei Denison, 'ik wil dat je in deze zeer ontspannen toestand blijft terwijl je rechtop gaat zitten en je ogen opendoet.'

Ze streek haar rok glad en ging rechtop zitten, met haar rug tegen de kussens van de bank. Pas toen ze recht zat, deed ze haar ogen open, die glazig en afwezig stonden.

'Olivia, ik ga je wat vragen stellen. Het geeft niet als je het antwoord niet weet. Zeg dan maar gewoon dat je het niet weet, je hoeft niet te raden. Oké?'

'Oké.'

'Kun je me vertellen wat de hoofdstad van Engeland is?'

'Londen.'

'De Amerikaanse vlag heeft drie kleuren. Wat zijn die kleuren?'

'Rood, wit en blauw.'

'Wie was de eerste astronaut die op de maan wandelde?'

'Neil Armstrong.'

'Een amethist is een paarsblauwe edelsteen. Welke kleur heeft hij als hij verhit wordt?'

Er verscheen een bijna verticale rimpel op haar voorhoofd. 'Dat weet ik niet.'

'De amethist wordt geel als hij verhit wordt. Wat was de naam van het vriendinnetje van Mickey Mouse in de Disney-cartoons?'

De rimpel verdween. 'Minnie.'

'Heel goed, Olivia. Nu kom ik naast je zitten.' Denison ging aan de andere kant van de bank zitten en zorgde ervoor niet in haar persoonlijke ruimte te komen. 'Olivia, wil je alsjeblieft je linkerhand uitsteken?'

Ze stak hem haar hand toe en keek nog steeds eerder voor zich uit dan naar hem. 'Ik ga met mijn vinger een cirkel op de rug van je hand tekenen,' zei hij. 'Als ik die cirkel heb getekend, wordt de huid binnen die cirkel verdoofd en voel je niet of je daar aangeraakt wordt. Begrijp je dat?'

Olivia knikte. Denison tekende met de punt van zijn wijsvinger een cirkel met een diameter van ongeveer vijf centimeter op de rug van haar hand. 'Nu ga ik je op verschillende plekken op je onderarm en hand aanraken. Als je dat voelt, wil ik dat je "ja" zegt. Voel je het niet, dan moet je "nee" zeggen. Begrijp je dat?'

Olivia knikte weer. 'Oké, Olivia. Ik wil dat je je ogen dichtdoet.' Ze kneep ze stijf dicht. Denison drukte licht op haar onderarm.

'Ja,' zei ze. Hij raakte haar weer aan, dit keer op haar duim. 'Ja.' Hij raakte haar aan binnen de denkbeeldige cirkel. Geen reactie. Hij duwde met zijn vinger tegen haar elleboog. 'Ja.' Weer probeerde hij het binnen de cirkel. Weer zei ze niets.

'Oké, Olivia, je mag je ogen weer opendoen.' Ze gingen knipperend open. De middagzon liet haar haar gloeien.

Denison stond op en trok de lege bureaustoel dichter naar de bank. Daarna ging hij weer op de bank zitten. 'Janey, mijn assistente, zit op die stoel. Zie je haar?'

Olivia knikte. 'Hallo,' zei ze tegen de lege stoel.

'Kun je me vertellen wat ze aanheeft?'

Olivia keek verrast. 'Dat begrijp ik niet. Kunt u haar niet zien?'

'Ik wil gewoon weten wat jij ziet, Olivia.'

Ze hield haar hoofd scheef. 'Een blauwe blouse. Een zwarte rok.'

'Wil je met haar praten?'

Olivia keek ongemakkelijk. 'Ik weet niet wat ik moet zeggen.'

'Waarom vraag je niet iets over haar persoonlijke leven?'

Het meisje knipperde met haar ogen. 'Eh... heb je een vriendje?' Even later knikte ze.

'Wat zei ze?' vroeg Denison.

'Ze zei dat ze er tot voor kort wel een had, maar dat ze vorige maand uit elkaar zijn gegaan.'

Verrassend dicht bij de waarheid, maar Denison zat hier niet om Olivia's helderziende vermogens te beoordelen. Hij vroeg of ze haar ogen dicht wilde doen, stond daarna op en ging naar de deur, waar hij de echte Janey zwijgend wenkte. Janey leek zich bijna net zo ongemakkelijk te voelen als Olivia, maar kwam plichtsgetrouw de kamer in. Denison vroeg Olivia haar ogen open te doen en Janey knikte haar beleefd gedag.

Maar Olivia leek haar niet te kunnen zien. Haar aandacht bleef bij de denkbeeldige Janey op de stoel.

'Olivia,' zei dokter Denison, 'kijk eens wie net de kamer in komt. Kijk, het is Janey.'

Toen Olivia hem dat hoorde zeggen, gingen haar ogen vol consternatie van de denkbeeldige Janey in de stoel naar de staande Janey en terug. 'Dokter, wat gebeurt er?' fluisterde ze. 'Dit is eng. Ik vind dit niet leuk, laat het alstublieft ophouden!'

'Wat is er dan, Olivia?' drong hij aan.

'Ik geloof dat ik hallucineer. Heeft ze een tweelingzus? Ik zie twee Janeys! Hoe kan ze op twee plaatsen tegelijk zijn?'

'Rustig aan maar, Olivia. Het is oké als je er twee ziet.' Hij wendde zich tot Janey. 'Dank je, Janey, je kunt weer teruggaan naar je bureau.' Janey verliet verbijsterd de kamer en deed de deur achter zich dicht. Olivia ontspande zichtbaar nu alleen de denkbeeldige Janey nog aanwezig was. 'Olivia, Janey staat op en gaat weg. Je ziet haar niet meer.'

'Waar is ze heen?' vroeg Olivia bezorgd.

'Olivia, ik wil dat je weer gaat liggen en dan haal ik je uit deze trance. Als je wakker wordt, voel je je helemaal fris en ontspannen, maar je zult je niets meer herinneren van wat er tijdens de trance gebeurd is, begrijp je dat?'

'Ja.' Ze ging weer op de bank liggen en zorgde er ook dit keer voor dat haar rok netjes omlaag bleef. Denison nam de visualisatie van de trap in omgekeerde volgorde door en bracht haar geleidelijk weer tot vol bewustzijn.

'... en een. Je bent nu helemaal wakker. Hoe voel je je?'

Olivia duwde zich overeind. Ze ging met haar handen door haar haar en glimlachte naar Denison.

'Verrassend goed, dank u wel, dokter.'

'Goed dan. Ik wil je een paar vragen stellen. Neem me niet kwalijk als ze een beetje vreemd lijken.'

Ze knikte dat hij door kon gaan.

'De Amerikaanse vlag heeft drie kleuren. Welke kleuren zijn dat?'

'Blauw, rood en wit.'

'Wat is de naam van het vriendinnetje van Mickey Mouse in de Disney-cartoons?'

Ze glimlachte. 'Minnie.'

'Wie was de eerste astronaut die op de maan wandelde?'

'Neil Armstrong.'

'Een amethist is een paarsblauwe edelsteen. Welke kleur heeft hij als hij verhit wordt?'

Olivia lachte. 'U maakt een grapje, zeker. Ik heb Engelse literatuur gestudeerd, weet u nog?'

'Dus je weet het niet?'

'Nee.'

'Dat geeft niet. Kun je me vertellen wat de hoofdstad van Engeland is?'

'Gelukkig, een makkelijke! Londen, natuurlijk.'

Tien minuten later, toen Olivia werd teruggebracht naar haar kamer aan de andere kant van het gebouw, zat Denison met een grimmige trek om zijn mond aan de telefoon.

'Steve, met Matt. Ik heb je bewijs.'

hoofdstuk ZESTIEN

Olivia was in haar kamer. Ze had een spijkerbroek en een T-shirt aangetrokken en zat op het bed een boek te lezen en zachtjes in zichzelf te zingen. Toen ze Denison zag door het veiligheidsglas in de deur, lichtte haar gezicht op en stond ze op om hem tegemoet te komen.

De verpleger maakte de deur open en Olivia's gezicht werd grauw toen ze Weathers achter de dokter zag staan.

'Wat doet hij hier?' vroeg ze.

Weathers kwam naar voren, geflankeerd door hoofdagent John Halloran en twee geüniformeerde agenten.

'Olivia Corscadden, ik arresteer je wegens de moord op Amanda Montgomery, Eliza Fitzstanley en June Okeweno. Je hoeft niets te zeggen, maar het kan je verdediging schaden als je iets verzwijgt waar je later voor de rechter een beroep op wenst te doen. Alles wat je zegt, kan tegen je gebruikt worden.' Olivia stribbelde tegen toen Halloran haar omdraaide en haar de handboeien omdeed, waarbij hij haar tegen de muur drukte.

'Jullie hoeven niet zo ruw te werk te gaan,' protesteerde Denison.

'Alstublieft, laat ze dit niet doen!' riep Olivia. 'Alstublieft, u moet me helpen! Vertel ze over Jude! Ik heb het niet gedaan! Ik heb het niet gedaan!' Halloran trok haar de kamer uit en voerde haar samen met de twee geüniformeerde agenten weg door de gang. De andere patiënten, allemaal veilig opgesloten in hun eigen kamers, hoorden haar roepen en begonnen zelf ook te schreeuwen en tegen hun deuren te slaan, alleen om mee te doen.

Aan het eind van de gang sleepte Halloran haar de deur door. Ze kon nog een keer ademhalen en Denison aankijken. 'Matthew, help me!' smeekte ze, en toen was ze weg.

Denison slaakte een diepe zucht en de verpleger naast hem schudde zijn hoofd, blijkbaar niet blij met de wending die de zaak had genomen.

Weathers stond in Olivia's kamer en pakte een paar schoenen op.

'Je moet ook sokken hebben,' zei Denison. Hij ging de kamer in en zocht tussen Olivia's kleren. 'En een trui.' Hij duwde ze Weathers in handen.

'Matt, je hoeft geen medelijden met haar te hebben. Ze heeft drie meisjes vermoord.'

'Dat was nog geen reden voor die gorilla om haar zo hard aan te pakken. Ze is nog steeds een mens.'

Weathers haalde zijn schouders op. 'Daar kun je over twisten. Hoor eens, maak je niet druk over de rest van de kleren. Ik laat ze wel ophalen als de rechter besloten heeft waar ze naartoe moet.'

'Neem je haar mee terug naar Cambridge voor verhoor?'

Weathers schudde zijn hoofd. 'Nee, we maken gebruik van de cellen in Newington Park. Waarschijnlijk wordt ze overgeplaatst naar Holloway, dus het heeft geen zin haar uit Londen te halen.'

'Ik wil erbij zijn. Bij het verhoor.'

Weathers knikte. 'Prima. Ik wil ook dat je erbij bent.' Hij stopte de sokken in de schoenen en liep weg, maar bij de deur draaide hij zich nog even om. 'Ik stuur over een paar uur een auto om je te halen. Dan kan ze even in haar sop gaarkoken.' Hij draaide zich weer om en verdween in één beweging door de deur.

Denison ging op het bed zitten. Hij had dit allemaal in gang gezet toen hij een verklaring had ondertekend waarin stond dat hij niet geloofde dat het gerechtvaardigd was om Olivia Corscadden nog langer vast te houden onder de wet op de geestelijke gezondheid. Hij dacht eraan hoe ze had gekeken toen ze de echte wereld weer in werd gesleept en voelde een afschuwelijk schuldbesef in zijn buik.

Aan de muur bij Olivia's bed was een foto van Nick bevestigd. Zijn haar zat in de war en hij stond lachend met twee vrienden in de tuin van zijn school, met het indrukwekkende zeventiende-eeuwse gebouw op de achtergrond. Hij leek zo gelukkig, zo ontspannen. Hij vroeg zich af of Nicholas Hardcastle ooit nog zo zorgeloos zou kijken.

Newington Park was in een van de ruwere delen van Oost-Londen. Toen de onopvallende politiewagen met Denison door de straten reed, zag hij een graffitiartiest zijn steun aan Arsenal betuigen op de muur van een torenflat, een dronken kerel tegen een bushokje pissen met een draagtas van Sainsbury stevig in zijn linkerhand geklemd, en een vermoedelijke drugsdeal voor een café annex buurthuis. Zoals gewoonlijk was er op het trottoir voor en tegenover het politiebureau geen uitschot en ook geen graffiti te bespeuren: een opzettelijk neveneffect van de pas gerenoveerde receptie, waarin de bakstenen waren vervangen door kogelvrij glas, zodat de dienstdoende brigadier onbelemmerd uitzicht had op wat er buiten gebeurde. Het was bijna negen uur 's avonds en de ondergaande zon scheen in het glas en verlichtte de laatste roze streepjes wolk aan de augustushemel.

De agent die Denison had opgehaald, ging zonder richting aan te geven een zijstraat in en draaide het parkeerterrein achter het politiebureau van Newington Park op. Hij had tijdens de rit vanuit Coldhill amper twee woorden tegen Denison gezegd.

Ze gingen naar binnen en de dokter moest in de receptie blijven rondhangen tot hoofdagent Halloran kwam opdagen en hem met een grom begroette.

'Hoe is het met haar?' vroeg Denison toen ze de trap op liepen naar de rechercheafdeling op de eerste verdieping.

'Ze is onderweg hiernaartoe gekalmeerd. Ze zit nu te huilen, maar dat is altijd zo bij vrouwen. Ik heb nog nooit een vrouw gearresteerd die niet huilde toen ze eenmaal voor een uur of twee in de cel was gezet.'

'Heeft Steve, ik bedoel inspecteur Weathers, al met haar gepraat?'

'Nee. Hij wilde u eerst hier hebben.'

'Heeft ze om een advocaat gevraagd?'

'Nee, dat is een gelukje voor ons. Maar ze heeft wel om u gevraagd. Ze heeft duidelijk geen idee dat u degene bent die de boel voor haar heeft verziekt, de stomme trut. Kom op, hierheen. Het hele team is uit Cambridge overgekomen.'

'Is agent Ames in de buurt?'

'Mevrouw Weathers, bedoelt u?' Halloran knipoogde. 'Nee, ze is naar Balham om nog eens met een van de beste vrienden van Corscadden te praten, dat wil zeggen, een van de gelukkigen die ze niet in stukken heeft gesneden. Hier naar binnen.'

Weathers stond midden in de kamer met twee mannen te praten die Denison niet kende, een in een sjofel pak en de ander in uniform. Hij keek op toen Halloran de deur opendeed en kwam meteen naar hen toe. 'Bedankt dat je gekomen bent, Matt,' zei hij. 'Dit is hoofdinspecteur Walden, die zo vriendelijk is ons gebruik te laten maken van de faciliteiten in Newington Park.' Denison schudde de hand van de man in het zwarte uniform met de zilveren knopen en de rijkversierde epauletten. Weathers gebaarde naar de man in het sjofele pak, die nodig geschoren en geknipt moest worden. 'En dit is inspecteur Colin MacIntyre. Hij heeft de leiding over het onderzoek naar de moord op Eliza Fitzstanley.' Aha, dacht Denison, de man die niet wilde horen van het bestaan van de Slager van Cambridge. Hij schudde MacIntyre de hand.

'Nou, veel succes, Weathers,' zei hoofdinspecteur Walker, die dringender politiezaken te doen had. 'Hou me op de hoogte.'

'Hoe gaan we het doen, Steve?' vroeg Denison.

'Ja,' zei MacIntyre. 'Dat zou ik ook wel eens willen weten.'

'Het plan is om haar te laten bekennen dat ze maar gedaan heeft alsof ze DIS had. Daarna proberen we erachter te komen waarom. We stonden Mac net bij te praten over de tests in trancelogica die je met haar gedaan hebt. Ik weet niet of hij het echt begrepen heeft.' Weathers trok een voorzichtige wenkbrauw op naar Denison.

'Ja, wat was nou het idee van die verdoofde cirkel?' protesteerde MacIntyre, en hij veegde zijn voorhoofd af met een zakdoek. 'Je zei tegen haar dat haar huid verdoofd zou zijn, dus natuurlijk zegt ze niets als je erop drukt. Dat meisje is toegelaten tot Cambridge, dus ze is duidelijk niet achterlijk.'

'Maar er is een verschil tussen trancelogica en normale logica,' probeerde Denison uit te leggen. 'Je kunt normaal gedrag niet vergelijken met gedrag onder hypnose. De reacties zijn gewoon niet hetzelfde.'

'Maar neem nou dat gedoe met die gele amethist. Je zei tegen haar dat ze alles moest vergeten wat er tijdens die trance was gebeurd, dus ook wat je haar verteld had over die amethist die geel werd. Wil je zeggen dat je hypnotische suggesties niet horen te werken?'

'Nee, zo zit het niet in elkaar,' wierp Denison tegen.

'Laat maar zitten,' zei Weathers. 'Zolang Corscadden het maar begrijpt, dat is het enige wat belangrijk is. Mac, hou jij in godsnaam je mond tijdens het verhoor.'

De verhoorkamer was groter en beter uitgerust dan die in bureau Parkside in Cambridge, maar het rook er net als in alle verhoorkamers naar verschaalde sigarettenrook en goedkope schoonmaakproducten. Het raam zat hoog in de muur, zodat het niet afleidde tijdens een verhoor; zelfs als je stond, kon je alleen een verre torenflat met sociale huurwoningen zien, waarin kleine speldenprikjes licht begonnen te schijnen als de zon zijn dienst beëindigde en de verlichting van de stad overliet aan miljoenen elektrische lampen.

In een binnenmuur van de kamer zat een grote spiegel waardoor mensen in de naastgelegen kamer het verhoor konden gadeslaan. In de observatiekamer bevonden zich een bureau en een microfoon. De microfoon kon worden gebruikt om via een klein oordopje informatie en suggesties door te geven aan degene die het verhoor afnam. Halloran en Denison waren in de observatiekamer en de laatste zat achter het bureau. Denison moest op een knop drukken als hij iets wilde doorgeven via de microfoon, en hij was bang dat zijn vingertoppen te zweterig waren.

'Test, test, één twee drie,' zei hij schor in de microfoon. Weathers, die met zijn rug naar de spiegel in de verhoorkamer zat, draaide zich om, stak zijn duim op en lachte hem bemoedigend toe.

MacIntyre liep in zijn sjofele pak door de verhoorkamer te ijsberen en op zijn pinknagel te bijten.

'Moet je die idioot nou zien,' zei Halloran. 'Wat een figuur slaat die man in dat pak.'

'Vind je dat jij in zijn plaats daarbinnen zou moeten zijn?' vroeg Denison.

Halloran wierp hem een harde blik toe, terwijl zijn luie oog de verhoorkamer in de gaten hield. 'Natuurlijk vind ik dat. Als die klootzakken die de leiding hebben niet bang waren geworden en de dood van Eliza niet hadden willen afdoen als een eenmalig drugsincident, zou die sukkel hier niet eens zijn. Ik had met Steve in die kamer moeten zitten. Ik ken de zaken van voor naar achter.'

'Waarom is MacIntyre daar dan? Ze moeten inmiddels toch erkennen dat de moorden allemaal met elkaar in verband staan.'

Halloran haalde zijn schouders op. 'Hij is zogenaamd de deskundige in de zaak-Fitzstanley. Klootzakken, zoals ik al zei, stuk voor stuk.'

De deur van de verhoorkamer ging open en Denison, die heel

gespannen en nerveus was, schrok op door de plotselinge beweging. Een geüniformeerde agente bracht Olivia naar haar stoel en ging vervolgens bij de dichte deur staan.

Olivia's haar zat nog steeds in een paardenstaart, maar er waren lange lokken losgeraakt die nu aan haar betraande gezicht kleefden. Haar ogen waren rood en een beetje dik. Ze zag er heel klein uit in haar grijze katoenen trui.

'Hallo, Olivia,' zei Weathers.

'Hallo,' zei ze nerveus.

'Ik zet nu de taperecorder aan, goed?'

'Goed.' Ze was amper verstaanbaar.

Weathers drukte op de opnameknop van de taperecorder in de verhoorkamer en meldde de datum, de tijd en welke mensen er aanwezig waren. Daarna wees hij Olivia nogmaals op haar rechten en zij bevestigde dat ze begreep wat die waren. Ze vroeg nog steeds niet om een advocaat en Halloran slaakte een zucht van verlichting.

'Olivia, je hebt de laatste tien weken in het psychiatrische ziekenhuis Coldhill verbleven, nietwaar?'

Ze knikte. 'Dat geloof ik wel.'

'Dat geloof je?'

'Ik kan me er niet alles van herinneren. Er is mij verteld dat ik een tijdje catatonisch ben geweest.'

'Maar sinds je weer tot bewustzijn bent gekomen, heb je gesprekken gehad met dokter Matthew Denison, een van de dokters die de leiding hebben in Coldhill?' Ze knikte weer. 'En tijdens die gesprekken is er een aantal doorbraken geweest?'

'Hij heeft me verteld dat ik iets heb wat dissociatieve identiteitsstoornis heet.' Ze haperde een beetje bij de naam.

'Kun je me iets vertellen over die stoornis?'

Olivia verschoof op haar stoel. 'Het komt erop neer dat ik meerdere persoonlijkheden heb. Ik... ik wist daar niets van, maar dokter Denison zei dat hij tijdens die gesprekken soms niet met mij sprak, maar met iemand anders. Die andere persoonlijkheid wist blijkbaar iets over de moorden.' Ze begon zachtjes te huilen. 'Ze wist dat ik mijn vrienden had vermoord.'

Halloran balde zijn vuist. Denison keek ernaar en besefte dat het een teken van triomf was, nu Olivia voor het eerst schuld bekende tegenover de politie.

'Wat heb je dokter Denison verteld over de moorden op je vriendinnen?'

'Hij zei dat ik hem had verteld dat een van de andere persoonlijkheden, Jude, de macht over mijn lichaam had overgenomen en ze had vermoord.'

'En met "ze" bedoel je...'

'Amanda, Eliza en June.'

Denison besefte dat er een grens was aan wat Weathers Olivia kon laten bekennen. De details van de moorden waren van Helen en de andere zelfverzonnen alter ego's gekomen, dus was alles wat Olivia bekende niets meer dan het napraten van informatie die hij haar gegeven had: ze zou nooit tegen Weathers zeggen 'ik heb Amanda vermoord', alleen 'dokter Denison heeft me verteld dat ik Amanda heb vermoord'.

Ze konden Helen naar voren roepen en proberen haar bekentenis op de band vast te leggen, maar Denison betwijfelde of het hypnotiseren van je verdachte – of doen alsof je die verdachte hypnotiseerde – een aanvaardbare praktijk was bij het Openbaar Ministerie.

'Hoe is dokter Denison erin geslaagd die andere persoonlijkheden te spreken te krijgen?'

'Hij heeft me gehypnotiseerd.'

'Ze kwamen nooit vrijwillig voor de dag?'

Ze keek onzeker. 'Dat zullen we wel gedaan moeten hebben, denk ik.'

'Kan ik een van hen nu spreken?' Ze keek hem met vragende goudkleurige ogen aan. 'Kan ik met Helen spreken?'

Na een tijdje haalde ze haar schouders op. 'Ik geloof niet dat het zo werkt.'

'Jij bent Helen niet.'

Haar mond vertrok tot een glimlach. 'Nee.'

'Kan ik dan misschien met Mary spreken? Of met Vanna?'

'Ik weet niet hoe ik ze moet oproepen, het spijt me.'

'En Jude?'

Olivia sloeg haar armen om zich heen. 'Het werkt niet. Ik geloof niet dat je ze tevoorschijn kunt halen door gewoon hun naam te noemen.'

'En als ik je nou eens kwaad maak? Komen ze dan voor de dag? Als ik je een stomme, arrogante trut noemde, zou Jude dan de kop opsteken?' Er rolde een traan over haar gezicht en langs haar neus, die vanaf haar lip op een van haar mouwen viel. 'Dat zal wel niet. Het komt wel heel goed uit dat hij alleen voor de dag komt als je alleen bent met iemand en er geen politie in de buurt is, hè?'

Olivia's onderlip trilde. 'Kan ik dokter Denison spreken?' vroeg ze. Denison kon de schuldgevoelens die hij kreeg toen hij haar zag huilen niet negeren. Hij had het gevoel dat hij haar had verraden.

'Nee,' zei Weathers. 'Vertel eens, waarom waren jij en je – hoe noemde je ze ook weer, alter ego's? – zo openhartig tegenover dokter Denison?'

'Hij gaf me het gevoel dat ik veilig was.' Olivia keek naar het bureau. 'Ik vertrouwde hem.'

'Denk je dat hij je graag mocht?'

'Ik denk dat hij om me gaf.'

'Vond je hem erg goedgelovig?'

Ze keek opeens op. 'Nee. Hoe bedoelt u dat?'

'Nou, je hebt hem dat hele verhaal verteld over slechte alter ego's, en hij heeft het geslikt, nietwaar? Hij was maar al te bereid je verdediging wegens verminderde toerekeningsvatbaarheid van zijn goedkeurende stempel te voorzien.'

'Ik heb niet tegen hem gelogen.'

'Helaas voor jou ging je in de fout. En hij kreeg argwaan. Hij begon te vermoeden dat je misschien maar deed alsof je onder hypnose was. Dat je in werkelijkheid de controle over jezelf wilde behouden, zodat je je niet echt liet hypnotiseren.

Heb je ooit gehoord van trancelogica? Nee? Ik ook niet, tot een paar dagen geleden. Het blijkt dat trancelogica een beetje vreemd is. Het werkt niet op dezelfde manier als de gewone alledaagse logica. Dat voerde dokter Denison vandaag tijdens jullie sessie in zijn schild; hij wilde zien of je echt onder hypnose was of niet.'

Olivia was heel stil geworden. Geen tranen, geen geschuif, geen nerveuze gebaren. MacIntyre draaide een wagentje op wieltjes om, waarop een videorecorder stond met daarbovenop een televisietoestel. Weathers gebruikte de afstandsbediening op zijn bureau om de tv aan te zetten en drukte toen op de knop om de video te laten afspelen. Olivia keek naar beelden van zichzelf op het scherm. De blikkerige stem van Denison, die niet in beeld was, stelde haar vragen over astronauten, vlaggen en Disney-figuren. Weathers wachtte tot Denison haar had verteld dat een amethist geel wordt als hij wordt verwarmd en zette de band toen stil.

'Hij vroeg je dat feit te vergeten. En dat deed je. Maar het geval wil dat echt gehypnotiseerde mensen het antwoord op de vraag wel weten als die hun later nog eens wordt gesteld. Ze weten alleen niet hoe ze het weten.'

Olivia keek hem aan. 'Ik weet niet wat u wilt dat ik zeg. Ik wist het antwoord niet. Het was niet blijven hangen. Ik herinner me nog steeds niet dat hij me dat verteld heeft!'

Weathers gaf geen antwoord, maar drukte nog eens op de knop van de afstandsbediening. Op het tv-scherm kwam Denison in beeld. Hij ging aan de voeten van Olivia op de bank zitten. Toen stak hij zijn hand uit, waarbij hij er zorgvuldig voor zorgde haar niet aan te raken, en trok hij een cirkel op de rug van haar hand. Ze keken toe terwijl hij verschillende plekken op haar arm met zijn vinger aanraakte. Toen zagen ze hem met een harde trek op zijn gezicht opstaan en weer uit beeld verdwijnen.

Weathers zette de opname weer stil.

'Hij heeft je verteld dat de huid binnen die cirkel verdoofd is en hij heeft je ook gevraagd "nee" te zeggen als je wordt aangeraakt op een plek waar je het niet kunt voelen. Je ogen zijn dicht; hoe kun je weten dat je aangeraakt wordt als je het niet voelt? Dus zeg je niets. Maar zoals ik al zei blijkt trancelogica een beetje vreemd te zijn. Mensen die onder hypnose zijn, zeggen meestal "nee" als ze binnen die verdoofde cirkel worden aangeraakt. Wil je daar iets op zeggen?'

Olivia schudde zwijgend haar hoofd.

'Oké, test nummer drie.' Weathers zette de band weer aan. Olivia reageerde op een onzichtbare Janey en daarna op de echte. Ze was duidelijk van streek. Weathers drukte weer op de knop en het scherm werd blauw.

'Nou, de opgewekte hallucinaties. Dokter Denison vroeg je je voor te stellen dat zijn assistente Janey bij je in de kamer zat en liet toen de echte Janey binnenkomen. Jij deed alsof je de echte Janey niet kon zien. Hoe kon dat ook, want ze zat toch in de stoel voor je in plaats van bij de deur te staan? Maar gehypnotiseerde mensen zien ze allebei en in tegenstelling tot bij jou is het bij hen niet nodig de echte Janey aan te wijzen. En weet je? Het doet ze niets om ze allebei te zien. Het is acceptabel. Maar jij raakte helemaal over je toeren. "Heeft ze een tweelingzus?" "Hoe kan ze op twee plaatsen tegelijk zijn?" Volgens dokter Denison is dat niet het gedrag van iemand die echt onder hypnose verkeert.'

Olivia leek gebroken, overwonnen. Ze sloeg haar handen voor haar gezicht en begon te huilen.

Weathers boog zich dichter naar haar toe. Zijn toon veranderde van heftig en vermanend in bezorgd en bijna geruststellend. 'Olivia, je hebt lange tijd moeten doen alsof. Ik weet hoe uitputtend dat geweest moet zijn. Maar nu is het goed, het hoeft niet meer. Je kunt je ontspannen. Je hoeft dokter Denison niet meer voor de gek te houden. Je hoeft geen verschillende stemmen en lichaamstaal meer te gebruiken en je hoeft je niet meer in te prenten wie wat weet en wie wat gezegd heeft. Vertel ons gewoon wat er echt gebeurd is. Wat het ook is, we zullen het begrijpen.'

Ze schudde haar hoofd en de tranen vlogen in het rond. 'Ik schaamde me gewoon zo. Ik wilde niet dat dokter Denison slechte dingen van me dacht. Ik wilde dat er iets was wat hij de schuld kon geven, en ik herinnerde me die boeken die Sinead had gelezen over DIS voor haar module abnormale psychologie...'

'Dus je hebt het hele verhaal verzonnen om de sympathie van dokter Denison te wekken?' vroeg Weathers. 'Het ging er niet om dat je je wilde beroepen op verminderde toerekeningsvatbaarheid?' Halloran snoof bij de sarcastische toon.

Olivia veegde met haar mouw langs haar ogen. 'Ik word toch de rest van mijn leven opgesloten, waar of niet?' zei ze bijna uitdagend. 'Wat maakt het dan uit of ik bij de misdadigers zit of bij de gekken?'

'Olivia, je wilt toch niet in alle ernst zeggen dat je dit allemaal verzonnen hebt om dokter Denison beter over je te laten denken?'

Ze keek Weathers fel aan met haar rode ogen. 'Het maakt me niet uit wat u denkt,' zei ze. 'Zolang Matthew me maar gelooft.'

'Dus jullie noemen elkaar al bij de voornaam?'

In de observatiekamer gaf Halloran Denison spottend een por. 'Hoe heet dat ook weer, dokter, als de patiënt verliefd wordt op de psychiater? Overdracht, nietwaar?'

'Is hij hier?' vroeg Olivia.

'Wie?'

'Matthew,' zei ze. Denison voelde zijn hart in zijn keel kloppen; het gevoel dat hij haar in de steek had gelaten, deed pijn.

Weathers schudde zijn hoofd. 'Nee,' loog hij.

Hoewel zijn instinct hem zei de verhoorkamer binnen te gaan en haar te troosten, wist Denison dat Weathers er goed aan deed om te liegen. Het kon zijn dat Olivia minder vrijuit zou spreken als ze dacht dat hij haar bekentenis hoorde. De waarheid moest boven tafel komen.

'Olivia, misschien kunnen we dokter Denison vragen je te komen opzoeken. Maar eerst moeten we de waarheid weten. Je moet eerlijk tegen ons zijn, je hart uitstorten.'

Olivia keek naar de tafel, met haar handen in elkaar geklemd. Ze knikte langzaam. 'Ik weet het,' zei ze. 'Ik weet het.'

'Wil je dan met ons praten? De waarheid vertellen?'

Op dat moment hief ze haar hoofd en haar gezicht was vreemd kalm. 'Dat zal ik doen.'

Een agent bracht iets te drinken naar de verhoorkamer. Olivia sloeg haar vingers om het kopje, dat warm was van de hete thee, en vond blijkbaar troost in de warmte.

'Oké,' zei Weathers. 'Laten we beginnen met wat er gebeurd is op de avond dat Amanda Montgomery is gestorven. Waarom heb je haar vermoord?'

'Dat weet ik niet,' zei Olivia aarzelend. Ze verborg haar mond achter het theekopje. 'Ik denk dat ik boos op haar was omdat ze probeerde tussen mij en Nick te komen.'

'Hoe deed ze dat dan?'

'Voor mij heeft hij iets met Paula gehad. Dat wist ik niet, en volgens mij vertelde ze dat omdat ze hoopte dat ik dan ruzie zou maken met Nick.'

'Waarom Paula niet?'

'Pardon?' Ze nam een slokje thee.

'Waarom heb je Amanda vermoord en niet Paula? Als ik jaloers genoeg was om iemand te vermoorden, zou ik de ex nemen, niet de persoon die me over die ex vertelde, dat weet ik wel zeker.'

Olivia haalde haar schouders op. Ze had geen verklaring. Denison boog zich met een frons dichter naar de spiegel toe.

'Vertel me dan maar hoe je haar vermoord hebt.'

Olivia mompelde iets achter haar kopje.

'Ik ben bang dat je duidelijk zult moeten praten voor de taperecorder, Olivia.'

'Ik zei dat ik haar met een mes vermoord heb.'

'Had jij dat meegenomen of was het van Amanda?'

'Ik geloof dat het van haar was. Ik weet het niet meer zo goed.'

'Hebben jullie ruziegemaakt?'

'Ik vroeg waarom ze wilde stoken tussen mij en Nick. Ze zei dat ik het me verbeeldde. Toen heb ik haar gestoken.'

'Waar?'

'Overal. Toen ze niet meer ademde, heb ik haar hoofd afgesneden.'

In de observatiekamer keek Halloran naar de frons van Denison.

'Wat kijkt u somber, dokter.'

'O, het is alleen... Het zal wel niets te betekenen hebben, maar zie je dat ze dat kopje voor haar mond houdt? Haar lichaamstaal suggereert dat ze liegt.'

'Dacht u dat ze loog toen ze u vertelde dat ze Amanda vermoord had?'

'Nee.'

'Nou, ze zegt nu precies hetzelfde. Als ze toen niet loog, kan ze nu ook niet liegen.'

'Wat heb je met het hoofd gedaan?' vroeg Weathers.

'Ik heb dokter Denison al gezegd dat ik het niet meer weet. Het is allemaal zo wazig.' Ze nam een grote slok thee.

'Je hebt dokter Denison verteld dat je het niet wist omdat Jude op dat moment het enige aanwezige alter ego was. Nu je hebt toegegeven dat je Jude hebt verzonnen, hoopte ik dat je geheugen ook verbeterd zou zijn.'

'Het was net alsof ik in trance was toen ik ze vermoordde. Er komt zo'n rode mist voor mijn ogen en ik weet amper wat ik doe. Ik weet niet meer wat ik met Amanda's hoofd heb gedaan. Ik heb het daarna niet meer gezien, dus ik moet het ergens gedumpt hebben. Misschien in de rivier, ik weet het niet.'

Denison zat zijn hoofd te schudden. 'Dit klopt niet. Ze is veel te vaag.'

Halloran rolde met zijn ogen. 'Jezus, dokter, u wilt me toch niet vertellen dat ze echt schizofreen is?'

'Nee, nee, dat zeg ik niet.' Denison wist niet wat hij moest denken. 'Ik begrijp alleen niet waarom ze zo ontwijkend doet.'

'Misschien voelde ze zich veilig toen ze met u sprak, zoals ze net al zei. Maar nu weet ze dat ze diep in de problemen zit. Als ik haar was, zou ik ook niet te veel op de bloederige details ingaan, niet als ik wist dat de rechter die me gaat veroordelen deze verklaring zal lezen.'

Denison gebruikte voor de eerste keer de intercom. 'Steve, vraag haar naar June. Met haar was ze het meest bevriend, dus je zou meer reactie moeten krijgen.'

Weathers liet niet merken dat Denison tegen hem praatte via zijn oortje. Hij boog zich dichter naar haar toe.

'Oké, we laten Amanda even met rust. Ik wil over June praten.'

Olivia's gezicht betrok meteen en ze bracht het kopje weer naar haar gezicht, legde haar voorhoofd erop en huilde. Het was haar enige schild tegen de mensen die haar beschuldigden. Weer ging Denisons hart naar haar uit.

'Ze zat altijd te zeuren dat ik het uit moest maken met Nick,' snikte ze. 'Ze zei dat hij niet bij me paste. Ik kon het niet meer aanhoren. Haar mening was belangrijk voor me, daarom deed het zo'n pijn dat ze zo'n hekel aan hem had. Die keer had ik er gewoon genoeg van. Ze had mijn avond al verpest door me op het bal aan te vallen, en toen ik terugkwam naar onze kamer, begon ze er nog eens over te zeiken! Ik wilde dat ze me met rust liet.'

'Wat is er gebeurd, Olivia?' vroeg Weathers zachtjes.

'Ik stak een mes in haar buik en sneed haar open. Haar ingewanden kwamen eruit. Ik bleef maar steken. Nick kwam binnenrennen en probeerde me tegen te houden. Hij trok het mes uit mijn hand.'

Zelfs in de observatiekamer zag Denison de spanning in Weathers' schouders.

Weathers zei heel nonchalant: 'Dus de meeste steekwonden zijn toegebracht nadat je haar buik had opengesneden?'

'Verdomme,' zei Halloran, en zijn adem besloeg op de spiegel.

'Wat is er?' wilde Denison weten, maar hij kreeg slechts een ruw 'sst' als antwoord.

Olivia had de verandering in Weathers ook gezien. 'Ik geloof het wel,' zei ze voorzichtig. 'Om eerlijk te zijn was het allemaal nogal wazig. Zoals ik al zei, komt er...'

'... een rode mist, ja, dat weet ik. Maar je moet je toch herinneren of June Okeweno's ingewanden uit haar buik hingen toen je op haar in stak of niet.'

Olivia's vingers bewogen nerveus om haar theekop. 'Ik geloof het wel.'

Opeens stond Weathers op en de poten van zijn stoel schraapten over de tapijttegels. 'Verhoor onderbroken om 22.15,' zei hij, en hij zette de band stil. Op weg naar de deur wees hij naar MacIntyre. 'Hou haar in de gaten.'

Denison en Halloran hoorden de deur dichtslaan en een paar seconden later liep Weathers hun kamer binnen.

'Ze liegt,' zei Halloran, en Weathers knikte.

'Dat begrijp ik niet,' zei Denison.

Weathers keek zijn kant op. Zijn ogen waren kil als de door het water aangetaste scherven groen glas die aanspoelden op de oevers van de Theems.

'De patholoog heeft ons verteld dat de messteken zijn toegebracht voordat de buik werd opengesneden. De meeste zijn verdedigingswonden. June heeft zich uit alle macht verweerd. De dood is veroorzaakt door de snee in haar buik en geen van de andere wonden waren daarna toegebracht.'

'Het kan zijn dat ze het inderdaad niet meer weet,' zei Denison. 'Ze moet in een hoogst emotionele toestand zijn geweest. Dat kan haar geheugen hebben aangetast.'

'En geldt dat ook voor het hoofd van Amanda Montgomery?' snoof Halloran. 'Is ze gewoon "vergeten" wat ze met een afgehakt hoofd heeft gedaan? Jezus, ik weet dat vrouwen altijd hun autosleutels kwijt zijn, maar dit slaat alles.'

Er werd op de deur geklopt en Halloran ging opendoen. Het was Ames met haar jas nog aan en een verwachtingsvolle blik in haar ogen.

Weathers lette niet op haar en was met zijn hele aandacht bij

Denison. 'Matt, wat heeft ze je verteld dat alleen de moordenaar kan weten?' vroeg hij.

'Nou, ze wist waar Amanda's steekwonden zaten en dat ze onthoofd was. Die informatie was niet openbaar gemaakt.'

'Matt, Nick heeft het lijk gezien, weet je nog? Hij kan haar hebben verteld in welke toestand het verkeerde.'

'Eliza's laarzen en tas,' zei Denison met een knip van zijn vingers. 'Dat was ook niet bekendgemaakt.'

'Je hebt gelijk,' zei Weathers hoofdschuddend. 'Maar Olivia's vriend Danny was een van de roeiers die ze gevonden hebben.'

'Jezus, heeft ze je helemaal niets verteld wat ze niet van een van die verdomde vriendjes van haar gehoord kan hebben?' klaagde Halloran vol afschuw.

'Ik zal mijn bandjes moeten afluisteren,' zei Denison.

'Maar waarom liegt ze?' zei Halloran. 'Het slaat nergens op. Waarom zou ze in godsnaam bekennen als ze niet schuldig is?'

'Ik denk dat ik daar misschien een antwoord op heb,' zei Ames.

De verklaring stond op officieel papier met het briefhoofd van de politie. Denison zag de naam van de verhoorde staan in Ames' nette handschrift: 'Danny Armstrong.'

'Hij woont tegenwoordig in Zuid-Londen,' zei Ames. 'Wilde eigenlijk niet met me praten. Jullie weten dat die lui van Ariel zo'n beetje gezworen hebben te zwijgen...'

'Wat zei hij?' vroeg Weathers, die de verklaring doorbladerde.

'Hij herhaalde iets wat June hem een maand of twee voordat ze vermoord werd had verteld. Blijkbaar had June, wier kamer naast die van Olivia lag, haar en Nick horen ruziën. Maar volgens haar was het vooral Nick die tekeerging. Olivia klonk alsof ze hem probeerde te kalmeren. Er viel een korte stilte en toen sloeg er een deur dicht. June ging naar buiten om te kijken of alles goed was met Olivia en zag haar de trap af hollen naar de douches, met haar hand om haar arm. Ze hield de arm onder de koude kraan. Er zat een verse brandwond op de onderkant. June heeft Danny verteld dat het net zo'n soort brandwond was als je krijgt van een sigaret.'

Denison keek door de spiegel naar Olivia, die als een gebroken pop met afhangende schouders op haar stoel zat.

'Heeft Olivia haar verteld wat er gebeurd was?' vroeg Weathers.

'Nee, ze zei dat June zich met haar eigen zaken moest bemoeien. Danny denkt dat Olivia June daarna gewoon uit de weg ging.'

'Ik denk dat we Olivia's ziekenhuisgegevens moeten nakijken,' zei Denison.

'Ik bel Addenbrooke,' zei Ames, en ze liep de kamer uit.

Er viel een lange stilte. De drie mannen keken elkaar aan en toen naar Olivia, die met haar ellebogen op de tafel zat, met haar handpalmen tegen elkaar over haar mond en neus.

Denison liet zich in zijn stoel vallen. 'Het was Nick. Het is al die tijd Nick geweest. Jezus, dat ik zo stom ben geweest.'

'Niet zo snel,' protesteerde Halloran. 'We komen erachter dat haar vriendje wel eens wat hardhandig was en opeens is ze onschuldig en is hij de moordenaar?'

'Weet je hoe zeldzaam vrouwelijke seriemoordenaars zijn?' zei Denison. 'Vooral vrouwen die voor hun plezier moorden en niet voor het geld?'

'Niet zo zeldzaam!' zei Halloran. 'Wat dacht u van Rose West? Of Myra Hindley?'

Denison schudde met een gekwelde glimlach zijn hoofd. 'Dat is precies wat ik bedoel. Die twee moordden allebei samen met dominante mannen. Ik betwijfel of een van hen een seriemoordenaar zou zijn geworden als ze een andere minnaar had gehad.'

'Dus u zegt dat Corscadden en Hardcastle het samen hebben gedaan?'

'Dat weet ik niet. Maar als ze actief betrokken was bij de moorden, hoe kan het dan dat ze ons geen details kan geven?' merkte Denison op. 'Waarom kan ze ons niet vertellen waar Amanda's hoofd is en waarom denkt ze dat June is gestoken nadat haar buik was opengesneden?'

Weathers leek niet overtuigd. 'Als ze er niet bij betrokken is, waarom dekt ze hem dan? En ze dekt hem niet alleen, ze neemt alle schuld op zich.'

Denison probeerde een verklaring te vinden. 'Heb je wel eens meegemaakt dat sommige misdadigers een kamer in kunnen lopen en meteen weten wie ze om de tuin kunnen leiden, wie ze kunnen bedriegen en wie ze kunnen intimideren?'

Halloran knikte. 'Net als leeuwen met antilopen. Ze pikken altijd de zwakste eruit, de gemakkelijkste prooi.'

'Nou, sommige mannen hebben hetzelfde oog voor beschadigde vrouwen. Ze willen iemand die ze kunnen domineren, waar ze volledige macht over hebben. Ze zien meteen welke vrouwen kwetsbaar zijn en kunnen worden gemanipuleerd door te doen alsof hij van ze houdt. Stel je voor dat je je hele leven gemarteld, misbruikt en veracht bent en denk je dan eens in hoe het moet voelen als je eindelijk iemand hebt die van je houdt en voor je zorgt. Hij zegt tegen je dat hij voor je zou sterven, dat je zijn grote liefde bent, dat hij niet zonder je zou kunnen leven. Zou je het hem dan niet vergeven als hij af en toe een klap uitdeelde? Zou je hem niet beschermen, wat hij ook gedaan had?'

'Ja, maar om een hele psychische stoornis na te bootsen?' zei Halloran. 'En die gestoorde toestand waarin ze verkeerde toen we haar vonden?'

'Ik heb nooit geloofd dat ze de catatonie ook gespeeld heeft. Als ze de kamer in is gekomen en heeft gezien wat hij met June deed, kan dat traumatisch genoeg geweest zijn om te zorgen dat ze zich zo in zichzelf terugtrok als wij hebben meegemaakt.'

'En die hele toestand met die meerdere persoonlijkheden? Wat was daar het nut van?'

'Misschien heeft ze in één opzicht de waarheid verteld,' zei Weathers. 'Misschien vond ze het inderdaad zo erg dat Matt slecht over haar zou denken dat ze het niet aankon om de schuld op zich te nemen zonder enig excuus te hebben. Misschien probeerde ze hem al die tijd te vertellen dat ze het niet gedaan heeft.'

hoofdstuk **ZEVENTIEN**

Het officiële antwoord van Addenbrooke's Hospital op de vraag van agente Ames was geweest: 'Sorry, we kunnen de medische gegevens van een patiënt niet vrijgeven zonder gerechtelijk bevel.' Onofficieel was Ames bevriend met een van de verpleegsters op de afdeling Spoedeisende Hulp, die haar had verteld over 'een gebroken vinger hier, een gebroken rib daar, het klassieke excuus van "ik ben van de trap gevallen"'.

'Maar geen van haar vrienden lijkt van haar verwondingen geweten te hebben,' zei Ames.

'De gebroken vinger was net na het einde van het trimester. Ze is waarschijnlijk vroeg naar huis gegaan, zodat niemand het zou zien en zou vragen wat er gebeurd was. En voor gebroken ribben kunnen we niets doen. De mensen zullen hebben gemerkt dat ze pijn had, maar ze heeft geen verband omgehad of zo.'

'Als hij haar dit heeft aangedaan, heeft ze daar in het ziekenhuis niets van verteld,' meldde Ames.

'We moeten ervoor zorgen dat ze ons de waarheid vertelt,' zei Weathers. 'Matt?'

'Het zal niet gemakkelijk zijn,' zei Denison. 'Haar sterkste instinct is om hem te beschermen. Je kunt proberen haar te laten begrijpen dat er geen excuses zijn voor wat hij gedaan heeft, maar ik denk dat je die beschermingsdrang uiteindelijk tegen haar zult moeten gebruiken. Probeer haar zover te krijgen dat ze zijn daden gaat goedpraten.'

Weathers ging terug naar de verhoorkamer met een tweede kop thee voor Olivia, die hij voor haar op tafel zette, en een grote envelop, die hij dicht liet. Hij zette de taperecorder weer aan.

'Eliza Fitzstanley,' zei hij. 'Bijna al haar verwondingen waren veroorzaakt doordat ze tegen de boom was geslagen en geschopt was. Op één na. Ze had een steekwond in haar rechterbil.' Olivia keek hem aan en reageerde verder niet. 'Kun je me vertellen waarom je haar daar gestoken hebt?'

Ze schraapte haar keel. 'Ze verzette zich, we hebben gevochten. Ik heb haar niet opzettelijk daar gestoken.'

'Wat heb je ervoor gebruikt?'

'Een mes, natuurlijk.'

'Wat voor mes? Een zakmes? Een keukenmes?'

'Een zakmes.'

'Een zakmes. En waarom heb je dat zakmes niet gebruikt om haar te vermoorden? Waarom alleen voor die ene, kleine verwonding?'

Ze nam een slokje thee. 'Ze sloeg het uit mijn hand. Het is tussen de bladeren verdwenen.'

'Dus je hebt het daar achtergelaten?'

'Ja.'

'Waarom hebben we het dan niet gevonden toen we de omgeving hebben afgezocht?'

Olivia haalde haar schouders op. 'Dat weet ik niet.'

Weathers maakte de envelop open en haalde er een foto uit. Olivia deed alsof ze zich een beetje ontspande, maar ze hield hem in de gaten zoals een veldmuis naar een sperwer kijkt. Hij schoof de foto naar haar toe. Het naakte lichaam van een meisje lag op haar buik op een tafel in het mortuarium. Ze had blauwe plekken op haar rug, maar haar blote billen waren glad en ongeschonden.

'Dat is Eliza, Olivia. Kijk, geen steekwonden. Waarom heb je me verteld dat je haar gestoken had?'

Olivia's blik ging snel over de foto en Denison zag aan haar gezicht dat haar hersenen een geloofwaardige verklaring probeerden te bedenken voor haar vergissing.

'Ik dacht dat ik het gedaan moest hebben,' zei ze. 'Zoals ik al zei had ik een zakmes, u zei dat ze gestoken was, dus ik dacht dat dat tijdens de worsteling gebeurd moest zijn.'

'Je had geen zakmes, Olivia,' zei Weathers met een zucht. 'We weten dat Nicholas Hardcastle ze vermoord heeft en we weten ook dat jij hem dekt. We begrijpen alleen niet waarom. Die vent is een sadistisch monster. Waarom bescherm je hem in godsnaam?'

'Ik heb ze vermoord! Ik heb het gedaan!' schreeuwde ze en ze sloeg met haar hand op de tafel. 'Verdomme, ik zei toch dat ik het gedaan had?'

'Olivia, ik weet dat je denkt dat hij om je geeft, maar mannen als hij zijn niet in staat van iemand te houden. Al hun verlangens zijn gericht op het toebrengen van pijn. Hoe kun je van zo iemand houden?'

Ze schudde haar hoofd. 'Zo is hij helemaal niet. U hebt het mis. Hij geeft wel om me. Echt waar.'

Weathers probeerde het nog een uur en twintig minuten, en toen gaf hij het eindelijk op en maakte een eind aan het verhoor. Olivia werd teruggebracht naar haar cel.

'Wat nu?' zei Ames.

'Nu gaan we nog eens praten met Nicholas Hardcastle,' zei Weathers.

Ze lieten Olivia en inspecteur MacIntyre achter in het politiebureau van Newington Park en reden naar Oxford. Er was niet veel verkeer en ze waren er in een paar uur. Ames had al een van de plaatselijke bureaus opgebeld en gezorgd dat ze daar van de faciliteiten gebruik konden maken. Toen ze in de stad arriveerden, was het al twee uur in de ochtend en het was drie uur toen ze vergezeld van een paar politiewagens de oprit van de Hardcastles op reden. Denison kreeg opdracht in Weathers' auto te wachten. Twee van de agenten liepen om het huis heen voor het geval Nick ervandoor probeerde te gaan via de achterdeur. Weathers bonsde op de voordeur.

'Opendoen!' riep hij. 'Politie!' Een paar seconden later ging er licht aan in een van de bovenramen. Weathers hoorde het stommelende geluid van iemand die de trap af kwam en toen ging het licht in de gang aan en werd er een kleine, brede gestalte zichtbaar.

Geoff Hardcastle gooide in een geruite kamerjas over een blauwe pyjama de deur open. 'Heb je verdomme enig idee hoe laat het is?'

'Waar is Nicholas?' vroeg Weathers.

'Dit is niet te geloven,' zei Geoff, die hem met slaperige ogen aanstaarde. Valerie Hardcastle verscheen naast hem in de deuropening. De make-up was uren eerder al van haar gezicht gehaald en ze droeg een crèmekleurige satijnen ochtendjas. Ze had haar armen om zich heen geslagen alsof het midden in de winter was in plaats van een van de warmste nachten van het jaar.

'Hij is er niet,' zei Valerie met een broos stemmetje. 'Hij is bij zijn vriendin.'

Denison zat op de achterbank van Weathers' auto te wachten en wuifde zich koelte toe met een kaart van East Anglia. Uiteindelijk kwamen Weathers, Halloran en Ames weer aanlopen over het krakende grind. Ze stapten in, sloegen de portieren dicht en bleven zwijgend zitten.

'Waar is hij?' vroeg Denison.

'U zult het niet geloven,' zei Halloran.

'Wat? Is hij op de loop gegaan?'

'Nee, hij is bij zijn vriendin in Cambridge.'

'Zijn vriendin?' herhaalde Denison verbaasd.

Weathers draaide zich om, zodat hij zijn vriend kon aankijken. Er lag een harde glans in zijn ogen, maar Denison kon niet bepalen of die veroorzaakt werd door geamuseerdheid of irritatie. 'Paula Abercrombie.'

'Jezus,' zei Denison. 'Hoe lang is dat al aan de gang?'

'Joost mag het weten. Volgens de moeder pas een paar maanden. We gaan terug naar Cambridge. Paula begint daar blijkbaar aan haar proefschrift en heeft een leuk flatje gevonden bij het Grafton Centre.'

Ze stopten halverwege Cambridge bij een tankstation en kochten slappe koffie en oudbakken croissants. Halloran nam toast.

'Ben je er klaar voor?' vroeg Weathers toen de psychiater voor de dertigste keer gaapte.

'Ik weet het niet. Ik kan niet zeggen dat ik helemaal fit ben.'

'Halloran?'

De oude politieman haalde zijn schouders op. 'Ik ben kapot. Maar hetzelfde geldt voor die kleine schooier. Het is beter om hem te verrassen.'

'Aangenomen dat zijn moeder hem nog niet gebeld heeft,' zei Denison.

'Denk je dat hij op dit uur van de nacht zijn mobiel opneemt?' vroeg Ames.

'Wie weet?'

'Ik heb mannen bij Paula's flat geposteerd,' zei Weathers. 'Ze hebben geen tekenen van activiteit bespeurd. Hoor eens, het is zondagmorgen. Laten we een paar uur slapen en hem dan oppakken. Als hij is zoals ik toen ik eenentwintig was, blijft hij tot halverwege de dag in bed.'

Weathers en Ames huurden een rijtjeshuis in Holland Street, slechts een klein eindje lopen van de rivier. In de kleine slaapkamer stond een bedbank. Ames haalde wat linnengoed uit de kast en maakte het bed op voor Denison.

'Er liggen extra tandenborstels in het medicijnkastje,' zei ze tegen hem. 'Nog in de verpakking. Niets dan het beste in dit huishouden. Kan ik nog iets anders voor je halen? Een glas water of zoiets?'

'Een wodka, misschien,' zei hij schertsend, en hij gooide zijn jasje op het bed. Ze gaf hem een zoen en liet hem en haar man alleen.

Denison bewonderde de vrouwelijke accenten in de kamer: de ingelijste foto's van het echtpaar aan de muur, de gatenplant in de hoek en de kom met potpourri op het nachtkastje. 'Wat huiselijk allemaal.'

'Wacht maar tot we een huis gekocht hebben,' lachte Weathers. 'Dan sleept Sally me om het weekend mee naar Ikea en Homebase. Ze heeft al besloten wat voor badkamer ze wil en we hebben nog niet eens een eigen huis.'

Denison knikte glimlachend. 'Cass is precies hetzelfde. Een maand nadat ze bij me introk waren mijn slaapkamer en woonkamer allebei opnieuw geschilderd en behangen en probeerde ze me over te halen een nieuw bankstel te kopen.'

'Dus het gaat goed tussen jullie?' vroeg Weathers.

'Ja, heel goed.'

'Praat je wel eens met haar over het werk?'

'Je bedoelt mijn hoogst vertrouwelijke psychiatrische sessies? In de regel niet.'

'In de regel? Dat betekent dus "soms".' Weathers grinnikte, dus Denison wist dat er geen verwijt in zijn woorden besloten lag.

'Misschien. Als ik echt een zware dag heb gehad, helpt het wel eens als ze weet waarom ik zo'n slecht humeur heb.'

'Heb je het ooit met haar over Olivia Corscadden gehad?'

'Ik heb haar verteld over de meervoudige persoonlijkheden,' gaf Denison toe. 'Maar je hoeft je geen zorgen te maken, ze zou er nooit over praten. Ik zou haar nooit iets vertellen als ik er niet zeker van zou zijn dat ze het voor zich zou houden.'

'Weet ze wat je gevoelens zijn voor Olivia?'

Denison fronste, maar Weathers keek hem met een ernstig gezicht aan.

'Wat bedoel je daarmee?'

'Kom op, Matt, het is duidelijk dat je een zwak voor haar hebt.'

Denison begon aan zijn das te rukken. 'Nou, neem me niet kwalijk dat ik sympathie voel voor een meisje dat door toedoen van haar ouders door een hel is gegaan en vervolgens het ongeluk had een vriend te treffen die haar niet alleen sloeg, maar verdomme ook nog haar vriendinnen vermoordde.' Hij weigerde Weathers aan te kijken terwijl hij zijn das van zijn nek trok.

'Maar je had medelijden met haar, zelfs toen je dacht dat zij de moorden had gepleegd,' merkte Weathers op.

'Weet je hoe zeldzaam psychopaten zijn die een gelukkige, normale jeugd hebben gehad?' bitste Denison. 'Ze worden over het algemeen niet zo geboren, hoor. Als ze gewelddadig en gewetenloos was gebleken, waren haar ouders net zo verantwoordelijk geweest voor die moorden als zij. Jezus, het is maar goed dat haar vader in de gevangenis zit, want als dat niet zo was, zou ik sterk in de verleiding komen hem een bezoekje te brengen met mijn cricketbat.'

Er flikkerde iets in Weathers' ogen en Denison, die een deskundige was in het lezen van lichaamstaal, pikte het onmiddellijk op.

'Wat?' zei hij. 'Steve, wat is er?'

Weathers trok een gezicht. 'Hij zit niet in de gevangenis. Hij is op borgtocht vrijgelaten.'

'Hoe heeft dat verdomme kunnen gebeuren? Je zei dat zijn computer vol kinderpornografie stond!'

'Dat klopt. Maar hij stond op geen van de foto's, zelfs niet op de foto's van Olivia. Hij beweert dat de computer deel uitmaakte van een partij die hij tweedehands had gekocht en dat het niet zijn persoonlijke computer was. Omdat we ongeveer vijfendertig computers in beslag hebben genomen, voerde zijn advocaat met succes aan dat het tegendeel voor de rechter moest worden bewezen.'

'Maar er stonden foto's van zijn dochter op dat kloteding! Is dat geen bewijs dat het zijn computer was?'

'Volgens het hof staan er foto's op van een meisje in de pre-puberteit dat volgens ons een sterke gelijkenis vertoont met zijn dochter. Ik heb geen verklaring van Olivia, weet je nog? Als zij geen klacht tegen hem wil indienen en niet wil verklaren dat zij op die foto's staat, kan ik niet veel meer doen.'

'O, in godsnaam...' Denison ging met zijn hoofd in zijn handen op het bed zitten.

'Het spijt me, Matt. Maar Barry is veel te slim om iets te doen voor hij voor de rechter moet verschijnen, niet nu hij weet dat we hem in de gaten houden.' Weathers zag dat Denison behoorlijk van streek was. 'Matt, als jij ons niet over Olivia had verteld, zouden ze niet eens weten dat hij in het oog gehouden moest worden.'

Denison keek op naar zijn vriend. 'Steve, ze weet niet eens dat hij gearresteerd is. Wat moet ze niet voelen als ze hierachter komt?'

Weathers sloeg zijn armen over elkaar. 'Hij weet niet dat zij ons over hem verteld heeft. Hij weet niet beter dan dat we afgingen op heling van gestolen goederen en de kinderpornografie bij toeval hebben ontdekt.'

'Ik hoop dat je gelijk hebt. Jezus, vertel me alsjeblieft dat jullie genoeg bewijs hebben voor heling.'

'Hij gaat beslist achter de tralies, voor minstens achttien maanden.'

'Is dat alles?'

Weathers haalde zijn schouders op. 'Als je wilt dat ik doorgeef dat hij een kinderverkrachter is als hij in de nor zit, dan kan ik dat wel doen. Op die manier komt hij er misschien nooit meer uit.'

'Je wilt dat de andere gevangenen het vuile werk voor je doen?'

Weathers glimlachte, maar zonder enige vrolijkheid. 'Ik ga naar bed. Welterusten, Matt.'

Denison had het gevoel dat hij net zijn ogen had dichtgedaan toen het opeens licht was in de kamer en Weathers naast zijn bed stond met een kop warme koffie. Omdat hij geen schone kleren had meegenomen, moest Denison hetzelfde gekreukte pak en overhemd aantrekken als waar hij de vorige dag al in had lopen zweten. Het was pas halfacht in de morgen, maar het was duidelijk dat het weer zo'n snikhete dag zou worden.

Hij ging naar de keuken, waar Weathers hem een bord toast aanreikte. Weathers had zich gedoucht en zijn donkere haar was nat achterovergekamd. Hij droeg een zwart pak en een wit overhemd. Denison was er jaloers op dat hij er zo fris uitzag.

'Krijg ik niet eens de kans om te douchen?' mopperde hij.

'Ik dacht dat je liever zo lang mogelijk zou willen slapen. Dooreten, we gaan over vijf minuten weg.'

Ze parkeerden in Sturton Street voor de auto van Halloran. Hoewel ze zich maar een paar straten van een van de drukste winkelcentra van Cambridge bevonden, was dit een rustige straat. Paula woonde in een klein victoriaans rijtjeshuis vlak bij een parkje, met een voordeur die meteen in de woonkamer uitkwam.

Halloran stapte uit zijn auto en ging op de achterbank van die van Weathers zitten. Denison kon niet zien of Halloran had kunnen douchen; hij had te weinig haar om te zien of het net nat was geweest en er stonden al kleine zweetdruppels op zijn voorhoofd.

'De jongens zeggen dat het rustig is geweest sinds ze gisteravond zijn gearriveerd,' meldde Halloran.

'We gaan erop af,' zei Weathers.

Ze lieten Denison weer in de auto zitten en toen ze naar het huis liepen, stapten er nog twee mannen uit een iets verderop staande auto, die zich bij hen aansloten. Een van de twee klom over de houten deur die toegang gaf tot het achtertuintje van het huis.

De voordeur was felrood geschilderd. Weathers pakte de gietijzeren klopper en liet hem hard op de deur neerkomen.

'Politie, opendoen!' schreeuwde hij en hij bleef met de klopper op de deur bonzen. Een vrouw met een buggy, die door de straat in hun richting liep, wierp hun één blik toe en stak toen haastig over. Een paar kinderen die basketbal speelden in het parkje stopten daarmee en keken toe, een van hen met de bal onder zijn arm.

Het duurde anderhalve minuut tot de deur openging. Paula Abercrombie stond voor hen in een grijze katoenen korte broek en een strak wit T-shirt. Halloran kon zien dat ze geen beha droeg en glimlachte haar breed toe. Haar lange donkere haar zat in de war en behalve wat restjes mascara had ze helemaal geen make-up op, maar toch zag ze eruit alsof ze op de omslag van de *Playboy* hoorde.

'Ga Nicholas eens uit bed halen, moppie,' zei hij met een knipoog.

Nick verscheen achter haar in een joggingbroek en een T-shirt. 'Jezus, jullie weer,' zei hij.

'Dat klopt, wij zijn het weer,' zei Weathers. 'Er is iets waarover we op het bureau met je willen praten.'

Denison keek naar Nick, die met uitdagend over elkaar geslagen armen rechtop op zijn stoel zat, en hij zag dat de donkere kringen onder zijn ogen verdwenen waren. Hij was wat zwaarder geworden en had stevige spieren gekregen. Hij zag er fit en gezond uit. Zijn haar was een paar centimeter gegroeid en begon te krullen.

Weathers had de veranderingen ook opgemerkt. 'De verkering met Paula Abercrombie doet je goed, zo te zien,' zei hij tegen Nick.

Nick knikte ongemakkelijk. 'Dat zal wel.'

'Olivia weet het zeker nog niet?' spoorde Weathers aan.

'Hoe zou ze het kunnen weten?' vroeg Nick. 'Ik mocht van jullie geen contact met haar hebben.'

'Zou anders wel gemakkelijk voor je geweest zijn, hè? Om te bespreken wat jullie moesten zeggen.'

Nick schudde ongelovig zijn hoofd. 'Jezus, wat is er nou zo vreemd aan om je vriendin te willen zien?'

'Niets. Maar in het begin zei ze niet veel, dus het zou een saai bezoekje voor je zijn geweest. Het duurde vier weken voor ze iets anders deed dan tv-kijken en kwijlen.'

Denison zag dat Nick zijn best deed er niet op in te gaan. 'Hoor eens, Olivia en ik hadden al een tijdje problemen. Niets wat ik zei of deed was goed genoeg voor haar. Ik gaf haar bloemen, nam haar mee uit eten, kocht kleine cadeautjes. Ze zei dankjewel, maar ze leek het nooit echt te menen. Soms deinsde ze terug als ik haar aanraakte, alsof mijn vingers in brand stonden of zo. Dus om eerlijk te zijn kwam ik in de tijd zonder haar tot het besef dat het niet werkte en dat het ook niet meer in orde zou komen.'

'En Paula? Heeft die je geholpen tot dat besef te komen?'

'Zij is de enige die er steeds voor me geweest is. Dankzij jullie denken al mijn andere vrienden blijkbaar dat ik schuldig ben. Zij bleef achter me staan en toen hebben we een band gekregen, meer niet. Hoor eens, ik vind het vervelend tegenover Olivia, echt waar, maar ik ben geen heilige.' Hij ging met een hand door zijn krullen en boog zich toen over de tafel naar Weathers toe. 'Er is iets wat ik u moet vertellen. Ik had het destijds meteen moeten doen, maar ik wilde niet dat Olivia erachter kwam. Als iemand zijn vriendin bedriegt, hoeft hij er meestal niet over te liegen tegenover de politie.'

'Ga verder,' zei Weathers kortaf.

'U weet dat ik zei dat ik op de grond had geslapen en Paula op het bed in de nacht dat Amanda werd vermoord. Nou, dat was niet waar. We lagen samen in bed.'

'Hebben jullie seks gehad?'

Nick rolde met zijn ogen. 'Ja, als dat er iets toe doet. Hoor eens, het belangrijke is dat ze heel licht slaapt. Ze kan jullie vertellen dat ze wakker zou zijn geworden als ik de kamer die nacht had verlaten.'

'En het is niet meer dan toeval dat ze jou een paar weken nadat jullie een relatie kregen opeens een alibi bezorgt,' zei Weathers.

'Dat klopt,' snauwde Nick.

'Heb je haar al geslagen?' vroeg Weathers.

'Wat?'

'De vraag is eenvoudig genoeg: heb je haar al geslagen? Gestompt? Geschopt?'

Nicks lip krulde. 'Dat moet een grapje zijn. Ik sla geen vrouwen.'

'Nee, je martelt en vermoordt ze alleen, zeker?'

'In godsnaam, hoe vaak moet ik jullie nog vertellen dat ik het niet gedaan heb! Ik zou nooit ofte nimmer zoiets kunnen doen. Ik heb nog nooit in mijn leven iemand kwaad gedaan. Ik heb zelfs nog nooit gevochten.'

'Dat is raar, want wij hebben verklaringen van mensen die beweren dat je Olivia Corscadden mishandelde.'

'U liegt dat u barst,' zei Nick. 'Niemand heeft dat verteld. Ik wed dat Olivia dat nooit heeft gezegd, of wel soms? *Of wel soms?*'

'Ze heeft ons een heleboel verteld,' zei Weathers. 'Ze heeft ons verteld dat zij verantwoordelijk is voor de moorden.'

Nick moest bijna lachen. 'Dat kunt u niet menen.'

'Jawel, hoor. Ze heeft de feiten niet helemaal op een rijtje, maar ze is vol enthousiasme aan het bekennen.'

Hij schudde zijn hoofd. 'Dat meent u niet. Dat kunt u niet menen.'

'Ik ben bang van wel. Ze zegt dat ze Amanda Montgomery heeft onthoofd, Eliza Fitzstanleys hoofd tegen een boom kapot heeft geslagen en June Okeweno als een vis heeft opengesneden.'

'Maar...' Denison zag de verandering in Nicks gezicht, zag hoe hij naar binnen keek en iets in zichzelf analyseerde. Het deed hem denken aan een schaker die nadacht over zijn volgende zet. Nick begon te knikken en had blijkbaar een keus gemaakt.

'Dan is er nog iets anders dat ik jullie moet vertellen. Jezus, ik kan haast niet geloven dat ik dit doe.'

'Wat?' vroeg Weathers sceptisch.

'Mijn vingerafdrukken staan op het mes waarmee June is vermoord omdat... omdat ik het uit Olivia's hand heb gepakt.'

hoofdstuk **ACHTTIEN**

'Die kleine rotzak,' zei Denison zachtjes.

Weathers keek Nick minachtend aan. 'Dus jij zegt dat Olivia het mes vasthad en dat jij het uit haar hand hebt gepakt, klopt dat?'

'Ik ben bang van wel. Hoor eens, ik wilde niet dat Olivia in de problemen kwam, daarom heb ik niets gezegd. Ik dacht niet dat ze June had vermoord, maar dat ze het lichaam had gevonden en niet wist wat ze deed. Maar nu jullie me vertellen dat ze bekend heeft... Nou, misschien had ik het mis.' Hij keek hen met zijn korenblauwe ogen aan.

'Ik geloof er niets van.' Halloran deed voor het eerst zijn mond open. 'We hebben je net verteld dat het meisje met wie je drie jaar verkering hebt gehad een reeks moorden heeft bekend en in plaats van de waarheid te vertellen en haar in meerdere opzichten vrijuit te laten gaan, duw je haar nog dieper in de stront? Jij, mannetje, bent misschien wel de kwaadaardigste klootzak die ik ooit het ongeluk heb gehad te ontmoeten.'

Nick leunde achterover, zijn ogen werden donkerder en hij

sloeg zijn armen weer over elkaar.

'Ik wil een advocaat,' zei hij.

Paula was helemaal opgemaakt – oogschaduw, lippenstift, de hele mikmak – toen ze naar het bureau kwam om een verklaring af te leggen over de nacht dat Amanda was vermoord. Ze richtte haar aandacht op de aantrekkelijke inspecteur Weathers en negeerde Halloran, die inmiddels zweetplekken onder elke arm en op zijn rug had.

'We hebben gevreeën,' gaf ze toe. 'Nick wilde niet dat Olivia erachter kwam, dus vroeg hij me te zeggen dat hij op de grond had geslapen.'

'Hoe lang hadden jullie geslapen toen jullie wakker werden van de commotie op de gang?'

'Ik weet het niet. Zeven of acht uur, misschien.'

'En je acht het niet mogelijk dat Nick kan zijn opgestaan terwijl jij diep in slaap was, Amanda kan hebben vermoord en weer naar bed kan zijn gekomen?'

'Nee. Ik slaap heel licht.'

'Zelfs als je veel gedronken hebt?'

Ze lachte diep in haar keel. 'Vooral als ik veel gedronken heb. Dan moet ik elke vijf minuten naar het toilet.'

'En heeft Nick je die hele nacht niet wakker gemaakt?'

'Ja, toen hij naar de wc ging. Maar hij was maar een paar minuten weg. Hij is niet weggegaan. Anders had ik de deur wel gehoord.'

Halloran moest met zijn vingers knippen om haar aandacht te krijgen. 'Hier zit ik, moppie. Hoor eens, als jullie niets te verbergen hebben, krijgen we zeker wel toestemming om jullie huis te doorzoeken?'

Ze haalde haar schouders op. 'Je doet maar. Als je maar van mijn slipjes afblijft.'

'Geloof je haar?' vroeg Denison.

Weathers haalde zijn schouders op. 'Ik weet het niet. Ze heeft een relatie met Nick, dus is het niet vreemd dat ze hem dekt, vooral als ze denkt dat hij onschuldig is. En jij? Geloof jij haar?'

Denison drukte zijn sigaret uit. 'Nu ze Nick eindelijk te pakken heeft, zal ze volgens mij zeker niet willen dat Olivia vrijkomt.' Hij keek uit over Parker's Piece, waar mensen zaten te lunchen, cricket speelden, boeken lazen en gewoon van de zon genoten. 'Wat nu?'

'Ik kan niet langer wachten. Ik had ze allebei moord ten laste moeten leggen op de dag dat we hen in Junes kamer aantroffen. We zijn nu twee maanden verder en we weten nog steeds niet zeker wat er die nacht is gebeurd.'

'Stel je Olivia ook in staat van beschuldiging?'

'Olivia is de enige die ik in staat van beschuldiging stel. Ik heb niet meer bewijs tegen Nick dan op die dag. Hij heeft een alibi voor de eerste moord en wil voor het hof getuigen dat hij Olivia heeft aangetroffen met het mes in haar hand. Als Olivia niet wil getuigen, moeten we ons op haar concentreren.'

Eerst keek Denison ongelovig, maar toen begreep hij het. 'Dus eigenlijk ga je haar chanteren, zodat ze wel tegen hem moet getuigen?'

Weathers nam een sigaret uit Denisons pakje en stak hem aan. 'Dat klopt,' zei hij, terwijl hij een mondvol rook uitblies. 'En als jij haar niet in de gevangenis wilt zien belanden, stel ik voor dat je haar probeert over te halen.'

Olivia zat in haar cel in de Holloway-gevangenis. Ze had een van de lage bedden, die zich het dichtst bij de toiletpot bevonden, en hoewel ze er met haar voeten naartoe zat, kon ze hem toch ruiken. De jongste van haar celgenoten deed nooit de moeite door te trekken als ze alleen geplast had.

Ze las *In de ban van de Ring* van Tolkien. Geen boek dat ze zelf gekozen zou hebben, maar dokter Denison had het voor haar meegenomen toen hij haar kleren had gebracht. Ze vermoedde dat hij het gekozen had omdat het zo dik was en omdat hij wist dat ze een snelle lezer was.

Haar celgenoot Laticia stak haar hoofd naar binnen. 'Heb je niet gehoord dat ze je naam riepen, Olivia? Je hebt bezoek vandaag, bofkont.'

Alleen Laticia zou haar een bofkont durven noemen. Olivia had zich bij aankomst niet hoeven bewijzen; iedereen wist waarvoor ze in de gevangenis zat en bleef haar uit de weg. De eerste paar dagen had Laticia haar ook gemeden en was ze alleen bij haar in de cel gekomen als het echt moest. Nu ze haar had leren kennen, ontspande Laticia zich een beetje en begon ze haar zelfs te plagen.

Olivia deed een boekenlegger in het boek en klepperde over de metalen trap naar beneden. Ze ging bij een groep vrouwen staan die wachtten tot ze naar de bezoekruimte werden gebracht. Ze klemde haar tanden op elkaar toen een bewaker haar handen over haar heen liet glijden – ze vond het akelig aangeraakt te worden zonder dat ze daar toestemming voor had gegeven – en probeerde intussen te bedenken wie er aan de andere kant van de deur op haar zou zitten wachten. Godfrey was één of twee keer geweest, net als Leo. Ze hoopte dat het Nick was. Maar ze dacht dat het dokter Denison wel zou zijn.

Het was iemand anders. Het was haar moeder, Shelley, met de achttien maanden oude Barry junior op haar heup. Olivia ging langzamer lopen. De bewaker duwde haar naar voren.

'Ga je moeder gedag zeggen, Corscadden.'

Olivia liep langzaam naar haar toe en liet zich op de stoel zakken. Ze keek naar haar moeder. Shelley droeg een kort vestje dat haar tatoeages en de grauw geworden bandjes van haar beha vrij liet, en een stonewashed spijkerbroek die om haar magere heupen hing. Barry junior zag er volgevreten en ontevreden uit. Het gewiebel irriteerde hem meer dan dat het hem suste.

'Hoe is het met je, mam?' vroeg Olivia.

Shelley ging tegenover haar zitten. 'Je ziet er goed uit, Cleo. Je krijgt hier zeker goed te eten. Je vader haatte het eten in de gevangenis, maar hij is ook meer gewend aan de luxe dingen in het leven dan jij, nietwaar?' Barry junior pakte een handvol van het slappe, gebleekte haar van Shelley en begon erop te sabbelen.

'Wat kom je doen, mam?'

'Nou, dat is ook een mooie ontvangst. Kom ik hier helemaal heen met die akelige bus, en je weet wat voor hekel junior hier aan het openbaar vervoer heeft.'

'Waarom heeft pa je niet gebracht?'

'Hij kon niet voor zichzelf instaan, schat. Zie je, hij is spinnijdig. Je hebt hem goed te pakken genomen, kleine slet dat je bent.'

'Waar heb je het over? Ik heb pa niets gedaan.'

Shelley stak haar heksenvinger naar haar uit. 'Zit niet te liegen, hoer. Je hebt geklikt over de foto's. Ze hebben hem gearresteerd! Hoe moet ik verdomme drie kinderen opvoeden als je pa in de gevangenis zit! Het gaat hier wel om je zusjes en je kleine broertje, Cleo.' Haar mond was verwrongen van afschuw, zodat haar scheve tanden, die geel waren van de nicotine, te zien waren. 'Zeg tegen ze dat je het gelogen hebt. Ik meen het, Cleo. We kennen hier mensen. We hoeven het maar te zeggen en dan slaan ze je zo erg in elkaar dat je de rest van je leven niet meer in de buurt van een spiegel durft te komen.'

Shelley bleef haar nog een paar seconden woedend aanstaren om te laten merken dat ze het meende, en toen stond ze op. Ze liep weg en zei luid tegen de bewaker: 'Ik wil niet meer met dat secreet praten. Doe verdomme de deur open en laat me eruit.'

Toen Denison twee dagen later in Holloway arriveerde, wilde Olivia hem tot zijn verbazing niet ontvangen.

'Zeg maar tegen haar dat ik informatie heb over Nick Hardcastle,' zei hij.

Ze namen hem mee naar een kamertje, een klein hok zonder ramen, met een stevige metalen deur en een bewaker ervoor. Olivia werd binnengebracht en met handboeien vastgemaakt aan de metalen tafel die aan de vloer was bevestigd.

'Dat is niet nodig,' protesteerde Denison.

'Er valt niet over te discussiëren,' zei de bewaker. 'Roep als ze u wil vermoorden.' De bewaker liet hen alleen.

Denison ging tegenover Olivia zitten. 'Mag je hier roken?'

Ze haalde haar schouders op en keek hem ernstig aan.

'Wil jij er een?'

Ze knikte. Hij haalde zijn pakje Marlboro's tevoorschijn en ze stak er een op en leunde toen achterover. Olivia keek naar de hand die was vastgemaakt aan de tafel en legde hem met de palm omhoog op het metalen oppervlak, alsof ze haar eigen hand wilde lezen. Ze droeg een T-shirt met korte mouwen. Denison zag voor het eerst de kleine, ronde littekens aan de binnenkant van haar elleboog en bovenarmen. Er waren er misschien tien in totaal. Olivia zag hem kijken en draaide snel haar armen om, zodat de onderkant niet meer te zien was.

'Wanneer heeft hij voor het eerst zijn peuk op je uitgedrukt?' vroeg Denison zacht.

Olivia nam een diepe haal van haar Marlboro. 'U zei dat u nieuws had.'

'Ik ben bang dat het pijnlijk voor je zal zijn om dit te horen, Olivia, maar hij heeft ons verteld dat hij heeft gelogen over de avond dat Amanda Montgomery is vermoord. Hij zegt dat hij en Paula die avond met elkaar naar bed zijn geweest.'

Olivia keek alsof ze een stomp in haar maag had gekregen. De sigarettenrook kwam hoestend naar buiten. 'Nee. Dat zegt hij alleen omdat hij een alibi moet hebben.'

'Olivia, hij was bij Paula toen we hem arresteerden.'

'En wat dan nog?'

'Je begrijpt het niet. Hij was bij haar, in haar huis, in haar bed. Ze hebben een relatie.'

Ze keek hem aan en opeens vielen de tranen op de metalen tafel. 'Nee. Dat zou hij nooit doen. Hij houdt van me.'

Denison legde zijn hand over die van haar. 'Als hij van je houdt, waarom zegt hij dan dat hij je in Junes kamer aantrof met het mes in je hand?'

Ze bleef haar hoofd schudden. 'Nee. U liegt. U liegt.'

'Olivia, ik heb nooit tegen je gelogen.'

'U hebt me verraden! Ik dacht dat ik u kon vertrouwen, en u hebt alles aan de politie verteld!'

'Dat is mijn werk. Je wist dat wat wij bespraken niet tussen ons kon blijven. Ik moest beoordelen of je terecht kon staan.'

'Wat heeft dat te maken met wat mijn vader me heeft aangedaan?' riep ze. 'U hebt het aan de politie verteld, ja toch? Ja toch? U had niet het recht dat te doen zonder mijn toestemming.'

'Je hebt gelijk,' zei hij in een poging haar te kalmeren. 'Je hebt gelijk en het spijt me. Ik wist niet dat de persoon aan wie ik het vertelde hem ging arresteren. Liv, luister, hoe weet je dat de politie op de hoogte was van de pedofiele praktijken van je vader? Mij is verzekerd dat je vader geen idee had dat jij erbij betrokken was. Ze hebben hem niet eens daarvoor gearresteerd. Ze deden alsof ze hem moesten hebben voor heling.'

'Nou, dat heeft dan niet gewerkt!' snauwde ze. 'Want twee dagen geleden was mijn moeder hier om te zeggen dat ik mijn bek moest houden.'

'Liv, als ze je heeft bedreigd, heeft ze een misdaad begaan. Daar kun je haar niet mee weg laten komen.'

Olivia veegde haar tranen weg en drukte haar sigaret uit door de brandende sliertjes tabak over de metalen tafel te halen tot ze uit waren. 'U begrijpt het niet. Mijn familie heeft hier vrienden. Een paar honderd pond, meer hoeven ze er niet voor te hebben.'

'Dan kun je hier niet blijven. Olivia, leg alsjeblieft een verklaring af. Vertel ons wat er echt is gebeurd. Als je dat niet doet, zijn ze gedwongen je te vervolgen en dan zit je hier voor de rest van je leven.'

'U wilt dat ik zeg dat Nick het gedaan heeft, hè? U wilt dat ik de enige persoon die ooit van me gehouden heeft de schuld geef.'

'Hij houdt niet van je. Waarom zou hij zeggen dat jij het gedaan hebt als hij van je houdt? Kijk dan hoe hard je hebt geprobeerd ons ervan te overtuigen dat jij alleen verantwoordelijk was voor de moorden, om hem te beschermen. En al die tijd liep hij vrij rond en legde hij het met Paula aan.'

Hij had de foto's van de plaatsen delict bij zich, verborgen in een exemplaar van *The British Journal of Psychiatry*, zodat de bewakers ze niet zouden zien. Hij wist dat hij haar pijn moest doen, dat hij wreed moest zijn, en hij zette zich schrap. Hij schoof de eerste foto naar haar toe.

'Kijk naar het gezicht van Eliza, Olivia, of wat ervan over is.' Olivia hapte naar adem, sloeg haar hand voor haar mond en wendde snel haar blik af. 'Zou jij haar nog herkennen? Zou jij naar dat bloederige, ingebeukte gezicht kunnen kijken en kunnen zeggen: "Dat is Eliza, geen twijfel mogelijk." Nee, en dat konden haar ouders ook niet. Ze herkenden haar aan de moedervlek op haar buik en een litteken op haar knie. Maar ze moesten wel naar dat ingeslagen gezicht kijken, Olivia. Het kon niet bedekt worden. Ze moesten het zien. Zeg eens, waarom kijk je zo geschokt? Jij hebt dit toch aangericht?'

Olivia keek strak naar boven en de tranen stonden in haar ogen.

Denison legde nog een foto voor haar op tafel.

'Olivia, kijk naar die foto.' Hij pakte haar kin en trok haar hoofd naar beneden. 'Olivia, kijk ernaar.'

Ze keek. Haar handen grepen de tafel en ze probeerde zich weg te duwen van wat ze zag.

'Dat was er over van Amanda Montgomery. Je mocht haar misschien niet zo, maar had ze dat verdiend? De politie moest haar identificeren aan de hand van haar DNA, omdat degene die haar vermoord heeft ook haar hoofd heeft afgesneden en haar lichaam zo erg verminkt heeft dat zelfs haar eigen moeder niet kon zeggen of ze het was of niet.'

'Nee...' zei Olivia.

Hij legde nog een foto op de tafel, naast die van Amanda's lijk. 'Kijk naar de foto. Dat ben je ze verschuldigd.'

'Dwing me alstublieft niet,' fluisterde ze. 'Het spijt me zo.'

'June Okeweno. Ze wilde je alleen maar beschermen. Ze wist dat hij je pijn deed. Dit doet hij met mensen die om je geven, die proberen je voor hem te beschermen. Hij heeft haar meer dan zeventien keer gestoken, Olivia.'

Ze pakte de foto en hield hem huilend tegen haar borst.

'Je moet me iets uitleggen,' zei Denison, en hij spuwde de woorden uit als kiezelstenen. 'Je moet me eens uitleggen waarom je het zo moeilijk vindt om naar deze lichamen te kijken terwijl jij degene zou zijn die die verwondingen heeft toegebracht. Waarom ben je zo geschokt, Olivia? Heeft hij je soms verteld dat het snel en pijnloos was? Heeft hij je verteld dat ze niet geleden hebben? Besefte je niet hoeveel plezier hij erin had?'

'O, god,' snikte ze. 'O, god... Ik wist het niet, ik zweer dat ik het niet wist. Het spijt me zo. Ik had geen idee dat hij ze zo had toegetakeld.'

Denison deed opgelucht zijn ogen even dicht. 'O, Olivia,' zei hij eindelijk. 'Waarom heb je hem beschermd? Waarom heb je gezegd dat jij het gedaan had?'

Ze probeerde haar snikken te bedwingen, maar was te zeer van streek. 'Het was mijn schuld! Hij deed het voor mij. Ze probeerden ons uit elkaar te halen. Amanda wilde dat hij terugging naar Paula. Eliza vond dat ik niet goed genoeg voor hem was. June dacht dat ik juist te goed voor hem was. Het was mijn schuld. Hij was gewoon zo bang dat ze me van hem zouden afnemen. Het was mijn schuld. Hij deed het voor mij. Het was mijn schuld.'

Denison legde de vierde en laatste foto voor haar neer. Het was een foto van Olivia zelf, genomen in de nacht dat June vermoord was. Ze was bedekt met bloed, zo erg dat haar witte ondergoed bijna helemaal rood was. Overal op haar armen en bovenlichaam zaten blauwe plekken en onder haar rechteroog zat een striem. Haar lip was kapot. Hoewel ze naar de camera keek, was duidelijk dat er geen enkel begrip in die blik lag. Haar pupillen waren enorm en zwart en haar blik was helemaal leeg. Ze leek bijna net zo dood als June.

'Het was niet jouw schuld,' zei Denison zachtjes. 'Kijk wat hij je heeft aangedaan. Die man hield niet van je. Hij vermoordde die meisjes niet omdat hij dacht dat ze een bedreiging vormden voor jullie relatie, ook al heeft hij dat misschien als excuus aangevoerd. Olivia, die moorden waren sadistische daden waarvoor geen reden was. Sommige mannen vinden het fijn om mensen pijn te doen en te vermoorden. Nicholas is een van die mannen. Hij zou ze toch vermoord hebben, of jullie nou een stel waren of niet.'

'Ik wou dat ik dat kon geloven,' zei ze, en ze veegde de tranen van haar gezicht. 'Het is allemaal mijn schuld, en dat kan ik niet verdragen.'

Hij durfde het bijna niet te vragen: 'Heeft hij je gedwongen eraan mee te doen?'

Ze schudde haar hoofd. 'Nee. Ik wist het niet eens tot ik hem betrapte toen hij June vermoordde.'

'Je bedoelt dat je er niet bij was? Hij had je niet meegenomen?'

'Nee, natuurlijk niet!' zei ze verbaasd. 'Als ik het had geweten, had ik geprobeerd hem tegen te houden.'

Hij kon haar wel zoenen. Ze was niet medeplichtig, ze was geen gewillige partner. Ze had niet geholpen en hoefde geen schuld op zich te nemen.

Opgewonden drong hij aan. 'Maar je was getuige van de moord op June?'

'Ik was in mijn badkamer,' zei ze. 'Om me te wassen. Nick was er niet gelukkig mee dat ik in het bijzijn van andere mensen ruzie met hem had gemaakt. Ik dacht dat hij in de slaapkamer was. Maar toen ik uit de badkamer kwam, was hij er niet en toen hoorde ik haar gillen. Niet heel hard, het was meer een soort... hijgen. Ik ging naar haar toe om te kijken of alles goed met haar was, maar haar deur was op slot. Ik hoorde haar door de deur heen zeggen "nee, niet doen, nee". Ik bonsde op de deur en riep haar naam, en die van Nick.'

'Je dacht dat hij bij haar binnen was?'

'Ik dacht dat hij in de buurt was. Ik dacht dat hij me zou horen en zou komen helpen.' Er ontsnapte haar een snik die half een lach was en ze sloeg haar vrije hand voor haar mond. 'Maar toen hoorde ik die... kreun. Het klonk alsof haar ziel buiten haar lichaam trad of zoiets. Daarna was het stil. En toen ging de deur open en het was Nick die de deur open had gemaakt, van binnenuit. Er zat allemaal bloed op zijn overhemd en zijn broek en hij had een mes in zijn rechterhand. En toen ik naar beneden keek, zag ik June op de grond liggen.' Olivia viel stil en probeerde zich weer in bedwang te krijgen.

'Iets in me wist dat ze dood was. Maar iets anders probeerde me ervan te overtuigen dat ze me voor de gek wilden houden met namaakbloed of zoiets. Ik ging naast haar zitten en ik schudde haar door elkaar en zei dat ze niet zo dom moest doen, dat ze me bang maakte. En geleidelijk besefte ik dat ik bij haar naar binnen kon kijken. Letterlijk, bedoel ik. En dat zelfs de beste grimeur van horrorfilms zoiets niet kon nabootsen. En toen was ik opeens alles kwijt. Daarna herinner ik me echt niets meer. Niet dat de politie kwam, niet dat ik naar Coldhill werd gebracht.' Ze schudde haar hoofd. 'Het was niet het feit dat ze dood was dat ik niet kon accepteren, dat ik niet kon geloven. Het was dat Nick degene moest zijn die haar vermoord had.'

'Wat deed Nick toen jij June heen en weer schudde? Zei hij iets tegen je?'

Ze knikte en slikte moeizaam. 'Hij zei: "Wat maak jij je nou overstuur? Ze probeerde je van me af te nemen. Hoor eens, ik weet dat ze er verschrikkelijk uitziet, maar we kunnen haar wel een beetje opknappen als je dat echt wilt." Toen pakte hij een van die dingen die uit haar buik kwamen en probeerde het er weer in te krijgen.' Olivia sloeg haar handen voor haar gezicht en begon weer te huilen.

'Het is al goed,' suste Denison en hij streelde haar haar. 'Het is al goed. Het is voorbij. Maar Liv, je zult bij het proces moeten vertellen wat je gezien hebt en waarom je geprobeerd hebt de schuld op je te nemen.'

'Willen ze weten waarom ik gelogen heb?' vroeg ze.

'Nicks advocaat zal zeggen dat jij de dader bent en dat jouw bekentenis de waarheid was. We zullen moeten vertellen wat Nick je heeft aangedaan en waarom je zo gemakkelijk door hem te beïnvloeden was, zelfs nog nadat je bij hem uit de buurt was gehaald.'

'U denkt dat hij van me hield omdat ik een slachtoffer was,' zei ze hees.

'Ik ben bang van wel. Het spijt me, Olivia. Maar alle onderzoeken tonen aan dat meisjes die door hun ouders mishandeld zijn een veel grotere kans hebben een partner te treffen die hen ook mishandelt.'

Ze stond op, maar werd door haar handboeien nog steeds aan de tafel vastgeklonken. 'Het spijt me, Matthew. Ik kan je niet helpen. Zelfs al kon ik mezelf ertoe brengen tegen Nick te getuigen, ik kan niet hebben dat jij of iemand anders in de rechtbank vertelt wat mijn ouders me hebben aangedaan. Ze zouden me laten vermoorden voordat ik terug was in mijn cel.'

Paula had een hekel aan de nieuwe zit-slaapkamer van Nick. Hij was op de tweede verdieping boven een afhaalpizzeria in Elephant and Castle, en als ze daar sliepen, lag ze tot twee uur in de morgen wakker door late feestvierders die extra ansjovis wilden en knoflookbrood.

'De koudwaterkraan lekt nog steeds,' klaagde ze toen ze uit de badkamer kwam. 'En op de muur onder de wastafel zit allemaal schimmel.'

Ze zag dat Nick met zijn ogen rolde. 'Ik heb je toch verteld dat ik me niets fatsoenlijkers kan veroorloven, Paula.'

'Waarom ben je dan hierheen gegaan? Waarom ben je niet bij je ouders gebleven of bij mij ingetrokken in Cambridge, zoals ik heb voorgesteld?'

'Het is te snel, Paula. We gaan pas een paar maanden met elkaar.'

'Maar we kennen elkaar al jaren. Telt dat niet mee?'

'Ik wil niet in Cambridge wonen.' Nu werd hij boos. 'Er zijn daar te veel mensen die me kennen of me in ieder geval herkennen. Hier in Londen kent niemand me. Of misschien kan het gewoon niemand iets schelen.'

Ze wilde niet dat hij de rest van de avond boos bleef. Sinds zijn arrestatie, een paar weken eerder, was hij niet gelukkig geweest en ze kon niet veel langer omgaan met zijn somberheid. Wanneer zette hij zich er eens overheen?

Paula ging naast hem op het opklapbed zitten. Ze streelde het haar in zijn nek en liet een lok om haar vinger krullen. 'Het is al goed, schat,' zei ze. 'Het waait binnenkort allemaal over. Dat weet ik zeker. En daarna wordt alles misschien weer normaal.' Hij keek haar niet aan – zijn blik was naar buiten gericht en de irissen waren ijsblauw. 'Hoor eens, zal ik iets te eten maken? Ik weet niet hoe het met jou is, maar ik ben uitgehongerd.'

Hij reageerde niet, dus stond ze op en ging ze naar het keukentje, dat van de zit-slaapkamer werd gescheiden door een kralengordijn. Er zat niet veel in Nicks kastjes, alleen wat blikken bonen en maïs en wat gedroogde pasta. Ze trok de stokoude koelkast open, waarvan de handgreep losliet als je te hard rukte, en trof daarin alleen wat hard geworden kaas en een pakje melk aan.

'Gezond,' zei ze tegen zichzelf. Op deze manier aten ze straks pasta met witte bonen in tomatensaus en kaaskorsten.

Ze moest een harde ruk geven om de deur van de vriezer open te krijgen. Op de wanden stond een dikke laag ijs, die minstens een kwart van de beschikbare ruimte in beslag nam. Voorin zag ze een zak patat en een doos aardappelwafels, maar Paula stond op dat moment op slechte voet met koolhydraten. Ze haalde de pakjes eruit om te zien wat erachter lag en zag een draagtas achterin.

Paula trok aan de handvatten, die samen waren geknoopt, en trok de zak naar zich toe. Wat er ook in zat, het was vrij zwaar. Ze hoopte dat het een kip was of misschien een lamsbout. Toen de zak naar haar toe schoof, begonnen haar hersenen automatisch de vormen en patronen die ze waarnamen te verwerken en samen te voegen tot een herkenbaar iets. Wat was dat bot tegen het dunne plastic van de tas: het gewricht aan het eind van een kippenpoot? Wat waren die twee iets donkerder strepen boven het bot? En de roze veeg eronder?

Met trillende handen pakte Paula het plastic aan weerskanten van het uitstekende bot en trok er een gat in.

Een oog staarde haar vanuit de zak aan.

Ze sprong achteruit, sloeg het deurtje van de vriezer dicht en hoorde het geritsel van de kralen toen Nick door het gordijn de keuken in kwam.

Hij keek naar nieuwsgierig aan. 'Alles goed?'

Ze slikte moeizaam en knikte. 'Ik geloof dat ik een kakkerlak zag,' stamelde ze.

'Waar, in de vriezer?' Hij maakte aanstalten om het deurtje open te trekken.

'Nee, nee,' zei ze. 'Tegen de muur achter de koelkast.'

'Fijn, nog iets waarover ik die verdomde huisbaas moet bellen.' Hij keek naar de muur en draaide zich toen weer naar haar om. 'Ik zie niets. Zocht je iets te eten in de vriezer?'

Ze wist niet of hij had gezien dat ze het deurtje van de vriezer dichtdeed. Als hij het had gezien en zij ontkende, zou hij argwaan krijgen, maar ze wist ook dat ze niet wilde toegeven dat de mogelijkheid bestond dat ze daar een bevroren hoofd had gevonden.

'Eigenlijk heb ik wel zin in pizza,' zei ze met een poging tot een glimlach.

'Pizza?' zei hij. 'Echt? Ik dacht dat jij nooit meer pizza zou eten.'

'Die peperoni ruikt zo lekker,' zei ze. 'Wat zeg je ervan?'

'Oké,' zei hij, maar hij fronste. 'Ik trek mijn schoenen even aan.'

'Nee, doe geen moeite,' zei ze, en ze liep naar de andere kamer en trok haar jas aan. 'Ik trakteer. Zo terug.'

Ze was de deur al uit en halverwege de eerste trap toen hij in de deuropening verscheen en haar naam riep. Het kostte haar slechts een halve seconde om erover te denken door te lopen en nog een halve om te beseffen dat hij haar gemakkelijk kon inhalen. Ze bleef staan, raapte al haar moed bij elkaar en draaide zich met een glimlach en een vragend gezicht naar hem om.

'Je bent je tas vergeten,' zei Nick. Hij stak het roze tasje omhoog.

'O,' zei ze, en ze ging langzaam de trap weer op. Hij keek onderzoekend naar haar gezicht. Toen ze nog vier treden van hem af was, rekte ze zich uit en pakte ze haar tas. 'Zo terug,' zei ze, en ze draaide zich op haar hielen om en draafde zo snel ze kon de trap af. Toen ze bij de voordeur was, zette ze het op een hollen.

'Telefoon voor u, meneer. Sorry, ik weet dat u vrij bent, maar ze zei dat het dringend was. Ene Paula Abercrombie.'

'Verbind haar maar door,' zei Weathers in zijn mobiel. Sally, die tegenover hem zat in het Chinese restaurant, trok haar wenkbrauwen op. Hij gebaarde dat ze verder moest gaan met haar garnalenkoekjes en bedacht hoe mooi zijn vrouw eruitzag in het licht van de rode lantaarn die boven hun tafel hing.

Hij hoorde de verandering van toon toen het meisje werd doorverbonden. 'Met Weathers,' zei hij.

'Ik heb een hoofd gevonden,' fluisterde een vrouwenstem. 'Ik heb een hoofd gevonden in zijn vriezer.'

'Paula?' vroeg hij. De trillende en bange stem leek niet op die van haar.

'Ik denk... Ik denk dat het... van Amanda is.'

'Vertel me waar je bent.'

'Londen. Zuid-Londen. Elephant and Castle. Bij de hoofdstraat.'

'Wat is het adres, Paula?' vroeg Weathers dringend.

'Ik weet het niet. Ik kan niet nadenken.' Er volgde een pauze. Hij hoorde haperende geluiden alsof ze probeerde lucht te krijgen of haar best deed niet in tranen uit te barsten. 'Het is boven een pizzeria. Tony's Pizza's. Op de tweede verdieping. Zoek maar op in het telefoonboek.'

'Paula, ben je daar? Ben je in zijn kamer?'

'Nee. Maar hij zal snel genoeg beseffen dat ik weg ben. En hij zal weten waarom. U moet snel komen. Kom alstublieft zo snel mogelijk.'

'Dit is gewoon pesterij,' zei Nick toen ze bij hem voor de deur stonden met een huiszoekingsbevel.

'Je had ons je nieuwe adres moeten doorgeven, Nicky,' zei Halloran, die een beetje hijgde van het traplopen. 'Ondeugende jongen.'

'Bel je advocaat als je wilt,' zei Weathers. 'Als je maar niets anders aanraakt dan de telefoon.' Halloran ging rechtstreeks de keuken in.

Weathers keek toe terwijl Nick de telefoondienst van Bird-Sewell belde. Daarna probeerde hij de mobiel van Paula nog eens. Hij had haar onophoudelijk gebeld sinds ze niet was teruggekomen met de pizza's, maar ze nam niet op en er was geen spoor van haar te bekennen geweest toen hij beneden was gaan kijken.

Hij zag zwart met witte politiewagens in de straat staan en toen zag hij Paula naast een ervan met een agent staan praten en opkijken naar zijn kamer.

'Jezus christus,' hoorden ze Halloran in de keuken zeggen. Hij verscheen in de deuropening en zijn gewoonlijk rode gezicht was nu grauw en bloedeloos. 'Chef, u kunt beter de technische recherche laten komen.'

Weathers keek even of de agenten Nick de doorgang versperden en liep toen langs Halloran om in de open vriezer te kijken, naar de draagtas vol ijs die erin lag. Er zat een scheur in. Weathers stak een gehandschoende vingertop in de scheur en keek erdoor.

Hij zag een oog, met donkere wimpers waar kleine stukjes ijs in zaten. Hij zag een neus en een deel van een wang met sproeten.

'Nou?' hoorde hij Sally zeggen. Ze stond stokstijf in de deuropening. 'Vertelde Paula de waarheid?'

Weathers keek haar aan en de uitdrukking op zijn gezicht beantwoordde haar vraag. 'Arresteer hem,' zei hij.

'Het is in heel goede staat,' zei professor Trevor Bracknell, die het hoofd van Amanda Montgomery aanraakte met een voorwerp waar Weathers niet eens een naam voor had. 'Je hebt het in een vriezer gevonden, zei je?'

Weathers knikte. 'Het vrieskastje van een koel-vriescombinatie, achter een pakje wafels en een zak ovenchips.' Hij kon zijn blik niet van Amanda's hoofd afwenden. Haar blonde haar, nat van het gesmolten ijs, lag over de snijtafel. Haar bruine ogen hadden veel van hun kleur verloren en er lag een witblauw waas over. Weathers wist dat ze knap was geweest, maar dat was nu moeilijk te geloven.

'De gezichtsspieren verslappen,' zei Bracknell, alsof hij zijn gedachten kon lezen. 'De oogleden gaan hangen. De mond verliest zijn vorm.' Hij boog voorover en bekeek de ogen van dichterbij. 'Er is heel weinig ontbinding. Ik vermoed dat het hoofd sinds haar dood min of meer permanent bevroren is geweest, met een marge van een dag of twee.'

'Dus het is misschien niet rechtstreeks in de vriezer beland?'

'Het was koud in de periode dat ze is doodgegaan. Het hoofd kan een paar dagen buiten zijn bewaard. Als het in de ene vriezer gestopt is maar onlangs is overgebracht naar een andere vriezer, kan het in deze warmte maar een dag buiten een vriezer hebben doorgebracht voordat het dezelfde mate van ontbinding bereikte. Als we wat proeven doen, zullen we weten of het hoofd is ontdooid en daarna weer is ingevroren of niet.'

'We weten zeker dat het de laatste drie jaar niet op een en dezelfde plek is bewaard,' zei Weathers. 'Hardcastle huurt die kamer pas een maand of zo.'

'Dus jullie hebben het bij Hardcastle gevonden?' zei Bracknell, die zijn scalpel voor de dag haalde. 'Jammer. Ik heb een tientje op Godfrey Parrish gezet.'

'Je moet rekenen op minstens drie jaar voor het hinderen van de rechtsgang,' zei Olivia's advocaat, Adina Kennedy, tegen haar. 'En je kunt heel goed meer krijgen, ondanks het feit dat dokter Denison hier bereid is voor je te getuigen. Als je tegen hem getuigt, is er een goede kans dat de rechter milder zal zijn.'

Olivia, die haar armen om zich heen had geslagen, keek van haar advocaat naar Denison. 'Ik kan het gewoon niet riskeren. Ik heb jullie verteld wat mijn ouders kunnen doen. Jullie weten waartoe ze in staat zijn.'

Kennedy boog zich naar haar toe. 'Misschien hoef je niet alles uit te leggen. Luister, het is vooral het seksuele aspect van het misbruik dat ze niet openbaar gemaakt willen zien, klopt dat?' Olivia knikte. 'Zouden ze zich net zo druk maken over de lichamelijke en geestelijke mishandeling? Zouden ze het net zo erg vinden als de mensen dat wisten?'

Olivia stootte een hard lachje uit. 'Nee. Al hun vrienden slaan hun kinderen verrot. Alleen het feit dat mijn vader een kinderverkrachter is en dat hij kinderpornografie maakt mag niet naar buiten komen. Ze zijn bang dat burgerwachten het huis in brand zullen steken en mijn vader aan zijn ballen aan de dichtstbijzijnde straatlantaarn zullen hangen.'

Kennedy keek naar Denison. 'Wat vindt u ervan?' vroeg ze.

'Het is riskant,' zei hij met een ongerust gezicht. 'Als ze niet beseffen welke vormen de mishandeling aannam, zullen ze misschien niet geloven waarom Olivia bereid was zover te gaan om Nicholas te dekken.'

'Niet zo riskant als wanneer mijn ouders *The Sun* openslaan en de kop "Mijn helse jeugd" van de vriendin van de Slager van Cambridge lezen,' zei Olivia.

'Daar zit iets in,' zei Kennedy tegen Denison.

'Wat dachten jullie van beschermende opsluiting?' stelde hij voor. 'Er moeten speciale cellen zijn voor gevangenen die bedreigd worden door de rest van de gevangenispopulatie.'

'Dat klopt,' zei Olivia fronsend. 'Daar is een paar weken geleden nog een vrouw bewerkt met een shank.'

'Een shank?' vroeg hij.

'Een geïmproviseerd steekwapen,' legde Adina Kennedy uit.

Hij hief zijn handen en gaf zich over. 'Oké, oké. Dus we praten niet over het seksuele misbruik. Het niet-seksuele geweld en de geestelijke mishandeling zijn waarschijnlijk genoeg om te verklaren waarom Nick haar zo ver heeft kunnen manipuleren.'

Olivia leek af en toe nog gevoelig als Nicks naam werd genoemd, ook al had ze eindelijk geaccepteerd dat hij nooit van haar gehouden had, dat hij daar niet toe in staat was. Denison had haar bijgebracht dat Nick tot moord werd gedreven door woede en haat, en niet door liefde voor haar. Soms zag hij echter een pijnlijk trekje over haar gezicht gaan als ze zijn naam hoorde en dan was hij bang dat ze dit niet zou kunnen doorzetten.

'Ik voel me net Judas,' had ze hem bij een sessie verteld. 'Eerst zoenen en hem dan verraden.'

'Neem maar van mij aan dat Nicholas Hardcastle zo ver van Jezus af staat als je maar kunt komen,' had hij gezegd.

hoofdstuk **NEGENTIEN**

Toen hij eenmaal in de hal van de Old Bailey was, moest Denison door een poort die ervoor zorgde dat slechts één persoon tegelijk het gerechtsgebouw in kon. Het licht ging op groen en hij mocht verder naar een paar bewakers die hem fouilleerden en hem daarna naar een metaaldetector dirigeerden.

'Leg sleutels en losgeld in het bakje,' zei een andere bewaker tegen hem. De detector bleef stil toen Denison erdoorheen liep. Ten slotte kreeg hij een gelamineerd pasje dat hij op zijn pak moest vastmaken.

Denison vond het anders altijd leuk om te getuigen. Dan was hij een dagje weg van Coldhill en kon hij pronken met zijn Paul Smith-pak. Hij vond het niet eng om een groot publiek toe te spreken en had genoeg zelfvertrouwen om zich niet te laten opnaaien door de vragen van de verdediging.

Maar dit was anders. Dit was rechtszaal nummer één in de Old Bailey; alle stoelen waren bezet en verslaggevers legden elk woord en elk gebaar vast. Tekenaars zouden een schets van hem maken voor de krant die hij samen met een paar miljoen andere mensen de volgende morgen bij het ontbijt zou lezen.

Hij was ook nerveus omdat hij Olivia niet tekort wilde doen. De mensen moesten begrijpen dat ze geen van de moorden had kunnen voorkomen, dat ze niet had geweten dat er een monster schuilging in de man van wie ze hield. Ze moesten medelijden met haar hebben, ze moesten begrijpen dat ook zij een slachtoffer was. Hij wist dat ze dreigbrieven kreeg en dat de andere gevangenen in Holloway haar verachtten. Als er een foto van haar in de pers verscheen, was het nooit de foto die was genomen in de nacht waarin June vermoord was, met vergrote pupillen en vol blauwe plekken. Ze gebruikten altijd de foto van haar en Nick samen, glimlachend alsof ze een geheim hadden.

Omdat hij zelf getuige was, had hij er de eerste dagen van het proces niet bij mogen zijn, omdat dat zijn getuigenis zou kunnen beïnvloeden. Maar hij had de mensen zien arriveren.

Nick werd uit de cellen naar de rechtszaal gebracht. Hij had maar drie pakken, die hij beurtelings droeg. Zijn advocaat was heel precies als het ging om de kleur van de overhemden en dassen die Nick droeg; hij had waarschijnlijk onderzocht welke de jury het liefst zag. Zijn ouders zaten elke dag op de galerij, heel stijf en gespannen.

Paula kwam ook, maar omdat ook zij getuige was, mocht ze de rechtszaal niet in. Soms zag Denison haar in de kantine zitten, waar ze de ene kop warme chocolademelk na de andere dronk en strak naar een krant staarde, hoewel hij kon zien dat ze er niet in las.

Lavinia Fitzstanley kwam elke dag. Er werd gezegd dat ze in het Dorchester logeerde. Haar man Bertram kon maar ongeveer één op de zeven zakelijke afspraken laten schieten en was dus zelden aanwezig; meestal werd ze vergezeld door een krasse heer met zilverkleurig haar en een stok met een leeuwenkop. Lucinda Franz-Hurst, Eliza's beste vriendin van de middelbare school, arriveerde elke morgen in een taxi en stapte uit alsof ze bij een première aankwam in plaats van een rechtszaak. Het verbaasde Denison dat ze nog geen pirouette had gemaakt voor de camera's.

Junes moeder, Claudette, had vrij gekregen van haar werk om te zittingen te kunnen bijwonen. Ze had elke dag een foto van June in haar hand terwijl ze naar de getuigen zat te luisteren. Claudette vond dat het haar plicht was om aan te horen hoeveel pijn haar dochter had geleden, hoe afschuwelijk de getuigenissen ook werden.

Amanda's ouders, Julia en David Montgomery, waren in het zwart en hadden elke dag een verse witte roos in hun revers. David Montgomery had zich sinds het begin van het proces niet geschoren en zijn pak zag er elke morgen gekreukter uit. Julia Montgomery leek opmerkelijk beheerst, zelfs als de journalisten hun microfoons in haar gezicht duwden en haar en haar man achtervolgden op straat. Haar gezicht bleef bij elke getuigenis hetzelfde; ze vergoot zelfs geen traan toen ze Tracey Webb hoorde vertellen hoe ze Amanda's lichaam had gevonden of toen Weathers het hof ervan op de hoogte stelde dat Amanda's hoofd was gevonden in de vriezer in de zit-slaapkamer van Nicholas Hardcastle. Maar op een dag ging Junes moeder naar het toilet en daar trof ze een hartverscheurend huilende Julia aan. Claudette sloeg haar armen om haar heen, vertelde haar dat het niet lang zou duren voordat Nick Hardcastle voor de rest van zijn leven werd opgesloten en veegde voorzichtig de mascarastrepen van haar gezicht met een tissue.

Denisons getuigenis verliep goed. Hij merkte dat de jury, die aanvankelijk vijandig had gestaan tegenover zijn opvatting dat Nick Olivia mishandeld en gemanipuleerd had, daarna een grote mate aan sympathie voor haar koesterde. Nicks advocaat zou proberen zijn woorden te weerleggen, maar Denison hoopte dat de jury de röntgenfoto's en de brandwonden op haar armen zou zien als Olivia moest getuigen. En dat ze de foto zouden zien van wat Nick haar in de nacht van de moord op June had aangedaan. Dit hing natuurlijk allemaal af van de vraag of Olivia in het getuigenbankje zou verschijnen en zou getuigen tegen de man die ze zag als haar grote liefde.

Denison zou nog banger zijn geweest dat Olivia het toch niet zou doen als hij haar de avond voordat ze moest getuigen in haar cel had gezien, waar ze steeds weer een brief herlas die Nick haar had gestuurd in de eerste zomer dat ze niet bij elkaar waren geweest.

'Op een dag wil ik je meenemen naar mijn oude school,' had hij geschreven. 'En je voorstellen aan al mijn leraren. Je zult vooral meneer Jenkins graag mogen, die is zo gek als een deur. Maar eigenlijk wil ik je vooral het schoolterrein laten zien; de tuinen zijn prachtig en er is zelfs een kleine grot. Aan het eind van het terrein kun je het bos in en daar staan beelden tussen de bomen. En het tuinhuisje is fantastisch; daar zaten we in de zomer altijd te lezen en stiekem een sigaretje te roken. Er zijn ook tennisbanen. Ik weet zeker dat we wel even zouden mogen spelen als we het vriendelijk vragen.'

En een paar paragrafen later:

'Ik vind het vreselijk om je niet te zien. Ik droom steeds over je. Dan zie ik je donkere haar op mijn kussen en voel ik je lippen op mijn huid. Ik word hier gek in mijn eentje. Laat me naar Londen komen. Ik maak me zorgen om je en de gedachte dat jij daar vastzit, staat me niet aan. Niemand neemt ooit op als ik bel. Waarom mag ik niet naar je toe komen? Trek je je zo veel aan van die stomme ouders van mij? Je moet niet luisteren naar wat anderen zeggen, Liv; wij horen bij elkaar. Jij en ik, voor altijd. Ik beloof je dat ik je nooit zal laten gaan.'

Godfrey had een dag vrij genomen van zijn baan in de City om naar Olivia's getuigenis te gaan luisteren. Sinead was de nacht ervoor bij hem blijven logeren en ze werden vroeg wakker. Godfrey maalde wat koffiebonen en zette voor elk van hen een espresso voor bij hun bagel. Ze hadden geen van beiden honger en zeiden niet veel.

Later, toen Godfrey zijn tanden poetste, keek hij naar zijn spiegelbeeld en dacht hij aan Eliza. Aan hoe ze haar haar over haar schouder gooide. Aan haar gelakte teennagels, meestal een mooie tint roze. Haar bruine lichaam. De manier waarop ze haar hand voor haar mond hield als ze giechelde. Aan de keer dat ze 'bourgeois' zo had uitgesproken dat het rijmde op 'moois' en ze hem had geslagen toen hij erom had gelachen.

Hij had haar niet hoeven identificeren, maar hij droomde vaak dat hij weer langs de rivier liep op de avond van het kampvuur en haar eindeloos zocht terwijl het vuurwerk boven zijn hoofd explodeerde. In de ene droom vond hij haar, niet doodgeslagen maar verdronken, met haar gezicht omhoog drijvend in de Cam, zodat het kleurige licht van het vuurwerk weerspiegelde in haar starende ogen. Hij wist nog dat ze zelf ook nachtmerries had gehad, dromen waarin de moordenaar van Amanda achter haar aan zat. En hij had erom gelachen en gezegd dat ze niet zo dramatisch moest doen. Hij was degene die haar had overgehaald in Cambridge te blijven.

Sinead dacht niet aan dode mensen. Godfreys flat bood uitzicht over de Theems en ze zag de toeristenboten door het grijze water ploegen en dacht aan de e-mail die ze de dag tevoren had ontvangen. Leo had hem doorgestuurd en hij was afkomstig van vrienden van hen die net een baby hadden gekregen die waarschijnlijk verwekt was tijdens de eindexamens. 'We dachten dat jullie het wel leuk zouden vinden om de laatste foto's van de baby te zien. Ze groeit heel snel en het zal niet lang duren voordat Paul haar het periodieke stelsel gaat uitleggen. Hij is ervan overtuigd dat ze het alfabet al kent door de rand met dieren in haar kamer (de "O" is van "olifant").' De bijgevoegde foto's lieten de baby zien, June Charlotte Zarach, die op de ene verbaasd keek en op de andere belletjes blies, en die donkerblauwe ogen had en haar dat de kleur had van oranje marmelade. Ze droeg een geel rompertje met eendjes erop. Sinead vroeg zich af of ze ooit zelf kinderen zou hebben en of ze die dan Amanda of Eliza zou noemen.

Ze arriveerden vroeg bij het Central Criminal Court, zoals de Old Bailey officieel heette. Het proces zou op zijn vroegst om tien uur beginnen. Godfrey ging buiten een sigaret roken en negeerde de paar journalisten die hem herkenden en hem een uitspraak probeerden te ontlokken. Sinead gaf hem een por om zijn aandacht te trekken en toen hij zich omdraaide, zag hij Paula Abercrombie naar hen toe lopen.

Paula had hen ook gezien en hij zag dat ze haar pas vertraagde. Toen keek ze naar beneden en liep door.

'Ga je doen alsof je ons niet kent?' riep Sinead toen ze dichterbij kwam. 'Schaam je je te erg om gedag te zeggen?'

Paula bleef abrupt staan, haalde scherp adem en draaide zich om naar Sinead. 'Wat wil je daarmee zeggen?' snauwde ze. 'Ik heb niets om me voor te schamen!'

'Behalve het feit dat je met een moordenaar naar bed bent geweest!' merkte Sinead op.

Paula schudde haar hoofd. 'Dus hij heeft me een rad voor ogen gedraaid, goed? Is dat wat je wilt horen? Het is niet alsof ik wist dat hij de moordenaar was.'

'O, doe niet zo naïef,' zei Godfrey, die zijn sigaret uitdrukte tegen de muur van het gebouw. 'Wat denk je dat hij die avond in Junes kamer deed? Een verhaaltje voorlezen voor het slapengaan?'

Paula sloeg hem bijna; alleen de aanwezigheid van de fotografen hield haar tegen. In plaats daarvan zette ze de ene voet voor de andere en liep boos weg, terwijl ze haar tranen uit alle macht bedwong.

Olivia was om halfzes die morgen wakker gemaakt door de nachtverpleegster, die haar naar een kamer bracht en haar van een ontbijt voorzag: een te zacht gekookt ei, twee sneetjes toast waarvan de randjes omkrulden, cornflakes met slechts een centimetertje melk onder in de kom en een kopje slappe thee. Ze at het eten langzaam en gestaag op en bleef toen met haar handen in haar schoot zitten wachten op de mannen die haar zouden vergezellen.

Olivia werd tussen de twee mannen naar het politiebureau Newington Park gereden en daar overgedragen aan de politie.

Ze werd naar dezelfde cel gebracht als waar ze de nacht na haar arrestatie had doorgebracht. Ze ging op het harde bankje zitten en trok haar rok recht. Preventief gedetineerden mochten in Holloway maar drie sets kleding hebben, maar haar advocaat had gewild dat ze een pakje droeg in de rechtszaal en had een beige jasje en rok gekocht bij Jigsaw, die ze combineerde met een witte blouse en bruine schoenen. Haar haar was gedeeltelijk met een klem vastgezet.

De brief van Nick zat in haar jaszak, op haar hart. Het papier was warm van haar lichaam. Ze draaide de ring aan haar rechterhand om. Hij was van zilver en amber. Nick had hem voor haar gekocht toen ze twee jaar verkering hadden. Hij had gezegd dat de lichte steen hem deed denken aan haar ogen.

Olivia kon het trillen van haar handen niet bedwingen. Ze wilde bijna dat ze het advies van haar celgenoten had opgevolgd en de verpleegster bij het ontbijt om een kalmerend middeltje had gevraagd. Ze wilde dat deze dag voorbij was. Het enige waar ze zich op verheugde, was dat ze Nick weer zou zien. Het was bijna een jaar geleden sinds ze voor het laatst zijn gezicht had gezien en hem in de ogen had gekeken.

De celdeur ging met een bons open en haar advocaat stond voor haar. Adina Kennedy omhelsde haar met een brede glimlach.

'Je ziet er netjes uit, Olivia,' zei ze. 'Ben je nerveus? Vlinders in je buik?'

'Vlinders?' zei Olivia, en ze legde haar hand op haar buik. 'Het lijken meer vleermuizen.'

Adina lachte. 'Hoor eens, het gaat goed. Dokter Denison heeft je gisteren eer aangedaan. Ik wed dat de helft van die juryleden recht naar huis is gegaan en hun salaris van die maand heeft overgemaakt naar de kinderbescherming.'

Olivia's glimlach verdween. 'Hoe bedoelt u? Is hij erg tekeergegaan tegen mijn ouders? Heeft hij het over het misbruik gehad?'

Adina legde een hand op Olivia's arm. 'Het spijt me, Olivia, het was niet mijn bedoeling je bang te maken. Maak je geen zorgen, Matthew heeft niets gezegd over het seksuele misbruik. Hij heeft de jury verteld over de lichamelijke en de geestelijke mishandeling en dat die je tot een ideaal doelwit maakten voor iemand als Hardcastle. Maar zijn getuigenis ging vooral om het syndroom van mishandelde vrouwen: waarom je niet bij Nick bent weggegaan, waarom je nog steeds van hem hield, waarom je bereid was je voor hem op te offeren.'

Olivia ging op het bankje zitten. 'Hebt u de kranten van vanmorgen gezien?'

Adina knikte. Er werd natuurlijk over het proces geschreven. PSYCHIATER VERTELT JURY WAAROM VRIENDIN HARDCASTLE DEKTE, dat soort dingen.

'Is hij nog in detail op mijn bekentenis ingegaan?' vroeg Olivia, en ze draaide de ring om en om aan haar vinger.

'Hij zei dat je bekend had de drie moorden gepleegd te hebben, maar dat de feiten niet klopten met jouw weergave. Ik vind het vreselijk om het te moeten zeggen, Olivia, maar ik heb het gevoel dat Nicks advocaten zullen proberen jou de moorden in de schoenen te schuiven.'

De politie was die morgen op volle sterkte aanwezig voor de Old Bailey, maar kon niet voorkomen dat de bus waarin Olivia zat door boze actievoerders werd bekogeld met eieren en zelfs stenen.

'De gebruikelijke oproerkraaiers,' zei Adina met een grimas. 'Ik wou dat ze eens wat nuttigs gingen doen.'

Het politiebusje stopte aan de achterkant van het gerechtsgebouw en een van de agenten bood Olivia een deken aan. Olivia keek haar ernstig aan en schudde haar hoofd.

Ze schoven de deur open en ze werd overspoeld door gejoel en beledigingen. Ze vermeed het iemand aan te kijken en liet zich door de agenten het gebouw binnenleiden. Ze vond dat ze geluk had dat ze geen ei op haar pakje had gekregen.

Ze fouilleerden haar en brachten haar toen naar de cellen in de kelder. De cellen waren donker en somber, maar ze had er tenminste een voor zichzelf. Dat was waarschijnlijk wat ze het meest miste van haar eerdere leven: tijd en een plek voor zichzelf. Een beetje privacy, een beetje rust. Stilte bestond niet in Holloway. Zelfs 's nachts werden er geschreeuwde gesprekken gevoerd tussen de ene cel en de andere en de geestelijk gestoorde vrouwen die tot dusver aan de aandacht van de gevangenisdokter waren ontsnapt en nog naar de aparte vleugel moesten worden overgeplaatst, gilden en schreeuwden en bonsden met hun bedden en mokken en hoofden tegen de deuren van hun cel. Olivia had al maandenlang niet meer dan een paar uur achter elkaar geslapen.

Het was elf uur eer ze werd opgeroepen. Ze namen haar mee de trap op, terwijl ze met elkaar praatten over barbecues en vakantieplannen. Adina Kennedy wachtte haar op in een zijkamertje dat naar het getuigenbankje leidde.

'Ik weet niet of ik dit wel kan,' stootte Olivia uit. Adina keek paniekerig en ze greep haar bij de arm en nam haar opzij.

'Je zult wel moeten,' zei ze. 'Er zijn drie meisjes dood door die man, en jij bent de beste getuige die het Openbaar Ministerie heeft. Als hij vrijuit gaat door een misplaatst gevoel van trouw van jouw kant, komt al die schuld op jouw hoofd neer.' Adina zag dat Olivia trilde, en haar stem werd zachter. 'Hoor eens, Olivia, je hoeft alleen maar de waarheid te vertellen,' zei ze. 'Denk aan wat hij je vriendinnen heeft aangedaan. Denk aan hun ouders, hun broertjes en zusjes.'

'Juffrouw Olivia Corscadden,' zei de bewaker. Adina omhelsde Olivia snel en toen werd Olivia meegevoerd door de deur en stond ze plotseling in de rechtszaal.

Het was een grote zaal, met oude houten panelen. Het zat er stampvol met mensen die allemaal naar haar keken. Een van hen was Nick.

Hij zat op het arrestantenbankje, geflankeerd door twee politieagenten. Hij leek moe en toch waren zijn ogen nog warm en felblauw. Ze keken elkaar in stilte aan. Het moment leek een eeuwigheid te duren. Uiteindelijk glimlachte hij. Ze moest zich uit alle macht bedwingen om niet terug te lachen.

'Kunt u het hof uw volledige naam geven?'

Ze haalde diep adem. 'Cleopatra Olivia Corscadden.'

De klerk kwam naar het getuigenbankje. 'Leg alstublieft uw hand op de bijbel en herhaal: Ik zweer bij de almachtige God dat het getuigenis dat ik ga afleggen de waarheid, de hele waarheid en niets dan de waarheid zal zijn.'

Ze herhaalde de eed.

'U mag gaan zitten.'

Ze ging op de stoel zitten en wierp een zijdelingse blik op de rechter, die naast haar zat in zijn rode gewaad en met zijn witte pruik op. Hij droeg een half brilletje en keek streng.

De officier van justitie kwam overeind. Hij had ook een witte pruik op, maar zijn toga was zwart. Hij vroeg Olivia allereerst hoe het met haar ging. Toen vroeg hij haar de geschiedenis van haar relatie met Nick te beschrijven.

Denison zat achter in de rechtszaal toe te kijken. Olivia begon aarzelend te praten over de eerste keer dat Nick haar had geslagen, en toen de tweede keer en de derde keer, tot ze op het punt waren gekomen dat hij haar regelmatig mishandelde. Ze vertelde hoe hij haar geleidelijk had losgeweekt van haar vrienden, tot ze alleen nog maar omging met hem en zijn vrienden. En ze vertelde de officier dat haar toekomstplannen allemaal om Nick hadden gedraaid, om waar hij wilde wonen, wat hij wilde gaan doen.

Uiteindelijk sloot de officier van justitie dit onderwerp af en ging hij over op de volgende stap in de bewijsvoering: Olivia als getuige van de moord op June Okeweno.

Danny Armstrong had al een verklaring afgelegd over de ruzie tussen Olivia en June op het meibal en had toegegeven dat hij Nick daarover had verteld toen hij hem een paar minuten later had gezien in een van de muziektenten.

'Nick was kwaad,' beaamde Olivia. 'Hij was boos op June omdat hij wist dat ze me zover probeerde te krijgen dat ik bij hem wegging. En hij was boos op mij omdat ik een dure jurk had gekocht die ik me eigenlijk niet kon veroorloven en omdat ik in het bijzijn van andere mensen ruzie met hem had gemaakt.'

'Wat gebeurde er toen jullie alleen waren in jullie kamer?' vroeg de officier van justitie.

'Nou, hij sloeg me in elkaar,' zei ze blozend.

'Kun je wat meer in bijzonderheden treden?'

'Hij stompte me een paar keer in mijn gezicht, sleepte me bij mijn haren de kamer rond en sloeg me op mijn bovenlichaam.'

De officier wilde de jury de foto van Olivia laten zien die in de nacht van de moord was gemaakt. De verdediging wierp tegen dat er geen enkel bewijs was dat Nick die sneden en blauwe plekken had toegebracht, alleen het woord van Olivia. De rechter oordeelde dat de foto als bewijsstuk kon worden ingebracht, maar dat daar geen bewijs voor schuld aan kon worden ontleend.

'Wat gebeurde er toen?' ging de officier verder.

'Toen hij klaar was, ging ik naar de badkamer. Ik pakte wat ontsmettende lotion en watten en ik maakte de wonden schoon. Toen ik de badkamer uit kwam, was Nick nergens meer te bekennen. Ik hoorde een geluid van buiten de kamer en ik ging kijken wat het was. Ik dacht dat het uit Junes kamer kwam, ik kon haar door de deur heen horen. Ze zei "nee, niet doen". Ik probeerde de deur open te doen, maar hij was op slot.'

'Wat deed je toen? Heb je om hulp geroepen?'

'Ik riep Nick.'

'Omdat je dacht dat hij June pijn deed?'

'Nee,' gaf ze toe. 'Ik riep hem om te komen helpen. Ik bleef maar op de deur bonken, want ik hoorde van die afschuwelijke geluiden. En uiteindelijk werd er opengedaan.'

'En wie deed de deur open?'

Olivia opende haar mond, maar er kwam geen geluid uit. Ze deed hem weer dicht.

Olivia keek naar Nick. Haar ogen stonden vol tranen en haar onderlip trilde. Denison hield zijn adem in en zijn hart bonsde luid.

'Olivia? Wie deed de deur open?'

Ze sloot haar ogen en twee dikke tranen vielen op haar wangen. Ze keek weer naar de officier van justitie.

'Het was Nick. Nicholas Hardcastle.'

Denison stond haar op te wachten toen ze uit de rechtszaal kwam. Ze rende naar hem toe en barstte in zijn armen in tranen uit.

'Het is goed, het is goed,' zei hij, terwijl hij haar haar streelde. 'Het is voorbij. Hij zal je nooit meer pijn doen, dat beloof ik je.'

Denison was er ook op de laatste drie dagen van het proces, toen Nicholas zich verweerde. Voor zover Denison kon zien – en hij was behoorlijk scherp als het om lichaamstaal ging – was de jury op de dag dat ze Paula Abercrombie had horen vertellen over de ontdekking van Amanda Montgomery's hoofd in Nicks vriezer al tot een besluit gekomen. Hij bekeek de juryleden terwijl Nick op de bijbel zwoer om de waarheid te vertellen en hij zag dat ze al sceptisch waren voordat hij een woord had gezegd. Toen Nick de aanwezigheid van het hoofd probeerde te verklaren door te zeggen dat het daar was neergelegd door de loodgieter die de verhuurder had gestuurd om wat problemen in de flat op te lossen, had een van hen zelfs gelachen. Zoals Adina Kennedy al had voorspeld, probeerde de verdediging aan te tonen dat Olivia de echte dader was, hoewel ze daar geen bewijzen voor kon aanvoeren.

'Vertel me eens, meneer Hardcastle, hoe heeft juffrouw Corscadden het hoofd van Amanda Montgomery in uw vriezer weten te krijgen? Wilt u soms zeggen dat de loodgieter in werkelijkheid de vermomde juffrouw Corscadden was?' Niemand kon zo sarcastisch zijn als een jurist, dacht Denison. Behalve misschien de verkeerspolitie. Dit keer lachte de hele rechtszaal.

Weathers en Denison hadden elkaar niet veel meer gesproken sinds Weathers erin was geslaagd Olivia tegen Nick te laten getuigen. Op de dag dat de jury zich terugtrok om te beraadslagen, kwamen ze elkaar tegen buiten de rechtszaal en wisselden ze een korte groet.

'Ik wilde even een biertje drinken aan de overkant, als je zin hebt,' zei Weathers terloops. Denison dacht erover na.

'Oké,' zei hij.

Het biertje werden vier biertjes en daarna een curry in Soho.

'Dus jij denkt dat we hem te pakken hebben?' vroeg Weathers, die zijn bord met rijst en rode kip wegduwde. Hij nam een slokje van zijn Cobra-bier.

Denison knikte. 'Volgens mij wel. Jurylid nummer vier en nummer acht hebben misschien een beetje een zwakke plek voor hem, maar de anderen zijn klaar om hem schuldig te verklaren.'

'Ik dacht dat mijn hart stilstond toen Olivia in het getuigenbankje opeens stilviel,' gaf Weathers toe. 'Die verdomde Hardcastle zat haar maar aan te kijken en ik zag de moed in haar schoenen zakken. Ik heb het je nooit gevraagd, maar hoe heb je haar overgehaald om te getuigen?'

Denison verschoof ongemakkelijk op zijn stoel, want hij kon Weathers niet vertellen dat hij Olivia de foto's van de plaatsen delict had laten zien. Hij had ze aan niemand mogen laten zien die betrokken was bij de zaak, laat staan de persoon die van de misdaden beschuldigd was.

'Ik heb haar ervan weten te overtuigen dat de moorden niet hebben plaatsgehad omdat Nick driftig werd,' draaide hij eromheen. 'Er was een mate van psychose die niet goedgepraat kon worden door iets nobels als het verdedigen van de aangevallen geliefde.'

'Dat is waarschijnlijk het meest romantische wat je ooit tegen me gezegd hebt,' zei Weathers met een grijns.

Denison hief zijn glas. 'Op het tegenhouden van een seriemoordenaar voordat hij het magische aantal van vijf had bereikt,' proostte hij.

'En op je boek, bestseller of flop,' zei Weathers, die zijn glas tegen dat van zijn vriend tikte.

'Ik wist niet dat je dat wist,' zei Denison een beetje gegeneerd.

'Ik geloof dat je vervanger in Coldhill het me heeft verteld. Hoe ga je je zwijgplicht als arts omzeilen?'

'Dat is blijkbaar niet zo'n probleem zolang ik geen details geef van lopende zaken en de namen van mensen verander als ik het over hun psychiatrische aandoeningen heb.' Denison nam een hapje van zijn peshwari naan.

'Schrijf je ook over deze zaak?'

Denison keek hem over het brood heen aan. 'Om eerlijk te zijn is dat het gedeelte waar de uitgevers belangstelling voor hebben. Ik bedoel, zij hebben mij benaderd, niet andersom. De Slager van Cambridge vormt het eerste hoofdstuk.'

'En behandel je ook je sessies met Olivia?'

'Tot op zekere hoogte. Ik zou uiteraard haar vertrouwen schenden als ik zonder haar toestemming over het seksuele misbruik zou schrijven. Ik moet het voorzichtig aanpakken.'

'En als Nick onschuldig wordt bevonden? Kun je het boek dan nog steeds laten publiceren?'

Denison dacht even na. 'Paul Britton heeft in zijn boek over de zaak Rachel Nickell geschreven terwijl de rechter die aanklacht had afgewezen, dus ik denk van wel.'

'Duimen dus maar, hè?'

Ze keken elkaar opeens ernstig aan. 'Duimen,' beaamde Denison.

Na vijftien uur overleg keerde de jury terug met het oordeel.

'Wil de voorzitter van de jury alstublieft opstaan?' instrueerde de klerk. 'Meneer de voorzitter, wilt u zich bij mijn eerste vraag alstublieft beperken tot een eenvoudig ja of nee? Leden van de jury, hebt u een oordeel geveld over alle punten van de aanklacht en bent u het allen met dit oordeel eens?'

'Ja,' zei de voorzitter van de jury.

'Leden van de jury, acht u de beklaagde, Nicholas Hardcastle, schuldig of niet schuldig aan moord volgens punt één van de aanklacht?'

'Schuldig,' zei de voorzitter.

Nick verbleekte. Zelfs de kleur van zijn haar en ogen leek dof als as te worden.

'Leden van de jury, acht u de beklaagde, Nicholas Hardcastle, schuldig of niet schuldig aan moord volgens punt twee van de aanklacht?'

'Schuldig,' zei de voorzitter.

'Ja!' siste Eliza's beste vriendin. Nicks moeder zakte tegen haar man aan, die haar stevig omhelsde, Nick met waterige ogen aankeek en wilde dat hij hem kon beschermen tegen de mensen die hem straks weg zouden voeren.

'Leden van de jury, acht u de beklaagde, Nicholas Hardcastle, schuldig of niet schuldig aan moord volgens punt drie van de aanklacht?'

'Schuldig,' zei de voorzitter.

'En dat is uw anonieme oordeel?'

'Jawel.'

Claudette Okeweno en Julia Montgomery glimlachten tegen elkaar en toen sloegen ze hun armen om elkaar heen terwijl de tranen over hun wangen stroomden.

Godfrey, die zich via zijn pc liet voorzien van het laatste nieuws van de BBC, keek voor de honderdste keer binnen een uur of er al wat bekend was en zag eindelijk wat hij zocht. 'Ja!' zei hij zachtjes en hij sloeg met zijn vuist op het bureau. Hij gaf het nieuws per sms door aan Sinead, die het doorstuurde naar Rob McNorton, die het al had gekregen van Leo.

Denison twijfelde er niet aan dat de rechter in de jaren vijftig een zwarte doek over zijn pruik zou hebben gelegd om de doodstraf uit te spreken. Nick kromp ineen onder de blik van de oudere man.

'Nicholas Hardcastle, staat u op. U bent schuldig bevonden aan de moord op Amanda Montgomery, Eliza Fitzstanley en June Okeweno.

Er bestaat bij mijn geen twijfel over dat dit de meest barbaarse misdaden zijn waarover ik ooit het ongeluk heb gehad recht te moeten spreken. Deze drie vrouwen waren jong, briljant en mooi. Ik kan me niet voorstellen dat ze geen bewonderenswaardig en productief leven gehad zouden hebben als u die belofte niet in de kiem had gesmoord. Ik heb geen andere keus dan u de maximaal toegestane straf op te leggen: voor alle drie de punten van de aanklacht wordt u tot levenslange gevangenisstraf veroordeeld. Het spijt mij buitengewoon dat ik geen zwaardere straf kan opleggen. Ik beveel de mensen die in de toekomst de niet erg benijdenswaardige taak zullen hebben over uw vervroegde invrijheidstelling te oordelen ten sterkste aan de gezichten van Amanda, Eliza en June voor ogen te houden en in al hun wijsheid te besluiten dat ze het risico niet kunnen nemen u vrij te laten.' Hij maakte een gebaar naar de bewakers. 'Neem hem mee.'

Binnen een minuut of twintig drong het nieuws door tot de gevangenen in Holloway. Laticia kwam naar de tv-kamer hollen, waar Olivia naar een kinderprogramma op het gehavende toestel zat te kijken.

'Ze hebben hem schuldig bevonden, Olivia!' zei ze, en ze schudde haar vriendin door elkaar. 'Hij heeft wel honderd jaar gekregen of zoiets!'

Olivia keek naar Laticia's stralende gezicht en knikte.

'Je mag er best blij mee zijn, hoor,' zei Laticia. 'Hij kan je nu niets meer doen. Je hoeft je er niet ellendig onder te voelen.'

'Ik voel me niet ellendig,' zei Olivia. 'Echt niet.'

'Lach dan eens.'

Olivia glimlachte.

'God, wat is dit een sombere plek,' zei Denison bij zijn zevende bezoek aan Holloway. Olivia haalde haar schouders op en glimlachte naar hem.

'Het kan erger.'

'Hoe dan?' protesteerde hij.

'Ik zou in een Thaise gevangenis kunnen zitten,' zei ze. 'Of een Turkse. Ik heb *Midnight Express* gezien, weet je. Hier is het niet zo slecht.'

'Is het anders?' vroeg hij. 'Nu je niet meer in preventieve hechtenis zit?'

Ze schudde haar hoofd. 'Niet zo anders. Minder privileges, maar aan de andere kant heb ik nu mijn eigen tv.'

'Toch moet het moeilijk zijn. Om opgesloten te zitten met moordenaars en drugsdealers terwijl je niets anders hebt misdaan dan proberen de man te beschermen van wie je hield.'

Ze fronste. 'Je moet dit niet al te romantisch zien. Je zou beter moeten weten. Nick had iemand anders kunnen vermoorden in de tijd dat ik je ervan probeerde te overtuigen dat ik de dader was. Ik dank God elke dag dat hij dat niet gedaan heeft. Hoor eens, Matthew, ik verdien het om hier te zitten. Soms denk ik dat ik een langere gevangenisstraf had moeten hebben. Nee, schud nou niet je hoofd. Ik heb geluk gehad, dat weet je net zo goed als ik.'

Een tijdlang zeiden ze geen van beiden iets. Uiteindelijk rommelde Denison wat in zijn koffertje en haalde hij er een slof sigaretten uit.

'Nou, daar hou ik het wel mee vol tot ik voorwaardelijk vrijkom,' zei Olivia lachend. 'Maar je kunt ze hier niet aan me geven. Je moet ze bij de receptie achterlaten, die geven ze wel door. Bedankt.'

'Ik weet niet of je meer bent gaan roken, maar volgens mijn berekening moet je er een maand of zo mee kunnen doen. Ik mocht er niet meer dan tweehonderd meebrengen.'

'Dank je,' zei ze weer. 'Ik zal proberen er zuinig mee te zijn. Nog maar een paar weken. Zo lang zou ik ermee moeten kunnen doen. Hoe gaat het eigenlijk met het boek?'

'Er is driftig geboden op de serierechten. Drie grote kranten hadden belangstelling. Mijn uitgever is in de zevende hemel.'

Ze knikte. 'Het verbaast me niets, geld en gratis publiciteit. Heb je al een titel bedacht?'

Denison glimlachte. 'Ja, zowaar. *Waaiervleugel*. Wat vind je ervan? Het lijkt een heel goede beschrijving van het vermogen van een psychopaat om zich bij anderen in te dringen.'

Ze glimlachte terug. 'Ik denk dat je in de nabije toekomst voor de rechter wordt gedaagd door een zekere spiritist.'

Haar haar was gegroeid terwijl ze in de gevangenis zat en de krullen waren nu meer golven. Ze zag hem naar de donkere lokken kijken en ging er wat verlegen met haar hand doorheen.

'Ik moet je iets vragen,' zei ze.

'Vraag maar raak.'

'Als ik hier weg mag, niet wanneer ik nog steeds voorwaardelijk vrij ben, maar als ik de hele straf heb uitgezeten en echt vrij ben, mag ik je dan komen opzoeken?'

Denison keek voor de laatste keer in die irissen met de kleur van opgewreven goud. 'Natuurlijk,' zei hij.

hoofdstuk **TWINTIG**

Februari: zeven maanden later

Matthew Denison zat in zijn studeerkamer aan zijn bureau. De stereo stond op Radio 4 en hij keek naar een leeg Word-document op het beeldscherm van zijn computer. Dit hoofdstuk van zijn nieuwe boek moest helemaal over de achtergrond en het karakter van Nicholas Hardcastle gaan. Zijn jeugd, zijn seksuele geaardheid en hoe hij een monster was geworden. Het was een moeilijk hoofdstuk om te schrijven, omdat Nicks ouders uiteraard elk contact met hem weigerden. Hij was zelfs naar Oxford gereden in de hoop dat hij hen in een persoonlijk bezoek zou kunnen overhalen met hem te praten, maar voor het huis stond een 'te koop'-bord en er had niemand opengedaan. Weathers had hem later verteld dat ze het huis hadden moeten verkopen om Nicks advocaat te betalen.

Denisons eerste boek zou drie maanden later uitkomen en er verschenen al ingekorte versies van elk hoofdstuk in *The Mail on Sunday*. De strijd van de kranten om de serierechten had zijn uitgever doen vragen om een boek dat alleen over de zaak van de Slager van Cambridge ging, nog voordat *Waaiervleugel* was uitgekomen. Hij had een jaar vrij genomen om het eerste boek te schrijven en kon niet nog langer vrij nemen voor het tweede boek. Toen hij moest kiezen tussen zijn baan op Coldhill en al het geld en de bekendheid die hij zou krijgen als hij boeken bleef schrijven, had hij zijn ontslag ingediend, nog voor het proces tegen Nick was afgerond. Als hij zich afvroeg of hij de juiste keuze had gemaakt, zei Cass altijd tegen hem dat hij even naar het saldo van zijn bankrekening moest kijken.

Om het schrijven voor zich uit te schuiven, bekeek Denison de foto's nog eens die waren genomen in Nicks zit-slaapkamer op de dag dat ze het hoofd van Amanda Montgomery hadden gevonden. De foto's van de draagtas en de gruwelijke inhoud daarvan legde hij snel opzij, maar die van het chocolablik dat Ames bij de huiszoeking in Nicks kastje had gevonden, bekeek hij nauwkeuriger.

Op de foto waren een verzameling batterijen te zien, allemaal van verschillend formaat, een horloge, ongeveer tien munten van twee pence en vijftien munten van een pence, een gouden ring met initialen die van iemand was geweest die ongetwijfeld een paar jaar ouder was geweest dan Nick, en een insigne dat duidelijk bedoeld was voor op een schoolblazer.

Op een andere foto was het insigne in het groot te zien. Er stond een Latijnse leus op in gouddraad, een schild met een vogel op een aardbol en de naam van de instelling, The Rowe School.

Denison tikte met zijn wijsvinger op de foto. Waarom deed de naam van die school een belletje rinkelen?

Hij opende dankbaar zijn browser, ging meteen door naar Google en typte als zoekterm 'rowe school' in. Het eerste zoekresultaat was de site van de school zelf. Hij klikte erop en bladerde de pagina's door, maar er stond niets in wat hem een licht deed opgaan.

Na ongeveer het vijftiende zoekresultaat werd de naam van de school genoemd in samenhang met die van Nick als de plek waar hij zijn middelbareschoolopleiding had genoten. Denison benijdde ze niet om die associatie. Hij betwijfelde of het feit veel nieuwe inschrijvingen opleverde.

Hij kwam tot de conclusie dat hij het antwoord niet op het web zou vinden en schakelde met tegenzin terug naar het blanco document op zijn scherm, en inwendig juichte hij toen de telefoon ging.

'Met Matthew Denison.'

'O, godzijdank!' zei een paniekerige vrouwenstem. 'Ik probeer u al drie dagen te bereiken!'

'Met wie spreek ik?' vroeg hij.

'Sinead Flynn. Hoor eens, het spijt me dat ik u thuis bel. Ik heb uw nummer bij Coldhill gedraaid, maar ze zeiden dat u daar niet meer werkt en ze wilden me uw privénummer niet geven. Ik moest het op het internet opzoeken.'

'Staat mijn privénummer op het internet?' zei hij geschrokken.

'Alles staat op het internet,' zei ze ongeduldig. 'Ik moet met u praten over Olivia. Ik weet niet goed wat er aan de hand is, maar ik weet wel dat er iets niet goed is. Ze had het kunnen veinzen, ziet u! Ze had het kunnen veinzen.'

Sinead sprak te snel. 'Rustig aan,' zei Denison. 'Ik begrijp er niets van. Wat had Olivia kunnen veinzen?'

'De dissociatieve identiteitsstoornis, de meerdere persoonlijkheden. We hebben het besproken bij mijn colleges psychologie. Ik heb haar erover verteld en ze vond het zo interessant dat ik haar mijn aantekeningen heb geleend.'

'Sinead, het is al goed. We weten dat ze de DIS maar gespeeld heeft. Zo hebben we haar kunnen laten toegeven dat ze het deed om Nick te dekken.'

'U begrijpt het niet,' zei Sinead hardnekkig. 'Ik heb net uw artikel gelezen in die verdomde *Mail on Sunday*, ik wéét dat u haar doorhad. Wat ik u probeer te vertellen, is dat ze wist van Kenneth Bianchi. Ze wist dat hij het had geveinsd en dat ze daarachter waren gekomen door middel van trancelogica. Ze heeft dat vervloekte artikel van Martin Orne gelezen over de tests die ze hadden gebruikt om te bewijzen dat hij deed alsof! Dat probeer ik u te vertellen, dokter Denison. U denkt dat u haar betrapt heeft, maar ze had uw tests kunnen doorstaan als ze dat gewild had!'

'Ik moet Olivia spreken,' zei Denison zodra Weathers de telefoon had opgenomen.

'Ho, ho. Rustig aan, Matt,' zei Weathers. 'Wat is er aan de hand?'

'Ik had net Sinead Flynn aan de telefoon. Zij schijnt te denken dat Olivia wist van het bestaan van trancelogica en ook dat ze wist hoe ze zich moest gedragen bij die tests om ons te laten denken dat ze echt onder hypnose was. Waarom deed ze dat dan niet? Waarom liet ze ons in de waan dat we haar doorhadden?'

Er viel een stilte aan de andere kant van de lijn.

'Steve? Steve, ben je er nog?'

'Misschien had ze er gewoon genoeg van,' zei Weathers. Zijn stem klonk Denison vreemd in de oren, alsof hij te veel zijn best deed om rustig te blijven. 'Misschien wist ze wat ze moest doen, maar kon ze het bedrog gewoon niet meer volhouden. Misschien wilde ze niet langer de schuld van Hardcastle op zich nemen.'

Denison knarste met zijn tanden. 'Je doet wel je uiterste best om deze informatie op zijn gunstigst uit te leggen.'

'Wat had je dan verwacht dat ik zou zeggen: "Laten we Nick vrijlaten en de zaak heropenen?" Vergeet het maar. Hij had verdomme het hoofd van Amanda Montgomery in zijn vriezer liggen, Matt. Olivia zat al achter slot en grendel toen hij die kamer betrok.'

'Ik weet het, ik weet het,' zei Denison, en hij wreef over zijn voorhoofd. 'Hoor eens, ik wil niet zeggen dat dit iets verandert. Ik wil alleen weten waarom ze zich door mij liet ontmaskeren. Ik moet met haar praten. Ik moet haar telefoonnummer hebben.'

'Ik ben bang dat ik je niet kan helpen,' zei Weathers. 'Haar voorwaardelijke invrijheidstelling is gisteren verlopen. Ze heeft een akelige tijd gehad, Matt. De kranten hebben hun uiterste best gedaan haar te vinden en elke keer dat iemand haar herkende, moesten we haar ergens anders naartoe brengen, omdat er een goede kans was dat haar onderkomen in brand gestoken zou worden. Toen haar proeftijd voorbij was, had ze er genoeg van. Ze heeft ons om een nieuwe identiteit gevraagd en is ervandoor gegaan. Ik kan je een nummer geven als je een boodschap voor haar wilt achterlaten, maar ik kan je niet vertellen waar ze is. Ik weet het zelf niet.'

'Wou je me vertellen dat ze is opgenomen in het getuigenbeschermingsprogramma?' vroeg Denison verbaasd.

'Matt, we zijn hier in Engeland, weet je nog? Zo noemen we dat hier niet. En bovendien is het niet waar. Ze zei dat we er zo'n knoeiboel van hadden gemaakt dat ze in haar eentje beter af was. Dus heeft ze een nieuw paspoort, een nieuw sofinummer en een nieuw geboortebewijs gekregen en weg was ze.'

'Maar houdt niemand haar dan in de gaten? Houdt niemand bij waar ze zit?'

'Ze heeft haar schuld aan de maatschappij ingelost,' zei Weathers droog. 'Punt uit. Afgelopen. We hebben geen reden haar nog in de gaten te houden.'

'Dit is gewoon belachelijk,' zei Denison. 'Straks ligt ze dood in een greppel, vermoord door een of andere gek die denkt dat hij eigen rechter kan spelen, en dan zouden jullie niet eens weten dat ze dood was!'

'Het is haar eigen keus, Matt. Ze had bescherming van de overheid kunnen krijgen, maar zoals ik al zei, vond ze dat ze in haar eentje beter af was.'

'En haar vrienden dan, of haar familie? Misschien kan een van hen me vertellen waar ze is?'

'Haar pa is er ook vandoor. Maar het is mogelijk dat ze contact houdt met haar moeder.'

'Hoe bedoel je, haar pa is er ook vandoor?'

'Hij is een paar dagen na zijn vrijlating verdwenen. Er is een arrestatiebevel tegen hem uitgevaardigd, omdat hij nog een maand voorwaardelijk had, maar tot dusver is hij niet gevonden.'

Denison begon het koud te krijgen, ondanks het feit dat de centrale verwarming op volle toeren draaide. Hij deed een jasje aan over zijn overhemd. 'Jij denkt niet dat de twee verdwijningen met elkaar te maken hebben?'

Weathers lachte, maar het klonk vreemd hol door de telefoon. 'Wat, dat die twee samen op de loop zijn? Lijkt mij niet erg waarschijnlijk, makker.'

'Nee...' Denison pakte de foto van het schoolinsigne op. 'Zeg Steve, heb je ooit gehoord van de Rowe School?'

'Ja, dat was de middelbare school van Nick. Hoezo?'

'Zomaar. Kan ik dat telefoonnummer van je krijgen?'

Hij luisterde naar het vergeefse rinkelen tot er een krakend geluid klonk en een dure stem hem vertelde een boodschap achter te laten.

'Met dokter Matthew Denison,' zei hij. 'Ik probeer Olivia Corscadden te bereiken. Het is heel belangrijk. Eh, ik geef u mijn mobiele nummer door.' Voor de goede orde gaf hij het tweemaal. Oké, bedankt. Goedendag.'

Hij hing op en keek nog eens naar de foto. Hij klopte tegen zijn slapen. 'Denk na, Matt, ezel dat je bent. Rowe School... Rowe School...'

Het lag voor de hand dat het knagende gevoel te maken had met een verband elders in de zaak van de Slager van Cambridge. Hij sprong op, ging naar zijn brandbestendige dossierkast en haalde er zes enorme dossiers vol aantekeningen en de geluidsopnamen uit die met de zaak te maken hadden. Radio 4 werd zonder pardon uitgezet om plaats te maken voor een cd met zijn sessies met Olivia.

'Er is iets wat u me niet vertelt,' hoorde hij haar zeggen. Bij de klank van haar stem was het alsof een wezentje aan zijn ruggengraat kriebelde.

Hij ging op zijn bureaustoel zitten en deed de eerste map open.

In de derde map zaten Olivia's schoolgegevens. Olivia had op een probleemschool in Dalston gezeten; hij betwijfelde of die een Latijnse leus had, laat staan een schoolblazer. Maar daar in haar schooldossier vond hij het.

De beurs die Olivia op haar veertiende had aangevraagd, was voor de Rowe School geweest.

Hij nam de aantekeningen over Nick door en vond het jaar dat Nick een beurs had gekregen voor Rowe – het was hetzelfde jaar.

Dus Nick had Olivia's plaats ingenomen. Olivia had wanhopig graag aan haar familie willen ontsnappen en een kostschool zou een goede manier zijn geweest om dat te doen. Maar een motief voor moord? Was het niet waarschijnlijker dat ze de mensen de schuld had gegeven die hadden besloten de beurs aan Nick toe te kennen in plaats van aan haar?

Hij nam de aantekeningen door, maar er stond niets in over wie de beslissing genomen had. Hij herinnerde zich dat Sinead had gezegd dat alles op het internet stond en ging terug naar de website van de Rowe School. De oude nieuwsbrieven van de school stonden als pdf-documenten in het archief. Hij vond er een uit september van het jaar dat Nick zijn eerste trimester op Rowe had doorgebracht en er stond een foto in van Nick – veertien jaar oud en een beetje slungelig – die glimlachend de hand schudde van een lange man in een krijtstreeppak. De heer George Spakes heet Nicholas Hardcastle welkom, die dit jaar de Rees-Hamer beurs heeft gekregen. Meneer Spakes beheert het fonds samen met zijn vrouw Dolores en de heer Henry Wilcocks, de neef van Peter Rees-Hamer, wiens gulle gift de beurs mogelijk maakt. Hij zei: 'We hadden dit jaar veel indrukwekkende kandidaten, maar Nicholas sprong erbovenuit als het soort jongeman dat we met trots op deze school zouden verwelkomen.'

Denison opende een tweede scherm en ging terug naar Google. Hij typte 'George Spakes' in. Er was een aantal zoekresultaten, dus voegde hij 'Dolores' toe als zoekterm. Dit keer waren er maar drie links, waaronder die naar een andere editie van de nieuwsbrief van Rowe, van zo'n beetje een jaar na het document dat hij net had geopend.

'De school heeft met enorme droefenis kennisgenomen van het overlijden van George en Dolores Spakes, twee gewaardeerde leden van de raad van bestuur van Rowe School. Het echtpaar is vorige maand betrokken geraakt bij een verkeersongeluk op de Rampton Road en heeft daarbij helaas het leven verloren. Op 18 september zal er om vier uur 's middags een herdenkingsdienst in de schoolkapel worden gehouden. Laat het de schoolsecretaresse alsjeblieft weten als je die wilt bijwonen.'

Denison had moeite de muis in beweging te krijgen, zo erg trilde zijn hand. Hij ging terug naar de pagina met zoekresultaten en klikte op een andere link, dit keer naar de plaatselijke krant.

'De politie heeft sporen van lak van een andere auto aangetroffen op de carrosserie van de Nissan van de Spakes, en tests hebben uitgewezen dat die afkomstig zijn van een blauwe Ford Focus, die twee dagen geleden op een parkeerterrein is aangetroffen. De politie bevestigt dat ze de dood van de Spakes inmiddels beschouwt als een verkeersmisdrijf.'

Hij klikte weer terug naar Google en zocht op 'Henry Wilcocks'. Weer waren er verschillende resultaten. Hij voegde het woord 'dood' toe.

'De identiteit van de man die donderdag dood is aangetroffen in Huntsford Park is bevestigd: het is Henry Allan Wilcocks van Huntsford Drive in Caversham, die jurist was bij notarisbureau Danby and Sons. De politie wil graag iedereen spreken die op het moment van de steekpartij in de buurt was.'

Denison zocht in Olivia's schooldossier naar een kopie van het aanvraagformulier dat ze had ingevuld om tot een universiteit te worden toegelaten. Ze had maar twee universiteiten aangegeven: de University of Cambridge en de Anglia Ruskin University. De laatste, Olivia's tweede keus, was ook in Cambridge, slechts een paar honderd meter van politiebureau Parkside.

Er stonden nu twee Google-schermen open op Denisons computer. Hij sloot er een af en werd weer geconfronteerd met de foto van een jonge, glimlachende Nick Hardcastle in de nieuwsbrief van Rowe School. Hij keek naar de blije ogen en moest bijna overgeven.

'O, Nick,' zei hij. 'Het spijt me zo.'

De telefoon ging en hij kreeg bijna een hartverzakking. Hij nam op in de hoop dat het Weathers was.

'Dokter Matthew Denison,' zei hij.

'Hallo, Matthew,' antwoordde Olivia.

Het was alsof iemand een beker ijskoud water over zijn rug gooide. Zijn maag leek te krimpen.

'Hallo, Olivia,' zei hij schor. Zijn brein liep vast; hij moest haar zien over te halen hem te komen opzoeken en ervoor zorgen dat er een stuk of vijftig bewapende agenten in zijn flat klaarstonden als ze dat deed. Hij pijnigde zijn hersenen om een plan te bedenken.

'De boodschappen worden automatisch aan me doorgegeven,' zei ze tegen hem. 'Meestal is het niet iemand die ik terug wil bellen, maar met jouw telefoontje ben ik blij. Hoe is het met je?'

'Goed, dank je,' zei hij. 'En met jou?'

'Beroerd. Maar bedankt dat je het vraagt. Als ze je het telefoonnummer gegeven hebben, hebben ze je zeker ook wel verteld dat ik heb moeten onderduiken? Er lopen een heleboel gekken rond die denken dat zij de taak hebben de wereld te zuiveren. Je zou denken dat ik baby's at voor het ontbijt, zo haten ze me.'

'Olivia.' Zijn mond was zo droog. 'Olivia, wist je dat je vader er ook vandoor is?'

'Ervandoor?' herhaalde ze.

'Hij had blijkbaar geen zin zijn proeftijd vol te maken. Hij wordt sinds een dag of twee nadat ze hem hebben vrijgelaten vermist.'

'O,' zei ze zonder enige verbazing. 'Hé, dokter?' Hij hoorde een glimlach in haar stem. 'Heb ik je ooit verteld dat ik de ogen van mijn vader heb?'

'Echt waar?' zei hij.

'Ja, ik bewaar ze in een pot onder mijn bed.' Ze giechelde en het gaf hem het gevoel dat zijn oren zouden moeten bloeden.

Hij had het afschuwelijke idee dat ze geen grapje maakte.

'Maar goed, waarover wilde je me spreken?' vroeg ze. 'Het klonk alsof het belangrijk was.'

'Eh, ik wilde alleen weten hoe het met je ging. De laatste keer dat ik je in de gevangenis opzocht, zei je dat we elkaar misschien eens zouden kunnen zien als je proeftijd eenmaal voorbij was.'

'Dat klopt,' zei ze. 'Dat heb ik gezegd. Helaas is het nogal moeilijk sociale contacten te onderhouden als allerlei mensen proberen je op te sporen en je te vermoorden. Ik denk dat ik voorlopig maar even moet passen. De komende tien jaar of zo, waarschijnlijk.'

Hij zweeg, want hij was zich ervan bewust dat hij haar niet in de val zou kunnen lokken. Wat nu, dacht hij. Kon hij haar ertoe brengen tegenover hem schuld te bekennen?

'Nou, ga je het nog vragen?' zei ze.

'Wat vragen?'

'Over de trancelogicatests. Gele amethisten en verdoofde plekken.'

Hij liet bijna de telefoon vallen. Had ze hem afgeluisterd?

'Ik neem aan dat je daarom belde,' zei ze. 'Ik was zo opgelucht dat het bij het proces niet ter sprake kwam. Dat was een enorm geluk. Maar ik heb je boek gelezen. Ik heb het zelfs gekocht op de dag dat het uitkwam. En ik wist dat Sinead het ook zou lezen, die nieuwsgierige teef, en dat ze contact met je zou opnemen. Ik had je telefoontje al verwacht.' Ze zweeg even en zette toen haar kleine-meisjesstem op. 'Ben je nu teleurgesteld in me?' Maar haar lach had niets onschuldigs.

'Maar, maar... waarom?' Een andere vraag kon Denison niet bedenken.

'Waarom wat? Waarom ik deed alsof ik die test niet met goed gevolg kon afleggen? Nou, omdat ik wilde dat je me doorhad, natuurlijk. Jezus, wat duurde het lang eer je argwaan kreeg. Ik dacht bijna dat ik met zwarte stift "ik doe alsof" op mijn voorhoofd zou moeten schrijven.'

'Dus je hebt al die tijd gedaan alsof?' zei hij. 'Zelfs toen je catatonisch was?'

'Zelfs toen.'

'Maar je was vier weken van de wereld!'

Hij kon bijna horen dat ze haar schouders ophaalde. 'Het was wel erg saai, dat moet ik toegeven. Maar het kwijlen was leuk. Wat zal ik ervan zeggen, het is een gave. Ik heb misschien geen DIS, maar ik ben behoorlijk goed in alles loslaten. Dat heb ik geleerd toen ik klein was. Niets zo goed als in je kont genomen worden door ouwe kerels om het trucje te leren om je in jezelf terug te trekken. Ik heb die vier weken veel nagedacht. Ik geloof dat ik in de derde week zelfs de laatste stelling van Fermat had kunnen oplossen, ergens tussen het kwijlen voor de tv en appelmoes gevoerd krijgen van een plastic lepel.'

'Zou het niet gemakkelijker zijn geweest om de politie meteen op de plaats delict te vertellen dat je gezien had dat Nick June vermoordde?'

'Natuurlijk. Maar gemakkelijker is niet altijd beter. Het is vaak leuker om jezelf een uitdaging te stellen. Ik dacht dat het beter zou zijn als het idee dat ik mezelf opofferde voor Nick van jou zou komen. Het duurde even voor je zover was. Maar ik genoot van de gedachte dat ik de touwtjes in handen had en dat Nick daaraan bungelde en zich afvroeg wat er gaande was en wat er met hem zou gebeuren.'

Een van de mappen was open en de inhoud lag verspreid over zijn bureau. Hij zag de foto van Amanda Montgomery die hij altijd de mooiste had gevonden, waarin ze in haar spijkerbroek vol verfvlekken met haar kleine broertje speelde.

'Jij hebt ze vermoord,' zei hij. 'Ja toch?'

'Ik geloof dat ik dat eindelijk toe kan geven.'

'Maar waarom?'

'Wel, eerst was ik alleen van plan om Nick te vermoorden. Maar toen zag ik hoe leuk het zou zijn om van hem een moordenaar te maken. Die lieve, nuchtere, vriendelijke Nick. Gemin-acht door zijn vrienden. Bespuwd door vreemden. En god mag weten wat ze in de gevangenis met hem doen, zo'n mooie jon-gen als hij. Ik vond het een geschiktere straf. Nu is hij degene die in zijn kont geneukt wordt.'

'Een geschiktere straf? Noem je het zo? Alles wat hij deed was een beurs toegekend krijgen die jij ook had aangevraagd!'

'Die beurs had van mij moeten zijn,' zei ze, en haar stem was zo hard en scherp als de scherven van een porseleinen bord. 'Dat heeft mijn lerares me verteld. Ze zei dat ze een van de leden van het toewijzingscomité kende en dat hij had gezegd dat het in or-de was. En toen diende die verdomde Nicholas Hardcastle op het laatste moment ook een aanvraag in en plotseling veront-schuldigt mijn lerares zich omdat ze te vroeg heeft gejuicht en zegt ze dat ik volgend jaar misschien meer geluk zal hebben, dat achterlijke wijf.'

'Maar ik begrijp het niet,' zei Denison. 'Als je hem zo erg haat-te, hoe kon je dan bijna drie jaar met hem samenwonen? Hoe kon je het verdragen om met hem naar bed te gaan?'

Dat maakte haar aan het lachen. 'Kun je dat nog vragen? Wat denk je dat ik mijn hele jeugd gedaan heb? Ik heb ervaring zat met seks met mannen die ik veracht. Alleen als je seks gelijkstelt met liefde is het moeilijk om iemand te neuken die je haat.'

'Maar waarom heb je hem drie moorden in de schoenen ge-schoven? Was één niet genoeg?'

'Meerdere seksuele of sadistische moorden door een dader van onder de twintig jaar worden automatisch bestraft met dertig jaar of meer,' zei ze, alsof ze een algemeen bekend feit aanhaal-de. 'Er is een groot verschil tussen je halve leven zitten en niet weten of je ooit nog uit de gevangenis komt.'

'Dat is waar,' zei hij. 'Maar je neemt jezelf in de maling als je denkt dat dat echt de reden is.'

Hij hoorde de glimlach in haar woorden: 'Ga door.'

'Je hebt ze vermoord omdat je ervan genoot. Want dat is wat je bent. Een moordenaar. Je zou ze toch vermoord hebben, of je

Nick nu een misdaad in de schoenen wilde schuiven of niet. Het is gewoon wat jij doet.'

Ze lachte. 'Iemand heeft zijn research gedaan. Kom op, hoe hoog denk je dat mijn score is? Hoog genoeg om te worden geclassificeerd als echte seriemoordenaar?'

'Ik kom denk ik op minstens zes,' zei hij. 'Maar ik ben net pas begonnen met zoeken.'

'Je zult ze niet allemaal vinden,' zei ze bijna weemoedig. 'Sommigen zul je niet met mij in verband kunnen brengen. Dat waren gewoon toevalstreffers. En sommigen kun je gewoon helemaal niet vinden. Ik laat ze niet altijd open en bloot liggen.'

'Waren de meisjes op Ariel ook toevallige slachtoffers?'

'Nee,' zei ze. 'Nee, ze hebben me allemaal op de een of andere manier nijdig gemaakt. Paula stond boven aan mijn lijstje, maar ik wist dat ik waarschijnlijk de eerste zou zijn die verhoord zou worden als ik haar om zeep bracht, omdat ze nu eenmaal mijn "liefdesrivaal" was, of hoe de sensatiekrant het zou willen noemen. Amanda was de op een na beste keus; ze bleef maar stoken tussen mij en Nick om ervoor te zorgen dat die lieve Paula kreeg wat ze wilde, en gelukkig was Nick ook geen fan van haar. Ik wilde eigenlijk wachten tot het tweede trimester, maar toen hoorde ik haar tegen Sinead tekeergaan dat ik niet slim genoeg was om daar te zijn en dat ik de vrouwelijke studenten een slechte naam gaf, en toen ging ik gewoon over de rooie. Ik ging weer naar haar kamer en wachtte haar op toen ze terugkwam van het feest.'

Hij wilde niet denken aan wat er toen gebeurd was. 'En Eliza?'

'Eliza trok haar neus op voor mijn kleren, die coke snuivende teef met haar erfenis, en ze zei dat ik niet goed genoeg was voor Nick. Om eerlijk te zijn, was het een plotselinge ingeving. Over June was meer nagedacht. Nick mocht haar niet, dus was het geloofwaardig dat zij een van zijn slachtoffers werd. En ze kamde mijn familie af. Oké, misschien had ze wel een punt. Maar ik laat niet op me neerkijken, door niemand. En zeker niet iemand

die ingestort en doodgegaan zou zijn als ze had moeten door-
maken wat ik had overleefd.'

'Ze gaven je het gevoel dat je niet goed genoeg was.'

'Ik neem aan van wel. Maar dat duurde niet lang. Tot aan het
moment waarop ik het mes in ze stak. Toen wisten ze wie van
ons het meest waard was.'

Ze ademde behoorlijk zwaar en hij luisterde mee terwijl ze
kalmeerde.

'Leg eens uit, Matthew,' zei ze. 'Ik heb alle boeken gelezen.
Ik weet dat mensen met meerdere persoonlijkheden meestal een
verschrikkelijke jeugd hebben gehad. En ik weet dat dat ook vaak
geldt voor seriemoordenaars. Waarom ben ik het een geworden
en niet het andere?'

'Sommige mensen, vooral vrouwen, slaan de pijn die ze voelen op in hun lichaam. Zo leidt kindermisbruik in de volwas-
senheid tot depressiviteit.' Wat hij zei was bijna een lezing, een
samenvatting van alle theorieën in alle onderzoeken die hij in de
loop der jaren had gelezen en die waren bewezen door zijn patiënten in Coldhill. 'Een veel kleinere minderheid, en eerder de
mannen dan de vrouwen, leggen de pijn juist buiten zichzelf. Ze
willen macht over anderen om hun gevoel van eigenwaarde te
versterken. Andere mensen zijn slechts voorwerpen voor hen,
dingen die ze alleen kunnen zien in relatie tot zichzelf. Andere
mensen zijn geen personen met hun eigen hoop en dromen, en
met recht op een toekomst. Ze zijn er alleen om aan de behoef-
ten van een psychopaat te voldoen.'

'Je bent veel spraakzamer dan aan het begin van dit gesprek,'
merkte Olivia op. 'Ik heb veel liever dokter Denison, de psychiater, dan de stamelende lafaard die de telefoon opnam.'

'Dat geloof ik niet. Ik denk dat je wilt dat ik bang voor je ben.'

'Je bent bang voor me.'

'Is er niets anders dat je van mensen wilt? Wil je niet meer
dan angst?'

'Angst is de mooiste kleur,' zei ze, en ze klonk afwezig. 'Mijn
wereld bestaat uit verbleekte tinten grijs. Voor mij ziet alles er

hetzelfde uit. Niets springt eruit, behalve pijn en woede en angst. Ik kan naar muziek luisteren die andere mensen aan het huilen maakt, maar voor mij is het slechts een opeenvolging van noten. Ik moet naar anderen kijken om erachter te komen hoe ik me moet gedragen. Ik moet hun mening over films en boeken herhalen. Het is allemaal giswerk, ik ben maar op doortocht en kan door niets geraakt worden. Als ik iemand vermoord, is er tenminste energie, adrenaline. Dan voel ik iets.'

'Misschien kunnen we er iets aan doen,' zei hij. 'We zouden een behandeling kunnen samenstellen om die dofheid te doorbreken zonder dat er iemand voor hoeft te sterven.'

'Wil je dat ik mezelf aangeef?' zei ze.

'Ja. Kom naar huis. Laat mij voor je zorgen.'

'Rot op,' zei ze. 'Denk je echt dat ze me bij jou zouden laten als ik die moorden zou bekennen en dat jij dan Henry Higgins zou kunnen spelen en me zou mogen leren hoe ik een normaal mens kan zijn? Doe niet zo belachelijk. Ik zou tot de dag van mijn dood in Holloway zitten. Mooi niet. Ik ben hier gelukkig.'

'En waar is dat?'

'Dichterbij dan je denkt.' Hij voelde iets tussen zijn schouderbladen en slaakte een paniekkreet, maar er was niemand, alleen de adrenaline die zijn zenuwuiteinden had geprikkeld.

'Alles goed, Matthew?' vroeg ze geamuseerd.

Hij legde zijn hand over het mondstuk tot hij weer op adem was. 'Prima,' zei hij.

'Het is niet mijn bedoeling je bang te maken. Ik blijf niet lang. Het is hier veel te koud. Ik heb zin in een plek met palmbomen en een mooi zandstrand.'

Hij moest het zeggen. 'Je bent gek.'

Ze barstte in lachen uit. 'Heb jij niet bewezen dat het niet zo was?'

'Hoor eens, Olivia, het zou het beste voor je zijn als je je gewoon aangaf. Als de politie je eenmaal gaat zoeken, zal het niet zo moeilijk zijn om je te vinden.'

'Maar waarom zou iemand me komen zoeken?' vroeg ze. Hij

kon niet horen of haar verbazing echt was of gespeeld.

'Nou, als ik eenmaal heb verteld wat jij hebt gezegd...'

'Doe niet zo raar, Matthew, jij gaat niemand iets vertellen,' zei ze luchtig. 'Je zult jezelf een tijdje wijsmaken dat je het gaat doen, dat je zult doen wat je behoort te doen, maar we weten allemaal dat er te veel op het spel staat voor jou. Je kunt schrijven wat je wilt over Nicks criminele verleden; hij is veroordeeld en kan het niet tegenspreken. Maar de juristen van je uitgever zullen je nooit een gebruikte en misbruikte jonge vrouw laten beschuldigen van deze misdaden. Dus het zou afgelopen zijn met je carrière als schrijver, je tournee langs de boekhandels van dit land en daarbuiten, je verschijning bij praatshows en de interviews in de kranten. Maar goed, ik neem aan dat je altijd kunt proberen je oude baan terug te krijgen in Coldhill. O nee, wacht even. Je hebt de rechter voorgehouden dat een seriemoordenaar alleen maar een vrouw was die leed aan het syndroom van geslagen vrouwen, alleen maar een slachtoffer, en je hebt getuigd dat die arme, onschuldige Nick het soort antisociale persoonlijkheidsstoornis had dat hem in staat stelt de afschuwelijkste misdaden te plegen. Iets zegt me dat niemand nog erg onder de indruk zal zijn van je vermogen een diagnose te stellen, Matthew. Met je carrière als psychiater zou het ook afgelopen zijn.'

Hij dacht dat de kamer kromp, dat de muren op hem afkwamen. Hij zag geen uitweg. 'Je denkt toch niet dat ik hem in de gevangenis zal laten wegrotten,' zei hij, maar zijn stem klonk zwak en niet erg overtuigend. Hij voelde tranen opkomen, voelde zijn keel dichtknijpen. 'Wil je dan niet dat jouw verhaal verteld wordt?' probeerde hij.

'Ik heb geen begrip nodig,' zei ze.

'Maar waarom dan?' vroeg hij, terwijl hij heftig met zijn ogen knipperde. 'Waarom vertel je me dit allemaal?'

'Ik heb onze gesprekken gemist,' zei ze liefjes. 'Ik heb altijd gewild dat jij de waarheid zou kennen. Het is niet leuk om een spel te winnen als niemand weet dat je dat spel gespeeld hebt.'

EPILOOG

'Het spijt me enorm, Olivia,' had mevrouw Martens gezegd. 'Ik had het je nooit verteld als Henry niet had gezegd dat het een uitgemaakte zaak was. Ik kan hem wel vermoorden, echt waar.'

Olivia had alleen maar naar haar gekeken. Mevrouw Martens voelde met haar mee, maar ze kon je soms aanstaren met die uilenogen tot je er helemaal gek van werd.

'We kunnen het volgend jaar weer proberen,' had ze nog gezegd. 'Zolang je tenminste hier bent voor de examens, dat is het belangrijkste.'

Olivia liep over Dalston High Street naar school. De laatste twee weken had ze in zichzelf gezongen: 'Ik ben vrij, ik ben vrij!' Nu klonk er alleen maar statisch geruis.

Ze duwde de deur van de winkel open.

'Waar heb je verdomme gezeten?' zei haar moeder, die achter de toonbank voorraden stond te tellen. 'Maak dat je boven komt. Je vader zit al een uur te wachten tot je thuis bent.'

De achterkamer van de flat boven de winkel was omgetoverd tot een kleine filmstudio. Ze legde haar rugzak op het bed in haar kamer en ging naar binnen. Daar stond haar vader met een van de videocamera's te prutsen. Er was een man bij hem van zo te zien een jaar of veertig, die dringend behoefte had aan een scheerapparaat en een sterke kop zwarte koffie. De man droeg een Lacoste-shirt dat over zijn bierbuik spande en zat op het uiteinde van de matras die op de grond lag. De man lachte naar Olivia. Zijn tanden waren geel.

'Dit is Derek,' zei haar vader. 'Kleed je uit.'

Alle telefoons waren in gebruik. Olivia wachtte tot er een vrijkwam aan het eind van de rij. Ze zorgde ervoor niemand aan te kijken. De gevangenen werden helemaal gek als ze dachten dat je hun gesprek afluisterde en hoewel Olivia best tegen ze op kon, wilde ze haar vervroegde vrijlating niet in gevaar brengen.

Eindelijk hing de vrouw aan het eind van de rij telefoons op en pakte ze haar telefoonkaart uit het toestel. Olivia nam haar plaats in en keerde de andere vrouwen de rug toe. Meer privacy zou ze niet krijgen.

Ze draaide het nummer. In haar hand klemde ze een papiertje met een adres erop, dat ze had gekregen van een vriend die geen idee had waarom ze het had willen hebben.

Een jong meisje nam op.

'Jodie, met Cleo. Haal pa, snel.'

Het duurde twee minuten voordat hij aan de lijn kwam.

'Wat mot je?'

'Ook leuk om jouw stem te horen. Luister, je moet iets voor me doen.'

'Dat is zeker een geintje.'

'Nee, pa. Dit is verdomme geen geintje. En als je niet in de nor wilt belanden wegens kindermisbruik, kun je beter even opletten. Ja?'

Er viel een norse stilte aan de andere kant van de lijn en toen hoorde ze: 'Oké.'

'Ga naar Kensall's Self Service Storage. Dat is in Southwark. Je gaat naar ruimte 217. Er zit een toetsenbord op de muur, de toegangscode is 678901. Binnen staat een vriezer. Daarin vind je iets wat van een vriendin van mij is geweest. Ik wil dat je het meeneemt en het in de flat van Nick Hardcastle legt.'

Haar vader lachte schor. 'Je neemt me in de maling. Is dit voorwerp wat ik denk dat het is?'

'Waarschijnlijk wel.'

Hij floot zachtjes. 'Nou, ze zeggen wel dat een appel nooit ver van de boom valt. Maar wat doet dat ding in Kensall's Self Service Storage? Ben je niet bang dat de papieren naar jou zullen leiden?'

'Ik heb nooit persoonlijk met iemand gesproken. En de huur staat op naam van Nick Hardcastle.'

'Slimme meid.'

'Niet slim genoeg. Ik dacht dat iemand van het bedrijf inmiddels de naam wel herkend zou hebben en de politie op de hoogte zou hebben gesteld, maar het ziet ernaar uit dat ik de zaak zelf op gang moet brengen als ik hier niet nog tien jaar wil zitten.'

Haar vader grinnikte. 'Weet je, je lijkt meer op me dan je beseft, moppie.'

'Doe je het?'

'Het is verdomde riskant. Stel dat ze me ermee pakken?'

'Doe alsof je niet wist wat er in de zak zat. Het alternatief is dat je in de nor belandt als pedo. Ik zou er ook over kunnen denken de politie te vertellen over mijn vriendinnetje Christie en hoe een van je akeliger filmopnamen erop uitliep dat ze per ongeluk stikte. Ik heb zelfs een kopie van de band. Dus zet het maar uit je hoofd om me te naaien, *moppie*.'

Het enige geluid dat ze hoorde, was de zware neusademhaling van haar vader, die probeerde zijn woede te bedwingen. 'Geef me het adres van je vriendje,' zei hij.

'Hij herhaalde iets wat June hem een maand of twee voordat ze vermoord werd had verteld. Blijkbaar had June, wier kamer naast die van Olivia lag, haar en Nick horen ruziën. Maar volgens haar was het vooral Nick die tekeerging. Olivia klonk alsof ze hem probeerde te kalmeren. Er viel een korte stilte en toen sloeg er een deur dicht. June ging naar buiten om te kijken of alles goed was met Olivia en zag haar de trap af hollen naar de douches, met haar hand om haar arm. Ze hield de arm onder de koude kraan. Er zat een verse brandwond op de onderkant. June heeft Danny verteld dat het net zo'n soort brandwond was als je krijgt van een sigaret.'

'Jezus, hoe moeilijk is het om gewoon op tijd te komen?' schreeuwde Nick.

Olivia haalde een sigaret uit haar pakje en knipte haar aansteker open. 'Het spijt me!' zei ze. 'Ik heb het niet met opzet gedaan! Echt, schat, wees alsjeblieft niet kwaad, ik ben gewoon zo opgegaan in mijn werk dat ik niet besefte hoe laat het was, tot jij belde om te vragen waar ik was.' Ze stak de sigaret aan en keek naar hem, maar ze probeerde niet te laten zien hoe ze ervan genoot als hij boos werd.

'Dit is gewoon niet te geloven. Dit flik je me verdomme elke keer. Misschien moet ik jou de volgende keer maar eens rond laten hangen als een idioot, wachtend op iemand die nooit zal komen opdagen!' Hij ging naar hun badkamer en sloeg de deur achter zich dicht.

Olivia rolde haar mouw op, nam een lange haal van de sigaret, zodat het uiteinde rood opgloeide, en drukte toen de punt tegen de binnenkant van haar arm. Er klonk een zwak gesis, maar ze vertrok geen spier. Ze drukte de sigaret uit en kneep in haar wangen tot haar ogen traanden. Toen greep ze haar arm en rende luidruchtig de kamer uit naar de badkamer op de benedenverdieping, waar ze bleef luisteren naar het geluid van Junes voetstappen op de trap.

'Hij reed ons erheen in zijn auto. We zagen haar roken op het speelterrein en wachtten op de trap tot ze naar haar flat ging voor het avondeten. Toen ze ons zag, probeerde ze weg te rennen. Mijn vader greep haar vast en stompte haar op haar neus.' Olivia's stem werd dieper en harder en snauwde: '"Ik laat mijn meisje niet pesten door een of ander rotkind." Hij draaide haar arm op haar rug en ik hoorde een krakend geluid, alsof er een stok brak. Hij dwong haar zich tegenover mij te verontschuldigen. Toen ze dat had gedaan, zei hij: "Vooruit, Olivia, zet het haar betaald." En hij duwde haar naar me toe. Ze viel om en bleef jankend op de grond liggen. Hij schreeuwde dat ik het haar betaald moest zetten. Maar ik wilde niet.'

Olivia hing rond in het noordoostelijke trappenhuis van de huurflat Amhurst Park. De muren stonden vol met talloze graffiti en pornografische tekeningetjes. Het stonk er naar pies. Uit een bijna leeg bierblikje druppelde gele vloeistof over de betonnen treden. Olivia rookte een sigaret en wachtte op Tabitha Newland.

Ze hoorde Tabitha's stem. Het meisje zong een liedje van Kylie Minogue terwijl ze de trap op kwam. Maar haar stem stokte toen ze de hoek om kwam en Olivia zag staan.

'Wat moet je,' wilde ze zeggen, maar Olivia vloog haar aan voordat ze de vraag kon afmaken.

De tattoo-artiest grinnikte naar haar toen Sinead naar de bank hinkte. 'Volgende slachtoffer,' zei hij. Ze ging in de stoel zitten terwijl hij naar de receptioniste liep en haar een folder van de afhaalchinees gaf. 'Kun jij even de Jade of the Orient bellen en vragen om een 21, een 17, een 8 en wat jij wilt?' Hij draaide zich weer om naar Olivia. 'Oké, wat wenst mevrouw?'

Ze gaf hem haar stukje papier. 'Op mijn linkerschouder, alstublieft. Net zo groot als hierop.'

Het eten werd nog geen twintig minuten later afgeleverd door een jonge Chinese man op een scooter. De tattoo-artiest keek op en legde zijn naald weg.

'Hallo, Wei,' zei hij. 'Wat een timing. Ik ben net bezig met de tattoo van deze jongedame. Geef me even de tijd om haar te verbinden, dan zal ik geld voor je pakken.'

'Geen probleem,' zei Wei. Hij zette de draagtas vol doosjes op het bureau en kwam dichterbij om Olivia's tatoeage beter te bekijken. Maar toen hij de symbolen op haar schouderblad zag, fronste hij, deinsde achteruit en deed alsof hij niet gekeken had.

De tattoo-artiest plakte een vierkant stuk verbandgaas op de tatoeage en gaf Olivia hetzelfde vel papier met instructies voor de nazorg dat hij Leo en Sinead had verstrekt. Ze schudde hem de hand en het groepje liep naar buiten, het zonlicht in.

'Heeft dat meisje je verteld wat dat symbool betekent?' vroeg Wei aan de tattoo-artiest toen hij zeker wist dat ze weg was.

'Ja, eeuwig, voor altijd, dat gewauwel,' zei de man.

Wei schudde zijn hoofd. 'Nee,' zei hij. Hij keek verbijsterd. 'Het betekent "waaiervleugel". Is dat een band of zo?'

'Ik was in mijn badkamer,' zei ze. 'Om me te wassen. Nick was er niet gelukkig mee dat ik in het bijzijn van andere mensen ruzie met hem had gemaakt. Ik dacht dat hij in de slaapkamer was. Maar toen ik uit de badkamer kwam, was hij er niet en toen hoorde ik haar gillen. Niet heel hard, het was meer een soort... hijgen. Ik ging naar haar toe om te kijken of alles goed met haar was, maar haar deur was op slot. Ik hoorde haar door de deur heen zeggen "nee, niet doen, nee". Ik bonsde op de deur en riep haar naam, en die van Nick.'

'Je dacht dat hij bij haar binnen was?'

'Ik dacht dat hij in de buurt was. Ik dacht dat hij me zou horen en zou komen helpen.'

Nick was hun badkamer in gegaan om zich op te frissen. Olivia wachtte tot ze hem de grendel op de deur hoorde doen en ritste toen snel haar baljurk los, zodat die op de grond viel. Ze pakte het mes dat ze hadden gebruikt om groenten mee te snijden.

De adrenaline schoot als bliksem door haar aderen. Het was alsof er neon door haar bloedstroom flitste. Haar ogen waren helder en de pupillen vergroot. Ze zag er heel anders uit, als een wild dier.

Ze sloop door de gang naar Junes kamer en duwde stilletjes de deur open. June was zich net aan het uitkleden en droeg alleen een slipje. Ze stond met haar rug naar Olivia en zag haar niet binnenkomen. Toen Olivia de deur achter zich dichtdeed, hoorde June de klik en draaide ze zich om.

Daar stond Olivia in haar slipje en beha. Het wit van haar ondergoed leek heel bleek tegen Olivia's gebruinde huid. June zag de gespannen spieren daaronder, zag hoe sterk en soepel Olivia was en begreep nog voordat ze het mes zag wat dit betekende.

'O, mijn god,' zei ze.

Olivia wierp zich op haar. June wist Olivia's hand weg te duwen van het doelwit – Junes bovenlichaam – en het mes ging over haar bovenbeen. Ze begon te gillen, maar Olivia's linkerhand lag al over haar mond. June sloeg haar hard in het gezicht, zodat Olivia's lip kapotsprong. Toen de lip begon te bloeden, stak Olivia nogmaals toe, waarbij ze tussen Junes vingers door moest, en dit keer raakte ze een rib. Ze haalde haar linkerhand van Junes mond en stompte haar er hard mee in haar buik. June raakte alle lucht in haar longen kwijt en probeerde niet langer te gillen.

Steeds weer stak Olivia toe met het mes. June sloeg ernaar en soms wist ze het uit koers te brengen, maar de meeste keren zonk het mes weg in haar lichaam of sneed het door haar huid. Ze schopte naar Olivia en haar voet kwam hard in Olivia's buik terecht, zodat het meisje over de houten vloer schoot. Ze liet het mes niet los.

Olivia sprong overeind en grijnsde naar June met bloed op haar tanden. Ze hurkte met gebogen knieën, klaar om toe te springen.

'Nee,' zei June, met haar handen omhoog. 'Nee, Olivia, niet doen, alsjeblieft.' Ze bloedde op wel tien verschillende plekken en haar slipje was doorweekt van het bloed. Over de crèmekleurige wanden liepen rode strepen.

Olivia sprong op haar toe en June raakte haar met haar elleboog tegen haar jukbeen. Ze leek het niet eens te merken. Olivia duwde haar tegen de muur met haar onderarm onder haar kin en tegen haar keel, zodat ze geen lucht kreeg. Junes handen fladderden naar Olivia's gezicht en een van haar ringen kwam in aanraking met Olivia's voorhoofd. Ze schopte naar Olivia's benen, maar het meisje stond met gespannen bovenbeenspieren en haar voeten stevig op de vloer.

Olivia greep het mes nog steviger vast en liet het lemmet in Junes buik glijden, net boven het schaambeen. Het verdween er zo ver in dat de handgreep de huid raakte. June viel stil en staarde Olivia in de ogen. Olivia verschoof haar greep en trok het lemmet omhoog tot het de onderkant van Junes ribbenkast raakte. Er klonk een nat, glibberig geluid en Junes warme ingewanden glipten uit haar buik en op Olivia's voeten.

Olivia deed een stap achteruit en keek toe terwijl June met niets ziende, starende ogen langs de muur naar beneden gleed en scheef op de grond terechtkwam.

Olivia bleef even staan om op adem te komen, weer zichzelf te worden en haar masker weer op te zetten. Toen knielde ze bij Junes lichaam en trok het mes eruit. Ze begon opzettelijk steeds sneller adem te halen tot ze hyperventileerde, en toen begon ze te gillen.

De schrijver zou de volgende mensen willen bedanken
voor hun hulp, commentaar en advies met betrekking tot
Vleugels (van angst):
Mike Aitken Deakin, John Aspden, Gaia Banks, Julia Deakin,
Adina Ezekiel, Vivien Green, Sharon Hicks, Susan Hill,
Tracey Horn, Sophie Janson, Grant Jerkins, Jane Kennerley,
Linden Lawson, Sophie Legrand, Tim Loynes, Una
McCormack, Charlie Middleton, Paul Miller, David Newman,
Vanesther Rees, Susanna Sabbagh, Philip Stiles, Paul Taylor,
Brett Van Toen, Sylvia Van Toen, Steve Woolfries, Vashti
Zarach en alle Gurneys.